AKIF PIRINÇCI | Schandtat

Über das Buch
»Akif Pirinçci hat ein felines Paralleluniversum erschaffen. Wer sich darauf einlassen will, wird mit Witz und Eleganz unterhalten.« *Die Welt*

»Wie immer sorgfältig recherchiert, da dürfte kein Katzenkenner etwas vermissen. Ein Muss für Francis-Fans!« *Bonner Generalanzeiger*

»Mit schonungslosem Blick und einem Hauch von Zynismus seziert Pirinçci hier wieder den Zeitgeist.« *Hamburger Abendblatt*

»Da werden die Krimi-Fans vor Freude schnurren.« *Bonn Express*

Über den Autor
Akif Pirinçci, geboren 1959 in Istanbul und aufgewachsen in der Eifel, drehte mit vierzehn Jahren seinen ersten Film für den Bayrischen Rundfunk und erhielt kurz darauf den Hörspielpreis des Hessischen Rundfunks. Mit seinem Katzenkrimi »Felidae«, der als Trickfilm auch das Kinopublikum eroberte, schrieb er sich in die Herzen einer internationalen Fangemeinde. Die folgenden Romane stürmten sofort die Bestsellerlisten, wurden in viele Sprachen übersetzt und erzielten weltweit Millionenauflagen. Akif Pirinçci lebt in Bonn.

AKIF PIRINÇCI
Schandtat

Ein Felidae-Roman

FSC
Mix
Produktgruppe aus vorbildlich
bewirtschafteten Wäldern und
anderen kontrollierten Herkünften
Zert.-Nr. SGS-COC-1940
www.fsc.org
© 1996 Forest Stewardship Council

Verlagsgruppe Random House FSC-DEU-0100
Das für dieses Buch verwendete
FSC-zertifizierte Papier *Holmen Book Cream*
liefert Holmen Paper, Hallstavik, Schweden.

Taschenbucherstausgabe 02/2009
Copyright 2007 und dieser Ausgabe 2009
by Diana Verlag, München,
in der Verlagsgruppe Random House GmbH
Redaktion | Lisa Kuppler
Herstellung | Helga Schörnig
Umschlaggestaltung | Hauptmann & Kompanie Werbeagentur,
München – Zürich, Teresa Mutzenbach,
unter Verwendung eines Fotos von PantherMedia
Satz | Leingärtner, Nabburg
Druck und Bindung | GGP Media GmbH, Pößneck
Printed in Germany 2009
978-3-453-35255-1

www.diana-verlag.de

»Eigentlich gibt es keine dunkle Seite des Mondes;
in Wirklichkeit ist es überall dunkel.«

Pink Floyd, *The Dark Side of the Moon*

1

Die Geschichten, die guten Geschichten, die aufregenden und die, die das Herz berühren, jene, die es wirklich lohnt anzuhören – wo kommen sie her? Wie könnte es anders sein: natürlich aus der Vergangenheit! Es sind die alten Geschichten, aus einer Zeit, als alles neu war und man selbst noch jung. Denn die Jugend ist ein ambivalentes Geschenk, von dem der Beschenkte nicht weiß, daß es ihm überhaupt zuteil wurde, geschweige denn daß es zu guten Geschichten taugt. Die Jugend – man weiß sie erst viel, viel später zu schätzen. Doch dann ist es zu spät. Und zurück bleiben nur die alten Geschichten.

»Wie wurdest du so, wie du jetzt bist, Paps?« wollte Junior wissen.

»Du meinst, uralt?«

Ich befühlte mit der Zunge den fabrikneuen, linken Reißzahn aus Kunststoff, den mir der Zahnarzt erst am vorigen Tage unter Vollnarkose eingesetzt hatte. Der echte war mir während eines Kampfes mit einer fetten Ratte im Garten einfach so abgefallen. Ich hatte gestutzt, das Hauen und Stechen kurz unterbrochen und blöd auf das gute Stück geglotzt, das nun blutbefleckt im Nacken des Widersachers wie eine Nadel im Kissen steckte. Die Ratte hatte ebenfalls blöd geglotzt, konnte es sich jedoch in ihrer Ratteneinfalt nicht verkneifen, ein Hohnlachen auf ihr spitznasiges Rattengesicht zu zaubern. Mir war nichts anderes übriggeblieben, als in meiner Trauer über das verlustiggegangene Teil ihre Gurgel einfach mit einer Kralle aufzuschlitzen. Danach lachte sie nicht mehr. Vielleicht war ich also doch nicht so alt, wie ich glaubte.

Es war der dritte Advent, und draußen ums Haus blies ein eisiger Wind, in den sich allmählich die ersten Schneeflocken mischten. Doch wir hier drinnen hatten es nicht nur warm und behaglich, sondern wir hatten viel mehr als das, nämlich uns! »Wir hier drinnen«, das waren mein neunmalschlauer Sohn Junior, der die anstrengende Angewohnheit besaß, alles genau wissen zu wollen, meine geliebte Sancta, ein Mitbringsel aus Rom, die mich auf meine alten Tage auf den rechten Pfad der Monogamie zurückgebracht hatte, mein bester Freund Blaubart, dessen Alter wie bei dieser einen ägyptischen Mumie wohl nur noch ein Computer-Kernspintomograph zu diagnostizieren vermag, und meine Wenigkeit. Wir alle lagen zu später Stunde Flanke an Flanke auf dem Schaffell vor dem Kamin. Der Flammenschein der brennenden Holzscheite, die einzige Lichtquelle im Raum, tauchte unsere Samthaar-Gesichter in ein rötliches Zwielicht.

Nun ja, natürlich befand sich noch einer im Wohnzimmer, oder besser gesagt, er nahm es ein. In einem von uns gelegentlich als Kratzbaum benutzten, zerfurchten alten Ledersessel hinter unseren Rücken schnarchte Gustav immerhin leise vor sich hin. Sein Elefantenschädel bedeckte fast die gesamte Kopfstütze, seine hundertundfünfzig Kilo ließen die Konstruktion unter ihnen ächzen, wenn er sich

8

in seinem Dämmerzustand bewegte. Von was er wohl träumte? Doch vermutlich träumte er gar nicht, sondern genoß es einfach, daß er es auf seine alten Tage doch noch zu etwas gebracht hatte. Er war ein inzwischen weltweit anerkannter Archäologe, dessen Schriften über versunkene Reiche ihm von den angesehensten Institutionen förmlich aus den Händen gerissen wurden. Und was hatten diese Hände all die Jahre nicht alles anstellen müssen, um uns beide über die Runden zu bringen: »Kurzromane« für Frauen jenseits der Menopause schreiben (»Gisela – geschändet und um die Rente betrogen!«), Telefonate während einsamer Nachtwachen in Call-Centern entgegennehmen (»… wenn Sie uns statt einem drei Särge der Güteklasse C abnehmen, bekommen Sie einen vorgravierten Grabstein mit der Inschrift ›Hier liegen meine Gebeine/Ich wünschte, es wären deine‹ gratis …«), oder ganz emsig die Computertastatur bedienen und gegen ein Entgelt von fünf Euro medizinische Ratschläge absondern (»… ich verstehe, Sie haben also Diabetes, Bluthochdruck, Panikattacken und Fußpilz – haben Sie es schon mit Aspirin versucht?«).

Diese entbehrungsreichen Zeiten lagen aber schon weit hinter uns, und Gustav und ich genossen das saturierte Dasein eines Akademikerpaares mit den üblichen Wonnen. Renovierter Altbau mit honigfarbenen Holzdielen, klassische Musik am Abend im Kerzenschein, wobei er sich geistlos an seinem Mozart erfreute, wogegen ich mich mehr an Benjamin Britten orientierte, er wie immer an seiner Flasche Chablis nuckelnd und ich mich wie gewöhnlich an meinem Evian aus dem Wassernapf berauschend. Aber es wurde auch hart gearbeitet in dieser Woh-

9

nung. Gustav hockte die meiste Zeit, und wie mir vorkam immer verbissener, über den Zeugnissen aus der alten Welt und versuchte daraus Erkenntnisse für unsere neue zu destillieren.

Dies bedeutete natürlich keineswegs, daß ein Mensch mit dem Erscheinen eines Zeppelins und der Alltagstauglichkeit einer mathematischen Formel vermittels bescheidenen Wohlstands automatisch zu einem souveränen Wesen mutiert wäre. Mitnichten! Immer noch brachte es mein bemitleidenswerter Dosenöffner fertig, auf der Jagd nach einer debilen Mücke die Fliegenklatsche so ungeschickt zu schwingen, daß er sich bei der Aktion mindestens einen Knochen brach. Immer noch ähnelte seine Meinung über die Weibchen seiner Spezies der eines Lords aus der viktorianischen Epoche, was mangels Entsprechungen in der Realität zwangsläufig seine Dauer-Unbeweibtheit zementierte. Und immer noch kochte er in solchen Mengen, als erwarteten wir stets eine vierzehnköpfige Großfamilie aus der Ukraine zu Besuch. Sein Leibesumfang und die Bodenbalken der Wohnung strebten unabwendbar einer Katastrophe entgegen – und ich als geflissentlicher Resteverwerter in ästhetischer Hinsicht nicht minder.

Nichtsdestotrotz war und blieb er mein Gustav: ein exzellenter Lakai (ohne sich dessen bewußt zu sein), ein getreuer Streichelroboter, für dessen Aktivierung ich nicht mehr als zwei Mimiken der Niedlichkeit vorzutäuschen brauchte, und ein ewiges Studienobjekt der Narreteien des menschlichen Seins. Ich möchte hierbei nicht unterschlagen, daß er inzwischen auch die Anwesenheit meines

»Anhangs« in der Wohnung akzeptierte. Soweit zu den Komplimenten. Er nervte mich trotzdem ungeheuer. Aber wie der Dichter schon sagt: Erst kommt das Fressen und dann …

Nicht nur Gustav, auch ich arbeitete oft bis an die Grenzen der Belastbarkeit. Thema Vögel: Wir gelten als hervorragende Jäger dieser Spezies. Zeugt es da nicht von Weisheit, ja schierer Erleuchtung, daß ich auf meine alten Tage zum Ornithologen geworden war? Im Frühling, wenn diese ihren Schiß aus luftiger Höhe ausklinkenden Kreaturen die Bäume zu bevölkern pflegten, war normalerweise meine große Zeit gewesen. Wie oft war ich früher regungs- und lautlos stundenlang hinter einem Gebüsch gehockt, um ein Spatzenhirn bei einem Fehltritt am Boden zu überraschen und es dazu zu überreden, daß es mir als Snack dienen möge. Bis mir unlängst die Lebensklugheit, mehr jedoch meine ehrfurchtgebietende Körperfülle zu der Einsicht verhalf, daß derartige Überraschungs-Sprints schöpfungsphilosophisch und politisch völlig unkorrekt waren. Und so begnügte ich mich damit, die Spatzenhirne nur anzuglotzen und ihnen alles Gute für ihre hirnlose Fortpflanzung zu wünschen. Nun ja, so einiges, was einen altersmilde werden läßt, hat unmittelbar mit Übergewicht und Knochenbeschwerden zu tun.

Was ich sonst noch so tat? Jede Menge! Ich wurde Experte darin, am Geräusch des Öffnens der Futter-Aluminiumschalen durch Gustavs Hand zu erraten, um welche Fleischsorte es sich bei dem Inhalt handelte. Die Zusammensetzung der jeweiligen Soßen sorgte nämlich für einen stets andersgearteten Plop-Effekt. Ach ja, und dann

11

schaute ich der Sonne zu. Wie sie aufging und wie sie wieder unterging. Zwischen dem fast ganztägigen Dösen, meine ich. Faszinierend, so viele Farben! Das war mir früher gar nicht aufgefallen. Zwischendurch kam Archie uns besuchen, Gustavs bester Freund, der ein Stockwerk über uns wohnte. Der ehemalige Trendsetter war inzwischen ebenfalls gealtert, besaß eine Beinahe-Glatze und sehr hübsche Herrentitten. Armer Kerl. Dem Trendsetten war er auf seine Art treu geblieben: Er lebte von den Verkäufen irgendwelcher obskurer Güter auf Ebay. Unter anderem verscherbelte er einen beeindruckend bunten Jesus Christus als Kerze.

Wie gesagt, wir alle arbeiteten sehr hart. Aber Spaß beiseite, etwas hatte sich selbst in meinem vorgerückten Alter Gott sei Dank nicht geändert, nämlich die Sache, was die einfältig grinsende Ratte betraf. Denn hätten mir meine Instinkte irgendwann nahegelegt, nicht mehr vom Genozid des Nagervolks zu träumen, dann wäre ich nicht nur alt, sondern im sprichwörtlichen Sinne schon mausetot.

Ich erinnere mich an eine Zeit, da war das Leben – neu! Alles und jedes diente gleichsam als elektrischer Impuls für etwas über alle Maßen Aufregendes, sowohl im angenehmen als auch im schmerzlichen Sinne. Doch darum ging es nicht. Es ging um die glühende Verheißung, um das Versprechen dessen, was man noch erleben wollte und bisweilen auch angenehm oder schmerzlich erlebte. Wobei wir beim Thema wären.

»Wie wurdest du so, wie du jetzt bist, Paps?« wollte Junior wissen.

»Du meinst, uralt?«

12

»Nein. Ich meine, wie du alt wurdest, weiß ich ja schon. Wenn mich nicht alles täuscht, ganz von selbst.«

»Du hast es erraten, Klugscheißer!«

Aus den Augenwinkeln registrierte ich, daß Sancta bereits im tiefen Schlummer lag. Sie hatte sich eng an mich geschmiegt, meine göttliche Korat, und ihr zufriedenes Atmen verriet mir, daß sie wohl wieder von ihrer geliebten Heimat träumte: Italien – Rom – Forum Romanum. Auf den abgebrochenen Säulen dieses Geisterreichs hatte ich sie kennen- und liebengelernt. Und kaum zu glauben, ich hatte es mit Hilfe grotesker Gestikulationen sogar geschafft, daß selbst ein so begriffsstutziger Pottwal wie Gustav meine Bitte um die Heimholung der Braut kapierte. Nun, römisches, gar ein antikes Ambiente konnte ich ihr in unserem Gründerzeit-Viertel nicht bieten. Aber dafür all die Liebe, die in einem alten Lappen wie mir steckte. Und ein überdimensioniertes Labyrinth an Gärten hinter den im Karree angeordneten Altbauten.

Ich weiß, was jetzt kommt: Daß der alte Sack sich wie alle alten Säcke mit gewissem Wohlstand ein junges Modell zugelegt hatte. Was soll ich sagen – es stimmt! Die Korat soll ihren Namen nach der thailändischen Provinz Korat erhalten haben, wo sie von König Rama V. gezüchtet wurde. In ihrem Ursprungsland gilt sie als Glücksbringer. Und Glück hatte Sancta mir weiß Gott gebracht mit ihrem wunderschönen, silberblau schimmernden Fell, dem herzförmigen Kopf und den leuchtend grünen Augen. Okay, ich hätte ihr Uropa sein können. Doch erstens spielt bei unserer Rasse der Altersunterschied zwischen den Geschlechtern keine Rolle (Ausrede aller Uropas mit dem nötigen

13

Kleingeld), und zweitens war ich ihr gegenüber im buchstäblichen Sinne ein sehr lieber Uropa.

Meine süße Sancta ruhte also am Bauch ihres Sugar-Daddys und gab solch liebenswürdige Seufzer von sich, daß ich ihr am liebsten auch noch im Traum begegnet wäre. Gustav schnarchte leise in seinem voluminösen Sessel und ließ sich den Globusbauch vom Kaminfeuer erwärmen. Und Blaubart, mein buntgescheckter, fast zahnloser alter Freund, nun ja, vielleicht war er schon tot. Jedenfalls sah er mit allen von sich gestreckten vieren, seinen mannigfaltigen Verstümmelungen im Ohr- und Schwanzbereich und der halb geöffneten, von etlichen Narben übersäten Schnauze so aus. Das hieß, er sah so aus wie immer. Junior jedoch war hellwach und hatte nichts anderes im Sinn, als mich mit seinen blöden Fragen zu piesacken. Das Privileg der Jugend ist es unter anderem, daß sie selber nicht merkt, wie ungemein sie ihrer Umgebung auf den Geist geht.

»Mich interessiert, wie du zu diesem sagenhaften Ruf eines Meisterdetektivs gekommen bist. Mich würde der Anfang interessieren, Paps.«

Zwei leicht schräge grüne Diamantenaugen glotzten mich aus einer schwarzweißen Fellexplosion an, als wäre ich das achte Weltwunder. Mein schöner Sohn wirkte irgendwie, als sei er vom Friseur eines Königshofes toupiert worden. Manchmal, wenn ich ihn mir so ansah, schimmerte aus ihm die Erscheinung seiner seligen Mutter hervor. Die verwuselte Eleganz, die schier leuchtende, hellrosa Haut an der Nase, den Ohrenspitzen und an den Fußballen und ein so scharfer Blick, daß man meinte, von einem Gedankenlesegerät gescannt zu werden. Ich erinnerte mich an sie, an den Zauber jenes sonnigen Nachmittages, an die wunderbaren Eruptionen der Liebe, an jene magischen Augenblicke, als Junior gezeugt wurde. O ja, auch ich war in Arkadien gewesen.

»Der Anfang, er liegt lange zurück«, sagte ich und gähnte in die allmählich ermüdende Glut des Kaminfeuers hinein. Eigentlich wollte ich so schnell wie möglich dem Weg meiner Freunde in das Traumland folgen. Statt dessen mußte ich hier Rede und Antwort stehen, als säße ich vor einem Soziologieprofessor, der eine gescheiterte Existenz studiert. »Und übrigens, das mit dem Meisterdetektiv würde ich selbst nie in den Mund nehmen.«

»Weil Eigenlob stinkt?«

»Nein. Weil ich das erste Verbrechen, in das ich zufällig hineingeraten war, nicht vollständig lösen konnte.«

»Ach, davon hat mir ja noch niemand erzählt. Ist auch egal. Wenn nur die Hälfte deiner glorreichen Taten, die sich hier im Revier herumgesprochen haben, wahr ist, dann gehörst du in die Kategorie Meisterdetektiv.«

Ich seufzte, wandte mich von Junior ab und vergrub den Kopf halb zwischen den Fusseln des Schaffells. »Vielleicht. Es ist nur so, daß am Anfang das Versagen stand. Und gleichgültig, wie alt du auch sein wirst, mein Junge, ein Versagen in der Jugend wird dich immer mehr fuchsen als eins im hohen Alter.«

»So ein Quatsch!« sagte Junior im heiteren Tonfall. »Du bist mein Held und bleibst es auch. Selbst wenn du Anno Tobak den Diebstahl einer Flasche Milch nicht hast aufklären können.«

15

»Es ist nicht um den Diebstahl von einer Flasche Milch gegangen.«

»Worum ging es denn?«

»Um den Weltfrieden.«

»Tja, wenn das so ist, dann frage ich noch einmal: Wie wurdest du so, wie du jetzt bist, Paps?«

»Strapaziös«, sagte ich. Der Glutschein aus dem Kamin hatte unsere Gesichter inzwischen vollends in ein tiefes Purpurrot getaucht, so daß die eigentlichen Fellfarben neutralisiert waren. Hinter den Fensterscheiben wirbelten die Schneeflocken immer dichter, und das leise Seufzen der Schlafenden in dem ansonsten völlig dunklen Raum war wie ein leiser, einlullender Gesang, der mich in jene dunkle und doch vom aufgehenden Licht meines jungen Lebens beschienene Zeit entführte.

»Leicht hatte ich es eigentlich nie«, begann ich meine Erzählung. »Doch wie brutal ich von meiner Mutter und meinen geliebten Geschwistern auseinandergerissen wurde, das habe ich bis heute nicht richtig verkraftet. Wir hingen zwar nicht mehr an ihren Zitzen, aber …«

2

... aber dennoch verehrten wir dieses liebevolle, warme Wesen, das uns alle erschaffen und trotz armseliger Verhältnisse sechs Monate lang unter viel Mühsal durchgebracht hatte. Sie gehörte jener edlen Rasse der ... nun, man sollte die Erinnerung nicht nachträglich zur Erfüllung seiner Ideale mißbrauchen. Unsere Mutti gehörte weder einer edlen noch einer anderen mir bekannten Rasse an. Sie sah irgendwie so aus, als hätte sich der liebe Gott bei ihr für die billige Standardversion entschieden, will sagen, es handelte sich bei ihr um eine graugetigerte Promenadenmischung. Nichtsdestotrotz war sie mit einem Mutterherz ausgestattet, dessen Größe und Kraft alles Edle überstrahlte. Ich hatte noch einen Bruder, einen schwachbrüstigen, kleingeratenen Kerl, der zudem keine große Leuchte gewesen war. Einmal ertappte ich ihn dabei, wie er sich mit einem ausgestopften Elchkopf auf einem Sperrmüllhaufen unterhielt.

Ganz im Gegensatz zu meinen drei ziemlich frechen Schwestern, die den lieben langen Tag nichts anderes im Sinn hatten, als sich miteinander zu streiten. Wir alle waren Winterkinder, geboren irgendwann im November in einem Gelände mit vermoderten Häusern und verwilderten Gärten, das ungefähr einen halben Quadratkilometer

17

groß und völlig sich selbst überlassen war. Nahezu alle Gartenmauern, die die Grundstücke voneinander trennten, waren verfallen. Der Blick ging ungehindert durch Durchbrüche, die an asiatische Tempelrudimente im Dschungel erinnerten. Damals, in den späten Achtzigern des vorigen Jahrhunderts, hatte der Run auf Altbauten erst zögerlich begonnen, und allein sehr hellsichtige Immobilienhaie sahen hier eine goldene Zukunft heraufziehen. Sie waren schon eifrig dabei, Opalein und Omalein dazu zu überreden, ihnen die Gründerzeit-Wracks mit Kohleofen und Klo auf dem Gang für einen Appel und Ei zu überlassen. Freilich erkannte ich solche Zusammenhänge erst viel später. Für mich war das Gelände damals auf den ersten Blick ein kleines Paradies.

Begonnen hatte es allerdings mit der Hölle. Wie das bei meiner Art so üblich ist, hatte mein toller Papa nach der kurzen Liaison mit Mama das Weite gesucht und ward nicht mehr gesehen. Das heißt, das stimmte nicht ganz. Einmal standen wir uns doch von Angesicht zu Angesicht gegenüber. Ich erlernte gerade den lustigen Zeitvertreib des Mückenschnappens, da lief ein ziemlich, wie soll ich sagen, homophil wirkender Typ durchs Gestrüpp. Er war schwarzweiß gefleckt wie eine Holsteinische Kuh, und seine Haare sahen ebenso hochdramatisch toupiert aus wie bei Junior. Sein Gesicht glich dem eines Yves Saint Laurent mit Spitzohren und Schnurrhaaren, und irgend etwas in dem zwischen Langeweile und Weltekel schwankenden Ausdruck verriet mir, daß ich es nicht mit einem x-beliebigen Artgenossen zu tun hatte. Es hätte nur noch die eckige Brille von Yves vor den hell leuchtenden ozeangrünen Augen gefehlt.

Er wurde gerade von einem asthmatisch hechelnden Kläffer verfolgt, einem pferdgroßen Dummbeutel, dessen Lebenssinn und -freude wohl einzig aus solcherlei sinnlosen Jagden bestand. Doch als er mich erblickte, nahm sich Yves trotz der Bedrängnis Zeit, bremste abrupt und schaute mir mit seinen erlesenen Phosphorglubschern tief in die Augen.

»Hey, ein gewisser Geruch, den du verströmst, Kleiner, sagt mir, daß wir verwandtschaftliche Beziehungen pflegen.«

Mit meinen drei Monaten verstand ich seine geschraubte Ausdrucksweise nicht und sagte, was ich damals in diffizilen Situationen immer zu Erwachsenen sagte: »Ich habe gar nichts gemacht!«

Er lächelte ein abgeklärtes Lächeln und strich sich mit einer Pfote über die schneeweißen Schnurrhaare, die so wirkten, als habe man sie ihm für eine besonders theatralische Aufführung von *Die drei Musketiere* ins Gesicht geklebt.

»Das Wort machen wird inflationär verwendet, Kleiner«, erwiderte er. »Ich habe gar nichts angestellt, hört sich eleganter an. Aber, mea culpa, ich wußte ja, daß ich mich unter mein Niveau begab, als ich mich mit deiner minderbemittelten Mutter einließ. Tja, Amor spielt Roulette, was das Abschießen der Pfeile anbelangt. Kurz, ich scheine wohl dein Vater zu sein. Wenn wir uns nicht mehr begegnen sollten, zwei Ratschläge für deinen weiteren Werdegang: Lese den kompletten Marcel Proust und verzichte beim Verzehren der Mäuseartigen auf den Darmbereich. Glaub mir, die fressen jeden Scheiß, Kleiner!«

Das war's! Danach habe ich den Alten nie wiedergesehen. Was seine Tips anging, hatte er natürlich recht. Aber wäre ich ein paar Jährchen älter gewesen, hätte ich ihm noch einen angenehmen Aufenthalt zwischen den Zähnen des Kläffers gewünscht. Meine Geschwister und ich waren nämlich von einer Streunerin geboren worden, ohne Obdach und regelmäßiges Futter. Zudem setzte uns Schnee und Frost zu. Dennoch kämpfte Mama wie eine Löwin um ihren Nachwuchs. Sie hatte es geschafft, in einem verfallenen Schuppen ein kleines Nest einzurichten. Eingekuschelt zwischen Stoffetzen und vertrockneten Grasbüscheln hatten wir es einigermaßen warm. Eine meiner ersten Erinnerungen war, wie Mama uns, als wir gerade unsere ersten Hauer bekamen, Fleisch brachte. Ich meine damit nicht irgendeine behinderte Maus, die für die versierte Jägerin zu langsam gewesen war, sondern richtiges, allerbestes Fleisch. Ein schönes rotes Rumpsteak, zwei Finger dick. Wie sie uns erzählte, hatte sie ein Schlupfloch zur Kältekammer einer Fleischerei entdeckt, die sich am Rande des Altbaugebiets befand. Sie war eine gute Jägerin, meine Mutter, aber sie war eine noch bessere Diebin. Mal schleppte sie eine Lage Schinken an, die sie irgendwelchen Menschen vom Frühstückstisch stibitzt hatte, mal einen Riesenfisch aus einem der umliegenden Gartenteiche. Solche Einblicke ins Schlaraffenland waren freilich selten, dennoch hatten wir dank Mama öfters eine Abwechslung zur öden Rattenkost.

Dann jedoch kam das Verhängnis. Erst das kleine über Mama, dann das große über uns alle. Der Schnee war geschmolzen, und die ersten Blumentriebe bohrten sich durch die Erde himmelwärts. Eine grüne Pelerine mit bunten Tupfern begann sich über das verlassene Areal zu legen, das noch Tage zuvor wie eine deprimierende Collage aus kahlen Ästen und grauem Matsch ausgesehen hatte. Selbst aus den Mörtelfugen der verfallenen Ziegelsteinmauern und der altehrwürdigen Häuserwände sproß das Grün nur so hervor. Die Sonne erwärmte zum ersten Mal so richtig mein Fell, und zum ersten Mal in meinem jungen Leben kam ich in den Genuß des Dösens unter ihren Strahlen. Meine Geschwister und ich tobten immer furchtloser außerhalb des Schuppens herum und begannen die Jagd zu erlernen.

Eines schönen Frühlingsmorgens verließ uns Mama schon in der Frühe. Sie wollte einen erneuten Einbruch in die Kältekammer der Fleischerei wagen, bevor die Beschäftigten dort zur Arbeit erschienen. Sie blieb lange weg, und als es langsam auf den Nachmittag zuging und sie immer noch nicht da war, begannen wir uns trotz unserer jugendlichen Unbeschwertheit Sorgen zu machen. Und dann kam sie. Wir sahen sie in dem aufsprießenden Gras von weitem und merkten sofort, daß irgend etwas mit ihr nicht stimmte. Sie wankte. Aber nicht nur das. Ihr Gesicht schien sich verändert zu haben. Auffällig dunkel war es auf der linken Seite, so tief dunkel und aufgebläht, als habe sich ein dreidimensionaler Schatten darauf gelegt. Je mehr sie sich uns näherte, desto deutlicher erkannten wir das ganze Ausmaß der Katastrophe. Ihr linkes Auge war ausgeschlagen worden und ausgelaufen, die Peripherie stark angeschwollen. Das Blut aus der arg in Mitleidenschaft gezogenen Augenhöhle hatte die eine Gesichtshälfte völlig

21

bedeckt und war zu einer schwarzen Riesenkruste geronnen. Schmerzhaft winselnd brach Mama vor unseren Pfoten zusammen. Später erzählte sie uns, einer der Fleischereiarbeiter hätte sich überraschenderweise doch zur frühen Stunde in der Kältekammer aufgehalten und habe mit einem Haken nach ihr geworfen, als er sie entdeckte. Sie war am Auge getroffen worden und mit knapper Not geflohen. Dann war sie über Stunden orientierungslos und der Ohnmacht nahe durch die Gegend geirrt.

Es brach mir das Herz. Wie ich die liebe Mutter so leiden sah und unter heißen Tränen zur Linderung ihrer Schmerzen die Wunde leckte, wurde mir zum ersten Mal in meinem Leben bewußt, zu welch unvorstellbarer Grausamkeit der Mensch fähig war. Soweit dieses plumpe, zweibeinige Wesen davor überhaupt je in mein Sichtfeld geraten war, hatte es sich mir als ein gewöhnliches Glied der Natur, als selbstverständlicher Teil der lebendigen Welt präsentiert. Nun aber schien der Mensch für mich davon ausgeschlossen. Er war zu einem Fremdkörper geworden, verachtenswert und furchteinflößend. Kurzum, ich hatte meine Unschuld verloren.

Es wurde alles nur noch schlimmer. Dabei wurde das Wetter immer besser. Die Jahreszeit hielt sich an ihr Programm, und abgesehen von ein paar kurzen Schauern steigerten sich Wärme und Sonnenschein. Zwischen uns, den Kindern und Mama hatten sich die Rollen mit einem Male verkehrt. Die beschädigte Augenhöhle hatte sich stark entzündet und die Entzündung auf die gesamte Gesichtshälfte übergegriffen. Das listige, fürsorgliche, starke Weib von einst verkümmerte von Tag zu Tag zu einem sich im-

22

mer schlechter bewegenden und von Höllenschmerzen geplagten Häufchen Elend. Abgesehen davon, hätte sie ohnehin selbst bei bester Gesundheit als Einäugige für die Jagd und die Diebestouren nicht mehr getaugt. Wir Jungen versuchten uns von heute auf morgen als Selbstversorger. Doch da Mamas Jagdunterricht abrupt unterbrochen worden war, schleppten wir lediglich ein vom Baum gefallenes, krankes Vögelchen oder vergammelte Insekten nach Hause. Sie, die Löwin, die noch vor kurzem so hart für ihre Jungen gekämpft hatte, versorgten wir natürlich als erste. Aber sie hatte wegen ihres schrecklichen Zustandes kaum Appetit, zudem auch immer weniger Lebenslust.

In dieser eh schon desolaten Situation zwischen chronischem Hungergefühl und Perspektivlosigkeit machten Gerüchte die Runde, welche die Frühlingssonne für uns noch mehr verdüsterten. Die Population der »Herrenlosen« sei dieses Jahr besonders üppig ausgefallen, hieß es von vorbeistreunenden Zeitgenossen, die nur selten einen mitleidigen Blick auf unsere arme Mama und unsere sich durch das Fell schon abzeichnenden Rippen warfen. Und wie zur Bestätigung dieser These gab es ganz schön viele Überbringer dieser Hiobsbotschaft. Diese erzählten auch, daß die in der Gegend lebenden Menschen gedachten, diese »nutzlosen Tiere« in Eigeninitiative zu »dezimieren«. Natürlich verstanden meine Geschwister und ich nur Bahnhof. Dennoch spürten wir instinktiv, daß die bedrohliche Lage, in der wir uns befanden, um einige Zacken bedrohlicher wurde. Wir sollten recht behalten.

Es war an einem sonnigen Morgen, als ich meine Mutter sterben sah. Ich hatte nur ein paar Sekunden zuvor meine

23

Augen geöffnet, um ihr ins zerstörte Antlitz zu blicken. Die drei Mädchen, mein Bruder und ich hatten uns während der Nacht außerhalb des Schuppens an sie gekuschelt, weil wir wohl trotz der mißlichen Umstände so lange es noch ging den Familienzusammenhalt im wörtlichen Sinne spüren wollten. Sie sah immer noch wunderschön aus. Aber der verwüstete Augenbereich verlieh ihr etwas von einer zerknüllten Fotografie mit dem Motiv einer Schönen.

In Anbetracht des Dramas wollte ich mich gleich wieder in den Schlaf weinen, als ein ohrenbetäubender Knall die Luft zerriß. Bevor die Schreckreaktion einsetzen konnte, sah ich, wie Mama zirka zwanzig Zentimeter vom Boden abhob und dann wie ein hingeschmissener Sandsack wieder vor mir aufschlug. Mit einem riesigen blutenden Loch im Bauch und starr offenen Augen. Meine Geschwister und ich sprangen fauchend auf und blickten uns panisch um. Durch die vielen Durchbrüche in den Mauern sahen wir in der Ferne acht oder zehn menschliche Gestalten in einer Reihe auf uns zuschreiten. Es waren ergraute alte Herren in legerer Freizeitkleidung, und sie hielten sonderbare, dunkle Ruten vor ihren Körpern. Später erfuhr ich, daß es sich dabei um kleinkalibrige Gewehre handelte, die sie normalerweise bei der Kaninchenjagd verwendeten. Noch ehe wir reagieren konnten, richtete ein in der Reihenmitte befindlicher Mann seine Rute auf uns und ließ sie mit einem gewaltigen Knall an der Spitze explodieren. Wir sahen einen Feuerstrahl daraus hervorkommen. Daraufhin explodierte mein kleiner Bruder neben mir, jedenfalls sah es so aus. Ungläubigen Blickes sah ich, wie sein kleiner

24

Körper sich von einem Moment zum anderen in Blutmatsch verwandelte, hoch durch die Luft wirbelte und hinter einem Busch verschwand. Weitere Schüsse hallten, und die drei Mädchen nahmen endgültig Reißaus. Wie auseinanderdriftende Strahlen eines dreieckigen Sterns rannten sie von der nahenden Gefahr davon. Doch es half ihnen nichts. Eine Schwester nach der anderen wurde von den Kugeln eingeholt, überschlug sich im Augenblick des Todes im Gras oder blieb wie gegen eine unsichtbare Mauer geprallt leblos liegen.

Ich wußte, daß ich jetzt dran war. Aus reiner Verzweiflung – oder vielleicht war es tatsächlich ein instinktiv ausgelöster genialer Schachzug gewesen – rannte ich nicht weg, sondern den Mördern geradewegs entgegen. Damit hatten sie nicht gerechnet! Besser gesagt, sie mußten sich jäh auf ein Ziel umstellen, das sich ihnen in rasender Geschwindigkeit näherte, anstatt sich wie gewohnt von ihnen zu entfernen. Das aber wollte den Alten auf die Schnelle nicht gelingen. Schon huschte ich zwischen den Beinen eines Jägers hindurch, dessen verdutztes Gesicht mit dem weit offenstehenden Mund mir immer in Erinnerung bleiben würde. Ja, ich hatte es ihnen gezeigt, aber leider handelte es sich dabei lediglich um einen Sekundenerfolg. Denn ich spürte geradezu körperlich, wie die Glorreichen Zehn nach dieser Überrumpelung eine Wende um hundertachtzig Grad vollzogen, ihre Ruten ganz in Ruhe ansetzten und meine Wenigkeit wieder ins Visier nahmen.

Mein Gespür sollte mich nicht trügen. Rechts und links und vorne und hinten sah und hörte ich die Kugeln einschlagen gleich Bombeneinschlägen en miniature, die jedesmal kleine Krater ins Gras rissen. Vor mir gab es nichts, hinter dem ich Schutz hätte suchen können. Da waren nur wild gewachsene Pflanzen und Blumen und die schon erwähnten, mit Durchbrüchen versehenen Mauern, durch welche die Killer bequem hindurchballern konnten. Das Ende meines kurzen Lebens schien besiegelt, und obwohl ich wie aus einem Katapult geschossen um dieses bißchen Leben rannte, sah ich im Geiste schon das Fallbeil herabsausen.

Davor jedoch sah ich noch etwas anderes. Nämlich ein faßförmiges Ding inmitten eines verlotterten Gartens mit verrostetem Gartenmobiliar und krüppeligen Bäumen an den Seiten. Überall wucherten Farne und Gräser urwaldartig empor; wilde Rosenbüsche hatten so viele und opulente Blüten getrieben, daß der gesamte Ort von ihren abgefallenen roten und weißen Blättern übersät war. Der zylindrische, aus dunkelgrauem Stein grob gehauene Gegenstand rückte sekündlich näher, während die Kugeleinschläge wie eine grausame Begleitmelodie weiter an mir vorbeizischten. Allmählich erkannte ich, daß es sich bei dem bauchigen Stein, von dem ich jetzt nur mehr ein paar Körperlängen entfernt war, um einen alten Brunnen handelte. Mama hatte einmal beiläufig etwas von einem unterirdischen Speicher erwähnt, aus dem die Menschen in früheren Zeiten ihr Wasser geschöpft hatten, der heutzutage jedoch, wenn überhaupt, nur noch als Dekoration anzutreffen war. Meist waren Brunnen oben mit einer Abdeckung aus Holz oder Stein versehen, damit ein unachtsames Menschenkind im Spiel nicht hineinplumpste.

Es schien mir die einzige Möglichkeit zur Rettung meiner Haut, obwohl zwei gewichtige Argumente dagegen sprachen. Wenn ich auf den Brunnenrand sprang und der Zugang tatsächlich verschlossen war, dann gab ich für die Jäger ein Ziel wie auf einem Präsentierteller ab. Und falls der Brunnen tatsächlich offenstand und ich mich in die Röhre fallen ließ, landete ich letztendlich im Wasser und würde irgendwann ganz gemütlich darin ersaufen. Es waren tolle Aussichten! Nur, was blieb mir anderes übrig?

Wie von unsichtbaren Drähten hochgerissen, hechtete ich mit der ganzen Kraft, die in meinen Hinterpfoten steckte, in die Höhe. Oben sah ich zu meiner Freude gerade noch, daß das kreisrunde Maul des Brunnens von nichts anderem als von einer kunstvollen Spinnwebearbeit bedeckt war. Allerdings wurde meine Freude getrübt, denn aus dem Innern des Mauls gähnte mir nur unergründliche Schwärze entgegen. Noch im Fallen begriffen, spürte ich einen Schmerz am Schädel genau zwischen meinen Lauschern. So durchdringend war der Schmerz, als habe mich ein besonders widerwärtiger Brummer gebissen. Eine der umherschwirrenden Kugeln hatte mich auf dem Gipfel meines Sprungs gestreift. Das Problem war jedoch vernachlässigbar, würde ich doch gleich ohnehin die interessante Erfahrung eines Nichtschwimmers mit dem feuchten Element machen. Also verabschiedete ich mich von meinem jungen Leben, das für mich sowieso nichts weiter als Entbehrungen und Grausamkeiten bereitgehalten hatte, und begab mich leichten Herzens in die Unterwelt.

Ich durchbrach das prächtige Spinnennetz und hieß die vollendete Schwärze unter meinen Pfoten willkommen. Denn der Tod, mein lieber Sohn, besitzt zwei Gesichter.

27

Das eine ist das der Illusion einer Dunkelkammer, in der man als Gefangener irgendwie ewig weiterlebt. Das andere aber ist das Gesicht der Erlösung, das ewige Licht hinter der Schwärze. Offen gesagt war es mir nach der Auslöschung von allem, was mir lieb und teuer gewesen war, gleichgültig, welche der Alternativen nun folgen würde.

3

»Wirklich sehr berührend, Paps«, sagte Junior und trat von einer Vorderpfote auf die andere. Es war ihm anzusehen, daß ihn die Story in ihren Sog gezogen hatte. Der rote Glutschein aus dem Kamin hatte aus ihm inzwischen einen leuchtenden Feuerball gemacht. Sein schwarzweißes Fell hatte sich aufgeplustert, als sei es statisch aufgeladen. »Aber auch ein typischer Cliffhanger. Denn wenn mich kein Geist gezeugt hat, bist du nach dem Sprung in den Brunnen nicht gestorben.«

»Genial kombiniert«, erwiderte ich. Die schlummernde Sancta an meiner Seite stieß den süßesten Seufzer an diesem Abend hervor. Dämmerige Lichtwellen wanderten über die dunklen Wände des Zimmers. Mit einem Seitenblick durch die Fenster sah ich, daß es draußen nun richtig zu schneien angefangen hatte. Flocken von der Größe von Ein-Euro-Münzen huschten an den Scheiben vorüber.

»Laß mich raten: Als du in das Brunnenwasser geplumpst bist, hat die Todesangst dich plötzlich doch in einen Meisterschwimmer verwandelt.«

»Falsch!«

»Du konntest dich im letzten Moment an einem Ast oder Gestrüpp oder sonst etwas festkrallen, das aus der Seitenwand der Röhre herausgewachsen war.«

29

»Wieder falsch!«

Die schrägen grünen Diamantenaugen weiteten sich. Er legte sich flach, nahm die Sphinx-Pose ein und fixierte mich mit forderndem Blick.

»Okay«, sagte er, und sein junges Gesicht hatte mit einem Mal etwas von dem eines Hypnotiseurs, der einem mit der Taschenuhr vor der Nase herumwedelte. »Du fielst und fielst also den Brunnenschacht herunter …«

… ich fiel und fiel den Brunnenschacht hinunter, und lebensmüde oder auch todesmutig wie ich war, riskierte ich dabei einen Blick abwärts, um meinem Exitus ins Angesicht zu schauen. Doch weder plätscherndes Naß noch ein finsterer Orkus kam mir in rasender Geschwindigkeit entgegen, sondern seltsamerweise so etwas wie fahles Feuer. In dem immer größer werdenden, runden Ausschnitt unter meinen Pfoten sah ich einen schwankenden orangefarbenen Schein. Er flackerte über einem Gebilde, das dem Gipfel eines Berges im Kleinformat ähnelte. Ich hatte damals keine Ahnung von Hölle, Fegefeuer oder ähnlichen unirdischen Foltern, doch spürte ich, daß das Ziel der Reise etwas Grausames außerhalb meines Erfahrungsbereiches für mich bereithielt. Zudem vernahm ich allmählich einen im unheimlichen, aber auch launigen Ton vorgetragenen Singsang, der sich wie ein aus vielen Kehlen entsteigender Chor anhörte. Mein Ende schien unabwendbar.

Doch weder zerschellte ich irgendwo noch landete ich im Höllenfeuer. Im Gegenteil, wider Erwarten landete ich sehr bequem, und es flog mir so allerhand über den Kopf. Vertrocknete Pflanzenblätter, die über Jahre hinweg kontinuierlich in das längst ausgetrocknete Brunnenbecken hereingeflogen waren, hatten sich an dessen Grund zu einem Haufen aufgetürmt. Unzählige weiße Kerzen brannten um den Haufen, weshalb er von oben so rötlich warm beschienen gewirkt hatte. Die Kerzen drückten dem eigentümlichen Ort optisch ihren Stempel auf. Das zerlaufene Wachs überzog jeden Winkel gleich einer Schneeschicht, darüber hinaus verlieh es dem beckenartigen Gewölbe, das praktisch wie eine überdimensionale Luftblase unter der Erde geformt war, etwas von einer Tropfsteinhöhle. Soweit das Auge reichte, hatten sich Generationen von abgebrannten Kerzen zu Stalagmitensäulen vereint, waren beim Zerfließen zu Wirbeln und Strudeln gefroren, zu Standbildern von Brandungen geworden. Aus diesem höckerigen, krummnäsigen und sich besinnungslos überklumpenden Wachs-Interieur ragten kleine Stapel zerfledderter, alter Bücher empor wie pittoreske Burgen inmitten einer Winterlandschaft. Auch auf dem Boden lagen viele, meist mit Ledereinbänden versehene und von Ratten zernagte Bücher. Irgendwo hinten schien ein Gang ins Nirgendwo zu führen.

Ich war ehrlich überrascht. Aber das ist man ja oft in diesem Alter.

»He, Dude, mach ma' noch 'n paar von den abgefuckten Stangen an«, sagte ein hoffnungslos verwuselter, verfilzter Kerl, der sich über mich beugte und in seiner konfusen, schmutzigen Erscheinung seine wenigen Siam-Gene nur erahnen ließ. »Hab das komische Gefühl, daß schon wieder ein neuer Dude zu uns gestoßen ist. Will ihn mir mal näher angucken.«

»Geht klar, Dude, mach alles, was du sagst, Dude, schmeiß sofort noch 'n paar mehr Kohlen in den Ofen«, hörte ich eine krächzende Stimme aus dem Hintergrund. »Fragt sich nur, ob der Saftladen uns nicht bald um die Ohren fliegt, wenn immer mehr Dudes zu uns runterfallen.«

Der Artgenosse über mir, der mit seinen türkisblauen Glubschern direkt in die meinigen glotzte, zog eine leicht verärgerte Miene. Wenn mich nicht alles täuschte, baumelten von seinen rechten Schnurrhaaren Spinnweben herunter, an den linken krochen irgendwelche Insekten herum. An seinem struppigen graubeigen Fell hätte sich selbst der lockerste Kamm die Zähne ausgebissen. Kurz, mein Entdecker sah so aus, als sei er soeben einer Mülltonne entstiegen, wenn diese verwahrloste Unterwelt nicht eh schon an sich eine Mülltonne in King-Size-Format war.

»Vom Himmel hoch, da kommst du her, muß dir sagen, durch dich haben wir 'n Maul zu stopfen mehr«, sagte der Wuseltroll, stöhnte und ließ eine Stinkwolke der Extraklasse zu mir herüberwehen.

»Ich muß den kompletten Marcel Proust lesen«, stammelte ich. Ich stand noch völlig unter Schock. »Außerdem sind eben meine Mutter und alle meine Geschwister getötet worden.«

»Das mit deiner Familie tut mir echt leid, Dude. Aber wie Buddha schon sagt: Bist du erst mal tot, kannst du dich wieder auf die wesentlichen Dinge im Leben konzentrieren. Der olle Proust ist übrigens nicht schlecht, aber ich finde, der Typ wird total überschätzt. Versuch's mal mit Charles Bukowski. Der Dude zieht einem echt die Schuhe aus. Doch in deinem erbärmlichen Zustand und dem

Kratzer am Schädel solltest du erst mal das hier probieren. Hilft auch beim Abschütteln der bad vibrations.«

Damit steckte er den Kopf blitzschnell nach unten und kam mit einem Blumenstrauß zwischen den Zähnen wieder hoch. Aber nein, es war gar kein Blumenstrauß, sondern ein Strauß ohne Blumen. Doch auch das stimmte beim näheren Hinsehen nicht. Eigentlich handelte es sich um ein paar Stengel mit ein paar Blättern und blauen Blüten dran.

»Jesus, ist das ein geiler Stoff!« frohlockte der Wuseltroll und ließ die Pflanze vor meine Nase fallen. Verdutzt und irgendwie auch handlungsunfähig schaute ich ganz kurz an dem komischen Vogel vorbei. Und staunte nicht schlecht. Etwa zwanzig »Dudes« lümmelten sich auf Höckern und in Tälern aus weißem Wachs, angestrahlt vom Licht der vielen brennenden Kerzen. Sie alle ähnelten meinem Gegenüber. Das Wort Rassenmix umschrieb nur annähernd ihre Abstammung. Es war so, als hätte man sämtliche Rassemerkmale meiner Gattung in einen Topf hineingeworfen, kräftig umgerührt und dann mit jeder Kelle, die auf dem Teller landete, eine völlig neue Kreation geformt. Es gab die kuriosesten Mischungen: dicke Scottish-Fold-Brüder mit den typischen, wie eine Kappe auf ihrem Kopf sitzenden Faltohren und dem mißmutigen Gesichtsausdruck, die jedoch ein braun-grünlich gesprenkeltes Schildpatt-Fell und einen langen dünnen Schwanz besaßen. Schwanzlose Manx-Damen mit dem Körperbau einer Orientalisch Kurzhaar, langgezogen wie ein Gummiband und glänzend wie Samt. Mein Gott, wer hatte bloß diese unmöglichen Kreaturen erschaffen?

In einem Punkt glichen sie einander jedoch allesamt. Wie der Bruder vor mir hatten sie sich den Look der Verwahrlosung zugelegt. Offenbar machten sie sich wenig Mühe, sich zu lecken und zu reinigen. Sie hatten verzwirbeltes, gar verklebtes Fellhaar, und aus den leicht entrückten Gesichtern wuchsen bisweilen verquaste Büschel, was sich wohl auf fehlende Pflege durch Pfotenwischen zurückführen ließ. Von ihrem, diplomatisch ausgedrückt, eigenwilligen und allgegenwärtigen Odeur ganz zu schweigen.

Doch die Merkwürdigkeiten nahmen kein Ende. Einige der Dudes waren über aufgeschlagene Bücher gebeugt, und wie es aussah, lasen sie auch darin. Ich hatte vorher schon ab und an Menschen beobachtet, die diesem wundersamen Zeitvertreib frönten. Dabei hatten sie immer in sich gekehrt gewirkt, gerade so, als versetze der während des Lesevorgangs ablaufende, aufregende Film in ihrem Kopf sie paradoxerweise in eine Art Lähmung. Nicht so bei meinen neuen Freunden. Einige von ihnen zogen dabei Grimassen wie ein Clown oder starrten zwischendurch mit leerem Blick in die Ferne, andere rollten sich mit ausgestreckten Pfoten, als ob sie durch die Lektüre Anweisungen zur Gymnastik erhielten, wieder andere vollführten gar Luftsprünge und grapschten nach imaginären Faltern. Und während der ganzen Zeit stießen sie ohne Pause ein kehliges Miauen aus, das sich wie ein schräger Mönchsgesang anhörte. Das war der Singsang, den ich während des Sturzes in den Brunnen vernommen hatte.

Des Rätsels Lösung für das bizarre Leseverhalten war offensichtlich. Ich wurde selbst peu à peu von diesem Verhalten infiziert, obwohl ich gar nicht lesen konnte. Vor einem

34

jeden dieser schrulligen Artgenossen lag nämlich nicht nur ein aufgeschlagenes Buch, sondern das gleiche Gewächs wie vor meiner Nase. Alle Dudes snifften, flehmten und bissen hin und wieder an ihrem eigenen Exemplar herum. Später erfuhr ich, daß es sich dabei um die berühmt-berüchtigte Minze handelte, die meinesgleichen in Ekstase versetzt.[1] Kurzum, ich hatte es hier mit einer Sippe eingefleischter Drogenfreaks zu tun, wenn auch anscheinend intellektueller Natur.

Zu dieser Erkenntnis war ich aber damals nicht fähig. Kein Wunder also, daß ich durch das aufsteigende Aroma der Pflanze, das mich noch dazu animierte, daran zu lecken, selbst innerhalb Sekunden dem Rausch verfallen war. Leichten Herzens, muß ich gestehen, denn der tiefe Schmerz meiner erst wenige Minuten zurückliegenden, blutigen Vergangenheit ließ mich immer noch am ganzen Körper zittern und verlangte nach Linderung. Ich erinnere mich dunkel, wie ich noch diesen Kerzen-Heini im Hintergrund wahrnahm. Der greisenhafte rote Zausel mit den stechend kupferfarbenen Augen rannte wie ein Verrückter in dem Becken herum.

»Mehr Licht!« schrie er in den Gesang der anderen hinein. »Mehr Licht! Mehr Licht!« Zwischendurch machte er immer wieder halt, und ich bemerkte, daß dies stets an einer Stelle erfolgte, wo sich ein Stoß frischer Kerzen befand. Der Zausel hatte eine interessante Methode entwickelt, die Dinger anzustecken. Er schnappte sich eine Stange, indem er hineinbiß, und hielt den jungfräulichen Docht über die Flamme einer schon brennenden Kerze, bis dieser Feuer fing. Sodann ließ er von dem zerfließenden Wachs etwas heruntertropfen und machte darauf die Kerze fest. Wieso er das andauernd tat, blieb allerdings ein Rätsel. Vermutlich hatte er längst den Verstand verloren.

Mir war es einerlei, löste sich doch alles vor meinem realen wie auch meinem geistigen Auge in Licht auf. Der vielfache Kerzenschein nahm binnen Sekunden an Intensität zu und verschluckte so das eh schon unwirkliche Szenario. Die verwuselten Artgenossen, die in ihren Büchern studierten, absonderliche Verrenkungen vollführten oder einfach vor sich hindelirierten, begannen an ihren Konturen abzubrennen und sich selbst in Lichtwesen zu verwandeln. Der dämmerige Ort war auf einmal wie von megawattstarken Scheinwerfern angestrahlt. Und bevor ich in ein allgegenwärtiges Gleißen hinabglitt, sah ich noch das verzottelte Gesicht des Entfernt-Siamesen über mir. Er lächelte mich in einer Mischung aus Siehste-wohl-Güte und aufrichtiger Sorge an. Allerdings sah ich auch ein Blättchen der guten Minze an seiner Nase kleben. Der Kerl war selber total bekifft.

»Gute Reise, Dude«, sagte er. »Mach dir nicht allzu viele Sorgen.« Dann wurde er selbst ein Teil des Lichts.

Ich tauchte ein in die gleißende Helligkeit. Und dort begegneten sie mir alle wieder. Meine liebe, schöne Mutter nahm gerade von einem illuminierten, weiß beschürzten Fleischereiangestellten ein saftiges Steak von mindestens fünf Zentimeter Dicke in Empfang. Vermutlich war es derjenige Mensch, der ihr im wirklichen Leben das Auge ausgeschlagen hatte. Aber nun wirkte der Mann wie eine von Norman Rockwell gezeichnete Karikatur eines Tierfreunds, mehr noch, eigentlich wirkte er wie der Weihnachtsmann in der strahlenden Variante. Paus- und rotbäckig und liebenswürdig lächelnd bückte er sich über meine Mutti und überreichte ihr das Fleisch. Die wiederum schien sich von ihrem garstigen Schicksal derart erholt zu haben, als hätte sie eine mehrjährige Reha hinter sich. Ihr getigertes Fell funkelte augenblendend in all der Helligkeit, und ihre grünen Augen waren von innen beleuchtete Edelsteine. Schnell kam sie zu uns Kindern geeilt und ließ das saftige Stück vor unsere Pfoten fallen. Meine Geschwister wirkten in dem Minze-Paradies ebenfalls wie runderneuert. Sogar mein geistig minderbemittelter Bruder strahlte, als hätte er bei einem IQ-Test den Rekord gebrochen, ganz zu schweigen von der wiederhergestellten Anmut meiner kunterbunt gefleckten Schwestern. Im Hintergrund führte die Schar der Dudes einen Freudentanz auf, wobei sie ihre verrückten Kapriolen aus dem Brunnenbecken aufführten.

Angesichts der idyllischen Wiedervereinigung flossen mir Tränen des Glücks über die Wangen. Aber durch den Tränenschleier hindurch sah ich noch etwas anderes. Ganz in der Ferne, dort, wo die Lichtflut sich zu einer kaum mehr zu übertreffenden Glorie steigerte, erschien plötzlich eine dunkle Silhouette. Den Umrissen nach zu urteilen war es eine in eine schwarze Pelerine gehüllte, menschliche Gestalt, die einen breitkrempigen Hut trug. Sie stand regungslos so da und beobachtete unser harmonisches Treiben. Und doch strahlte sie unterschwellig etwas Unheilvolles, ja eine gewisse Gefahr aus. Die kleine finstere Gestalt am Horizont des gleißenden Universums schien etwas im Schilde zu führen –

»Ja, ja, Versatzstücke aus der Wirklichkeit fanden in grotesker Form in deinen Traum Zugang und halfen dir so den Schrecken zu verarbeiten«, sagte Junior ungeduldig und rückte näher an mich heran. »Typischer Fall von Verdrängung nach einem Schock. Ich glaube, diese Episode können wir überspringen.«

Die Erinnerung an meine hingemeuchelte Familie hatte von mir so stark Besitz ergriffen, daß mir die kuschelige Stimmung von vorhin trotz der Kaminfreuden abhanden gekommen war. Die Eiseskälte von draußen kroch durch die dicken Mauern des Altbaus geradewegs in mein Herz. Auch Sanctas Wärme drang kaum mehr zu mir. Das Bild aus dem Traum, wie sich alle meine Lieben im lichterlohen Nirwana um mich versammelt hatten, schwebte immer noch vor meinem inneren Auge wie ein kitschiges Motiv aus einer dieser wassergefüllten Schneekugeln. Die ersten Tränen stiegen mir in die Augen, doch diesmal nicht vor Glück. Ich wußte, daß sich die grausame Wahrheit um meine Familie nicht in einer Kitschkugel verbarg.

»Erzähl lieber flott weiter, Paps«, drängte Junior. »Was haben diese komischen Dudes schließlich mit dir angestellt?«

Ich wischte mit dem Pfotenrücken die Tränen weg, ohne daß er es mitbekam.

»Sie haben mich zu dem gemacht, der ich heute bin: Francis. Auch wenn es sich bei ihnen um Bekloppte handelte.«

»Und was wurde aus ihnen?«

»Sie wurden alle ermordet. Ohne Ausnahme.«

4

Die Dudes waren Ausgesetzte, Wilde, Entflohene, doch in erster Linie Freigeister. Allerdings mit einem gehörigen Drogenproblem. Das machte es per se unmöglich, daß sie je in einem Menschenhaushalt unterkommen konnten. Die Menschen selbst ließen sich oft und gern allerlei Drogen schmecken, aber seltsamerweise erachteten sie diese Vorliebe bei Tieren als höchst unschön, um nicht zu sagen als abnormal. Sie sahen in unseresgleichen das Idealbild ihrer selbst, rein und völlig abstinent, und akzeptierten es nicht, wenn das makellos Animalische im buchstäblichen Sinne auch nur von einem Wermutstropfen verunreinigt wurde.

Den Dudes war das freilich egal. Denn sie hatten mit der Außenwelt und den Menschen schon längst abgeschlossen. Allesamt teilten sie in der einen oder anderen Form das gleiche Schicksal wie ich. Gleichgültig, wie sie sich über die Runden brachten, ohne anständiges Futter und medizinische Versorgung besaßen sie eine sehr geringe Lebenserwartung. Und das wußten sie. Also machten sie das Beste daraus.

Zu dieser Analyse gelangte ich natürlich erst viele Jahre später. Erst da erkannte ich, was für einen unschätzbaren Dienst die Dudes für meinen Werdegang geleistet hatten.

»Hast den kompletten Tag weggeratzt, Dude«, sagte der Siamese, als ich wieder die Augen öffnete. Natürlich war er von einem echten Siamesen so weit entfernt wie ein Smart von einem Ferrari, obwohl man beide als Auto bezeichnete.

Es war inzwischen Abend geworden. Nur wenige Kerzen brannten noch. Es war still um die anderen Dudes geworden. Weder sangen sie sich ins Delirium, noch betrieben sie die Nonstop-Schnüffelei an den Minzestengeln. Viele hatten sich zu Kringeln gerollt und schliefen. Der weiche Kerzenschein ließ sie wie kleine Dünen beim Sonnenuntergang am Strand erscheinen.

Ich lag immer noch rücklings auf dem Blätterhaufen und sah die Mondsichel und die Sterne am Ende des kreisrunden Brunnenschachts über mir. Schön anzuschauen waren sie, wie sie vollendete Harmonie und universelle Weisheit ausstrahlten, obwohl sie in Wahrheit gänzlich blind waren gegenüber den tagtäglichen Massakern unter ihnen. Eine hübsche Dekoration, weiter nichts.

Nach der Aussage des Dudes hatte mein Trance-Zustand den ganzen Tag gewährt. Zumindest hatte mir das Zeug für eine kleine Weile über das Trauma meiner dahingemeuchelten Familie hinweggeholfen. Was nicht hieß, daß die Eindrücke vom zurückliegenden Grauen nicht immer noch in meinem Hinterkopf durcheinanderwirbelten. Im Gegenteil, jetzt, da die Wirkung der Droge verflogen war, kamen sie mit doppelter Vehemenz zurück. Doch der Selbsterhaltungstrieb gebot es, daß ich die Zähne zusammenbiß und alles Negative einstweilen beiseite schob.

»Hunger!« sagte ich.

40

Der Halb- oder Viertel- oder Achtel-Siamese lächelte verschmitzt. »Hab's mir schon gedacht, Dude.« Mit diesen Worten senkte er den Kopf, kam mit einem undefinierbaren, dunklen Ding zwischen den Zähnen wieder hoch und klatschte es vor mich hin. Es handelte sich um … nun, es war in der Tat schwer zu bestimmen, um was es sich handelte. Grau, feucht und faltig sah es aus. Dieser Masse das Etikett »Fleisch« zu verpassen, fiel mir wirklich schwer, wogegen das Wort »gewöhnungsbedürftig« ins Schwarze traf. Folgerichtig zeigte ich die einzig angemessene Reaktion: »Bäh!«

Der falsche Siamese zuckte mit den Schultern.

»Ist deine Entscheidung, Dude. Hab aber das blöde Gefühl, daß die Lieferung aus dem Delikatessengeschäft heute nicht mehr eintrifft. Ich heiße übrigens Eloi.«

Während ich ihm mit einer Hirnhälfte zuhörte, war die andere in den Abwägungsprozeß vertieft, ob ich in dieses offensichtlich ungenießbare Etwas hineinbeißen sollte oder nicht. Ohne zu einem Schluß zu kommen, übrigens.

»Also, Dude, jetzt sperr mal ganz weit die Lauscher auf«, begann Eloi, wobei er mit einem ironischen Blick den Wettkampf zwischen meinem Mordshunger und dem Ekelgefühl verfolgte. »Davon könnte dein kleines Leben abhängen.«

»Wieso?« sagte ich. »Sind wir hier unten vor den Jägern nicht sicher?«

»Vor den Jägern vielleicht. Aber glaubst du im Ernst, daß sich alle Gefahren dieser Welt in Luft auflösen, wenn man sich einfach die Bettdecke über den Kopf stülpt? Auch wir müssen mal an die frische Luft, zumal einem das Dope nicht aus den Ohren wächst.«

»Dope – was?«

»Das Zeug, das dich in den süßen Traum geschickt hat. Außerdem kommt das liebe Fresschen nicht von selbst auf allen vieren reingedackelt und setzt sich dir auf den Teller, wenn du verstehst, was ich meine. Von dieser Geheimhöhle führt ein langer Schlauch nach draußen.« Er deutete mit dem Kopf in Richtung des dunklen Ausgangs im Hintergrund, der in eine Röhre zu münden schien. »Wahrscheinlich eine ausgetrocknete Verbindung, die Anno Dunnemals die umliegenden Häuser mit Frischwasser versorgt hat.«

»Und wo kommt man da heraus?« fragte ich.

»In einem Garten, der parkähnliche Ausmaße besitzt.«

»Wo ist der Haken?«

»Das verklickere ich dir gleich. Zuerst aber möchte ich dir etwas über unsere Gemeinschaft erzählen. Wie du dir denken kannst, wurden wir alle nicht mit dem goldenen Löffel im Arsch geboren. Du siehst auch nicht gerade so aus, als hätte dir Papa ein ordentliches Aktiendepot hinterlassen. Jedenfalls halten wir hier alle zusammen – ich meine, wenn wir nicht gerade auf 'm Trip sind. Und wir bieten jedem Dude Zuflucht, der in Not geraten ist. Alles wird brüderlich und schwesterlich geteilt.«

Er las es wohl an meinen herabhängenden Schnurrbarthaaren ab, daß ich an seinen letzten Worten meine Zweifel hegte.

»Das heißt, wenn es etwas zu teilen gibt. Wer den Brunnen als erster entdeckt hat, wissen wir nicht mehr. Wahrscheinlich gar niemand, und jeder ist irgendwann in einer ähnlichen Situation wie du reingesegelt. Doch wie du siehst, kam von oben nicht nur regelmäßig ein Satz spitzer Ohren

42

hereingeflogen. Die Menschen haben im Lauf der Jahre ihren Müll hier reingekippt. Vornehmlich die Bücherbestände ihrer verstorbenen Angehörigen. Einer von ihnen war offensichtlich in einer ganz miesen Klemme und hat die komplette Kerzenmanufaktur seines dahingeschiedenen Opas in dem Loch entsorgt.«

»Und ihr lest all die Bücher?«

»Na ja, wie man's nimmt, Dude. Man kann Bücher lesen oder in sie eintauchen. Der gute Minzenstoff hilft uns dabei, das Letztere zu praktizieren. Wenn du Bock hast, kann ich dir das Lesen beibringen. Ist ganz leicht. Was anderes gibt es hier drinnen ohnehin nicht zu tun. Echt heavy, was alles in diesen Wälzern drinsteht. Hast du gewußt, daß sich ausgerechnet Hemingways Sohn einer Geschlechtsumwandlung unterzogen hat?«

»Aber auch ihr müßt irgendwann einmal heraus«, sagte ich, ohne mich beirren zu lassen. »Und das ist der eigentliche Haken an der Geschichte, nicht wahr?«

Eloi, der im schummerigen Licht und in seinem verwuselten Schmuddellook selbst wie entsorgter Unrat wirkte, verzog die Lippen zu einem erstaunten Lächeln. Seine strahlend blauen Augen jedoch sprachen eine andere Sprache. Ein leises Flackern der Unsicherheit war darin zu erkennen, ein Anflug furchtsamen Stutzens, als hätte ich an einem bösen Geheimnis gerührt.

»Wußte ich's doch, daß in deiner kleinen Birne mehr steckt als in all den verkifften Kürbisköpfen in diesem stinkenden Puff!« rief er aus. Als Zeichen der Anerkennung leckte er mir über die Stirn, was ehrlich gesagt eher einer Strafe gleichkam. Sein Atem roch wie die undefinierbare

43

Futterattrappe vor meinen Pfoten, und über die dubiose Zusammensetzung der klebrigen Feuchtigkeit an meiner Stirn mochte ich lieber nicht nachdenken. Dennoch spürte ich augenblicklich jenes warme Gefühl in mir aufsteigen, welches ich stets empfunden hatte, wenn es im Kreise meiner Familie Anlaß zur Freude gegeben hatte und wir alle für Sekunden von der unbarmherzigen Welt in eine sorglose wegdriften konnten. Kurz, schon begann ich in Eloi eine Art familiärer Ersatzfigur zu sehen.

»Ja, der berühmt-berüchtigte Haken, Dude«, fuhr Eloi fort, nachdem sein Lächeln einem bekümmerten Ausdruck gewichen war. »Den gibt es immer im Leben, und nicht nur in dem Leben der glitschigen Kollegen mit den Kiemen. Verdammt, ich weiß gar nicht, wie und wann das alles angefangen hat. Allerdings ist es bei der ganztägigen Volldröhnung auch schwer, den Überblick zu behalten oder besser gesagt das bißchen Gedächtnis, das man besitzt, wenn du verstehst, was ich meine. Jedenfalls existiert in dem Park da draußen das größte und saftigste Minzenfeld im Umkreis, und da wir hier alle tief im Herzen afghanische Bauern sind, stehlen wir uns zwischendurch raus und fahren die Ernte ein. Und wenn uns dabei zufällig ein Rattenmann und eine Rattenfrau über den Weg laufen, sind wir christlich genug, sie in unserem Bauch miteinander zu vereinen.«

»Aber in letzter Zeit verlaßt ihr das Kerzenparadies nicht mehr so gern?« fragte ich. Die Belobigung von eben hatte mich etwas keck werden lassen.

»Right, Dude, wir verlassen die warme Stube nur noch ungern, weil draußen inzwischen eine ansteckende Krankheit grassiert. Und die heißt der Tod! Seit kurzem kommen einige unserer Leute nicht mehr zurück. Ihre verstümmelten Leichen finden wir dann auf den Minzefeldern. Nur wenige schaffen es noch zurück bis in die Röhre. Was ihnen aber auch nicht mehr viel nützt. Tot ist tot. Hat das nicht Seneca gesagt? Oder war es Kafka?«

»Vielleicht sind es die Jäger, die meine Familie und mich im Visier hatten.« Innerlich focht ich immer noch eine dramatische Entscheidungsschlacht aus, ob ich in den Dreck vor mir hineinbeißen sollte. Wenn Eloi mir wenigstens etwas über seine Beschaffenheit verraten hätte.

»Das ist ziemlich abwegig, Dude«, erwiderte Eloi. »Die Typen, die dich zum Waisen gemacht haben, sind irgendwelche gelangweilten Rentner, die sich furchtbar darüber aufregen, wenn unsereiner in ihre Blumenbete kackt. Spießer, die den lieben langen Tag nichts anderes zu tun haben, als ihrem Großreinemachen-Wahn zu frönen. Solche Brüder schießen mit ihren Holzgewehren aus der Ferne, wo sie das angerichtete Elend nicht so genau mit ansehen müssen. Nein, ich rede von einem wahren Monster, das im Park sein Unwesen treibt. Die Leichen sehen immer so aus, als wären sie von Metzgerlehrlingen fürs Üben verwendet worden.«

Es versteht sich von selbst, daß diese Information nicht gerade dazu beitrug, meine Stimmung zu heben. Noch vor ein paar Stunden hatte ich geglaubt gehabt, den Schrecken zumindest für eine Weile hinter mir gelassen zu haben. Die verborgene Unterwelt hatte für mich Schutz und Geborgenheit in vollendeter Form versinnbildlicht. Nun jedoch mußte ich erkennen, daß das Böse ein übler Geruch ist, der einen verfolgt, wohin man auch flieht, mehr noch, daß die gesamte Welt in diesem Gestank erstickt.

Alles Schwarz in Schwarz also? Nicht ganz. Zum ersten Mal verspürte ich bei Elois Worten trotz ihrer beängstigenden Tragweite etwas, das mich elektrisierte. Man nenne es pervers, man nenne es zynisch, von mir aus auch eine widerliche Charakterschwäche. Doch diese Charakterschwäche war es, von der ich mein Leben lang nicht mehr loskommen sollte: unbezähmbare, besinnungslose Neugier! Mit einem Mal wichen die blutigen Bilder ins Abseits, und nur die Frage nach ihrem Zustandekommen, nach dem Wie und Warum beschäftigten meine Gehirnzellen. Und es wäre gelogen, wenn ich sagte, daß dieses Nachdenken nicht mit Faszination, ja mit vergnüglicher Gripsgymnastik einhergegangen wäre. Schon in diesem Augenblick war ich dem Rätselraten in gruseliger Manier verfallen und nicht mehr der Knabe, der es bei derlei Schauergeschichten mit einem furchtsamen »Huch!« bewenden ließ. Man könnte es auch anders ausdrücken: Von da an war ich verflucht.

»Okay, Eloi«, sagte ich und kam von dem Blätterhügel herunter, um mir die Beine zu vertreten. »Zwei Fragen: Erstens, was ist das für ein Zeug, das du mir zum Fressen vorgesetzt hast? Und zweitens, habt ihr einen Verdacht, wer für die schändlichen Taten hier in der Gegend in Frage käme?«

»Antwort numero uno: das Beste, das wir anzubieten haben. Es ist Wild. Riecht ein bißchen streng, sieht auch ein bißchen strange aus, aber ansonsten ist es tadelloses Fleisch. Vielleicht ist dir aufgefallen, daß draußen alles ein wenig dem Dornröschenschlaf anheimgefallen ist und es überall wuchert wie im Urwald. Deshalb verirren sich mittlerweile auch ein paar Rehe aus dem benachbarten Naherholungsgebiet in die Gärten. Ob du es glaubst oder nicht, Dude,

46

eins von den Viechern ist ausgerechnet vor der Röhrenöffnung an Altersschwäche oder so was verendet. Wir konnten noch die besten Stücke von ihm in die Höhle retten, bevor die Menschen es wegschafften. Und Antwort numero due: Tja, die ist ein bißchen komplizierter ...«

»Dann laß dir ruhig Zeit damit.« Ich sauste den Blätterhügel wieder hinauf und stürzte mich auf das Wildbret. Es schmeckte in der Tat etwas seltsam, aber der Hunger trieb es hinein, und je mehr mir in den Magen kam, desto schneller gewöhnte ich mich an die neue Kost.

Unterdessen zauberte Eloi einen frischen Stengel seiner Lieblingspflanze hervor und gab sich dem Schnüffeln, Reiben und dem Beißen an dem Ding hin. Daß er dabei immer noch geradeaus sprechen konnte, ließ sich nur mit dem jahrelangen Umgang mit der Droge erklären.

»Dieser Park da draußen ist eigentlich der sich selbst überlassene Garten einer um die Wende des vorigen Jahrhunderts erbauten Protzvilla«, fuhr Eloi fort, während er an der Pflanze solch gymnastische Verrenkungen vollführte, als unterhielte er eine Liebesbeziehung zu ihr. »Um das Haus selbst sieht es nicht besser aus. Kein Wunder, denn wie man so hört, hat es dreißig Jahre lang leergestanden. Es ist eine Ruine, ein Ratten-Eldorado, ein Geisterhaus.«

»Sag bloß, die Geister versuchen sich an euch als Metzgerlehrlinge.« Ich schmatzte mit vollem Mund und hoffte, daß er mich überhaupt verstand.

»Im Gegenteil. Die Geister sind längst aus dem Haus vertrieben worden, und der Hausherr ist wieder zurückgekehrt. Mit den dreißig Jahren Leerstand hat es nämlich etwas auf sich. Und mit dem Hausherrn auch. Der soll in dieser Zeit im Knast gesessen haben. Warum und wieso, weiß der Teufel. Doch ich gehe mal blind davon aus, daß man jemanden nicht deshalb so lange verknackt, weil er sein Fahrrad auf dem Behindertenparkplatz abgestellt hat. Niemand von uns hat ihn jemals gesehen, aber er ist da drin. Das Licht brennt die ganze Nacht, das kann man an den erleuchteten Fenstern erkennen. Es kursieren die wildesten Gerüchte um diesen Mann. Manche behaupten, er sei ein Serienmörder gewesen, andere sagen sogar, er wäre ein Kannibale.«

»Verstehe. Und wenn sich in der Nähe gerade kein Zweibeiner auftreiben läßt, begnügt er sich halt mit leckeren Vierbeinern. Ergibt irgendwie einen Sinn.«

Ich hatte mein Mahl beendet, und trotz meiner sarkastischen Bemerkung war ich Eloi in Wahrheit für die köstliche Speise dankbar.

»Nun ja, Dude, sind halt so Gerüchte. Und die entstehen fix in einer Gegend, in der der Minzeverbrauch derart um sich gegriffen hat, daß Realität und Phantasie Jacke wie Hose sind. Doch ich sehe schon, in deinem Oberstübchen drehen sich ein paar Zahnräder mehr als in denen der Schlaffies in dieser Stinkekammer.«

Ich ließ mir die letzten Leckerbissen schmecken, indem ich mit der Zunge die Reste zwischen meinen Zähnen herauspulte und dann in den Rachen beförderte. »Entschuldige, Eloi, ich wollte mich nicht über dich lustig machen. Seit heute morgen weiß ich selbst, zu was Menschen imstande sein können. Aber daß ein serienmordender Kannibale direkt vor eurer Haustür wohnen soll, paßt doch ein bißchen zu perfekt ins Bild, findest du nicht? Spontan habe ich da eine andere Erklärung, wenn auch eine schlichte. Du hast erwähnt, daß sich bisweilen wilde Tiere aus dem Naherholungsgebiet in die Gärten verirren. Könnten sich unter ihnen nicht auch solche befinden, die nicht so gern grasen, sondern ebenso wie wir Frischfleisch bevorzugen?«

In Elois Gesicht erschien erneut das verdutzte Lächeln. Er wirkte so, als hätte er mit einem Mal über meinem Kopf eine Glühbirne aufleuchten sehen. Mit seinen knitterigen Schnurrhaaren, von denen fusseliges Zeug herunterhing, und dem siamtypisch dunklen, allerdings schon ergrauten Fell um Augen- und Schnauzenbereich sah er nun wie ein Depp aus, der erfolgreich bis drei gezählt hat.

»Hey Dude, du hast nicht nur mehr Zahnräder unter der Schädeldecke als wir, sondern du bist ein wahres Genie! Verdammt, warum bin ich nicht selbst auf die Idee gekommen? Na, damit ist der Fall geklärt, würde ich sagen. Wir dürfen einfach den Brunnen nicht mehr in den Nachtstunden verlassen, dann sind wir in Sicherheit.«

Der jüngste Genuß der guten alten Minze hatte die Beweglichkeit seiner Gesichtsmuskeln, insbesondere aber sein Denkvermögen arg verlangsamt. »Nicht so voreilig, Eloi«, sagte ich und stieß einen unhörbaren Rülpser aus. »Nur weil ich eine mögliche Erklärung locker aus dem Ärmel schüttele, heißt das nicht, daß irgend etwas geklärt wäre.«

»Nicht?« Seine Schnurrbarthaare knickten nun vollends ein.

»Nein! Vielleicht hast du nämlich recht, und ich habe unrecht. Vielleicht könnte dieser ominöse Kerl in seiner verfallenen Villa doch für die Morde in Frage kommen. Es könnte noch viele andere Möglichkeiten geben. Ich meine, wenn euch eine solch schlimme Gefahr bedroht, untersucht ihr nicht die Leichen und die Spuren, um irgendwelche Rückschlüsse auf den Tathergang zu ziehen?«

»Ähm, eigentlich nicht. Wir sind einfach immer zu geschockt, um …«

Plötzlich erfüllte ein dumpfes Kreischen den Raum, das ganz offensichtlich aus der Verbindungsröhre herausschallte. Unsere Köpfe fuhren wie automatisch in diese Richtung. Die anderen Höhlenbewohner wurden abrupt aus dem Schlaf gerissen. Einige sprangen sofort auf die Pfoten, andere brauchten ein Weilchen, um sich zu berappeln. Aber innerhalb weniger Sekunden stand im schwachen Kerzenschein eine regungslose Menge Spitzohriger, die mit schreckgeweiteten Augen zu dem einzigen Ausgang aus dem Brunnenbecken starrte. Dort war nun das spezifische Trippeln eines Artgenossen zu hören, das entsteht, wenn die Krallenspitzen in schneller Folge an einem glatten Fußboden schaben. Alle hielten den Atem an.

Aus der Finsternis des Lochs sprang uns schließlich der Kerzen-Heini von heute morgen entgegen. Der rote alte Zausel mit den kupferfarbenen Glubschern sah noch verzottelter aus, gerade so, als sei er mit knapper Not der Explosion in einer Feuerwerksfabrik entronnen. Die Haare standen ihm zu Berge, und er hechelte asthmatisch.

»Dudes, oh Dudes, es hat schon wieder einen Dude rübergemacht!« krächzte er in die angespannte Stille hinein und rollte dann derart unheilschwanger mit den Augen, als sei das Ende der Welt gekommen.

Ein ehrfürchtiges Stöhnen aus allen Kehlen ging durch den Raum. Viele der Artgenossen griffen sofort zu den neben ihnen liegenden Minzestengeln und begannen daran zu schniefen, als wären diese Medikamente, die einem bevorstehenden Infarkt vorbeugen können. Der Rest benahm sich nicht weniger panisch. Ein aufgeregtes Getuschel setzte ein.

»Was bedeutet das?« Ich warf einen hastigen Blick auf Eloi, obwohl ich die Antwort schon zu kennen glaubte.

»Der Kannibale hat wieder zugeschlagen. Oder ein Waldtier, das das Grasen satt hat. Oder Graf Dracula, der Werwolf und Frankensteins Monster sind aus den Büchern rausgekrochen und machen da draußen ’n bißchen Urlaub. Such’ dir eine Variante aus, Dude.«

»Nein, das will ich nicht«, erwiderte ich. »Ich möchte es sehen …«

Offenkundig war ich mit diesem Wunsch nicht allein, denn die durch die Grauensnachricht aufgepeitschte Meute schob und drängte bereits in Richtung der Röhre. Der rote Zausel war schon wieder darin verschwunden, um den Touristenführer für die Leichenbeschau zu spielen.

Auch ich wollte mich in die Schlange einreihen und preschte vor, als Eloi mit strenger Miene vor mich trat und mir den Weg versperrte. »No way, Kleiner, dafür bist du wirklich noch zu jung.«

»Wie bitte?«

»Dude, du hast heute morgen deine komplette Familie verloren und willst dir jetzt auch noch den Anblick einer gräßlich entstellten Leiche antun? Nein, ich als der dienstälteste Minzendude hier kann das nicht zulassen. Du bleibst schön im Brunnen.«

»Eloi, hast du den Verstand verloren? Du hast doch eben

selbst zugegeben, daß ihr bei dieser unseligen Geschichte außer wilden Gerüchten und Spekulationen nichts zu bieten habt. Und jetzt willst du ausgerechnet demjenigen den Zugang zu der Leiche verbieten, der da ein paar Ideechen mehr auf Lager hat?«

Sein von ersten grauen Haaren durchsetztes Maskengesicht bekam einen skeptischen Ausdruck und wurde dann richtiggehend nachdenklich. Die an den Rändern wie zernagt aussehenden Ohren zuckten nervös. »Und was spricht dafür, daß du mehr zur Aufklärung beitragen könntest? Du kannst ja nicht einmal lesen.«

Ich seufzte resigniert und senkte den Kopf. Er hatte recht. »Nichts«, sagte ich.

Inzwischen hatte sich der Raum geleert, und wir beide standen alleine im trüben Dämmerlicht. Aus den Augenwinkeln registrierte ich, daß Elois Nachdenklichkeit allmählich in Zerknirschung überging. Ohne Frage hatte er berechtigten Grund zur Sorge, daß seinem Schutzbefohlenen ein weiteres Trauma drohte. Doch er kämpfte sichtlich mit sich, weil der Schutzbefohlene eine qualifiziertere Antwort auf die dringliche Frage zu versprechen schien als alle anderen in der Gruppe. Einschließlich er selbst.

»Okay«, sagte er schließlich. »Wir zwei gehen uns die Leiche ansehen. Aber vorher genehmigst du dir noch eine Portion. Das federt die fürchterlichen Eindrücke, die du gleich erhalten wirst, etwas ab.«

Und so geschah es. Ich erging mich an der Minze, wie ich es beim ersten Mal in solcher Intensität nicht getan hatte. Es konnte sogar sein, daß ich den Stengel am Ende aufgefressen hatte. Danach hatte ich ein Gefühl, als schwebte ich auf einem Luftpolster, und das war nicht nur rein physisch gemeint. Eloi und ich betraten den finsteren Schacht, eine grobgehauene Aushöhlung vom Anfang des vorigen Jahrhunderts mit dem ungefähren Durchmesser eines Autoreifens. Die Finsternis darin machte uns natürlich nichts aus, da meine Rasse mit einer schier magischen Sehfähigkeit ausgestattet ist. Gleich Nachtsichtgeräten vermögen unsere Augen selbst der schwärzesten Schwärze noch ein klein wenig Helligkeit abzutrotzen. Von der Röhre gingen beiderseitig einige Abzweigungen ab. Ich nahm an, daß es sich dabei um Verästelungen handelte, die seinerzeit den umliegenden Häusern das Frischwasser zugeführt hatten. Ganz in der Ferne sah ich silhouettenhaft die Kolonne der Dudes, die uns vorausgeeilt waren. Das durch die Minze verursachte Luftpolster in meinem Kopf ließ sie wie eine Prozession von Mönchen auf ihrem Weg zu einem geheimnisvollen Ritual erscheinen. Die Wände der Röhre schienen zu atmen; ganz deutlich vernahm ich von links und rechts hallende Atemgeräusche, die immer intensiver wurden. Komischerweise empfand ich bei all dem Hokuspokus keinerlei Furcht, sondern genoß geradezu die unwirklichen Eindrücke. Was wohl ein Zeichen dafür war, daß ich mich langsam an die Droge gewöhnte und mit den Phantasmagorien besser umgehen konnte.

Ich weiß nicht mehr, wie lange wir unterwegs gewesen waren, denn das Zeitgefühl war mir unter diesen Umständen vollkommen abhanden gekommen. Doch endlich erblickte ich fahles Licht am Ende des Tunnels. Kurz darauf kamen erst die vor uns marschierende Karawane, dann Eloi und ich ins Freie. In einer kleinen Senke, welche von

Sträuchern zugewuchert war, hörte die Röhre einfach auf. Der zerschlagene Rand der Öffnung und Bruchstücke auf dem Boden zeugten davon, daß man irgendwann die Hauptleitung des Brunnensystems brutal gekappt hatte.

Wir kraxelten die Senke hinauf, und als wir den Gestrüppvorhang hinter uns ließen, breitete sich im Schein der Mondsichel ein schier unendlich wirkendes Terrain mit einer ins Kraut geschossenen Wiese vor uns aus. Mit den sich selbst überlassenen, krüppeligen Bäumen und den hier und da sich gegenseitig umschlingenden Büschen war es ein beeindruckendes Landschaftsbild. Gegen den Sternenhimmel am Horizont ragte der Schattenriß eines Gebäudes mit einem Mansardendach empor, das vermeintliche Horrorhaus. Einige erleuchtete Fenster waren als glühende Punkte auszumachen.

Schon nach ein paar Metern machte der Troß der Dudes halt und bildete eine Traube. Eloi und ich stießen dazu und drängten uns zwischen den Leibern bis zur vordersten Reihe durch. Natürlich überlagerten die Bilder von der Ermordung meiner Familie immer noch alles, was ich an Entsetzlichem je gesehen hatte. Aber der Anblick, der mir jetzt teilhaftig wurde, war durchaus dazu geeignet, selbst diese widerwärtigen Eindrücke zu übertreffen. In unserer Mitte im Gras lag ein furchtbar verstümmelter schwarzer Artgenosse. Mit solch bestialischem Geschick hatte man den armen Kerl zugerichtet, daß es unmöglich zu ergründen war, wie, womit und in welcher Zeitspanne man ihn in diesen Zustand versetzt hatte. Wie soll ich sagen, er sah irgendwie zermanscht aus. Der Kopf hatte sich vom Hals getrennt, so daß man in das Innere der Luft-

54

röhre blicken konnte. Mir wurde schwindlig. Meine Beine verwandelten sich in Gummi, und ich ließ mich erst einmal nieder –

»Stop! Aufhören! Film anhalten!« rief Junior. Die Glut im Kamin war längst erloschen, und wäre der durch die Fenster hereinstrahlende bläuliche Abglanz der inzwischen vollkommen verschneiten Außenwelt nicht gewesen, hätte das Zimmer in vollkommener Dunkelheit gelegen. Der Frost draußen konnte uns aber nichts anhaben, hatte sich doch die Wärme des abgebrannten Feuers tief in der Wohnung eingenistet und würde bis zum Morgengrauen anhalten. Ganz im Gegenteil dazu machte sich der Frost in meinem Innern durch die Erinnerungen an die unselige Zeit wieder mit aller Vehemenz breit. Sancta und Blaubart schlummerten friedlich an meiner Seite, doch ich hatte mittlerweile das Gefühl, als seien sie ein fernes Echo und das längst Vergangene die düstere Gegenwart. So sehr steckte ich nun im Damals fest.

»Solche Schauergeschichten über zermanschte Leichen hast du mir schon oft erzählt, Paps«, sagte Junior. Der Kerl war immer noch hellwach wie eine angeschlagene Glocke. Ich hatte, glaube ich, schon erwähnt, daß die hervorstechendste Eigenschaft der Jugend darin besteht, den Alten unfaßbar auf den Geist zu gehen. Was mich betraf, war ich durch das stundenlange Erzählen am Ende meiner Kräfte angelangt und hoffte, daß mein nerviger Sohn sich mit einem Fortsetzung-folgt-Versprechen zufriedengeben würde.

»Na und?« erwiderte ich. »Ich hatte halt ein bewegtes Leben und mußte oft in den Abgrund schauen.«

»Diesmal stimmt aber etwas nicht, Paps.«

»Und was, wenn ich fragen darf? Es wäre mir lieb, wenn du es kurz machen würdest. Ich wollte heute nacht nicht mehr damit anfangen, den Weltrekord in Schlaflosigkeit zu brechen.«

»Nun ja, dieser Eloi hat dich ständig zum Kiffen verleitet, wodurch du sogar von Halluzinationen heimgesucht wurdest. Gleichzeitig aber gibst du vor, daß du dich an alles en détail erinnern kannst, ja sogar an so etwas Unappetitliches wie das Innere der Luftröhre einer total entstellten Leiche. Liegt da nicht ein Widerspruch?«

»Nö, Sherlock. Wieso?«

»Vielleicht hat die Wirkung der Droge das von dir Erlebte ins Groteske verzerrt. Die Eindrücke, die du jetzt aus dem Gedächtnis abrufst, könnten, wenn nicht gerade total falsch, so doch zumindest ein wenig verfälscht sein.«

Ich hätte nun gern einen Spiegel zur Pfote gehabt, um darin meinen blöden Gesichtsausdruck zu betrachten. Witzige Sprüche über die Jugend abzusondern war eine Sache, eine völlig andere aber war es, wenn man mit ihrem erbarmungslosen Scharfsinn konfrontiert wurde und sich eingestehen mußte, daß in Wahrheit weniger das junge denn das alte Eisen zu Witzen taugte. Deshalb wechselte ich wie alle Ertappten auf der Stelle die Strategie: Ich versuchte mich durchzumogeln.

»Da kann ich auch nichts mehr machen«, erwiderte ich. »Ich habe nur diese eine Erinnerung. Und damit basta!«

»Hey, sei nicht gleich eingeschnappt, Paps«, sagte Junior im therapeutischen Ton, als hätte er es mit einem widerspenstigen Patienten zu tun. »Also, wie war das genau, als

56

du die Senke hochgekommen bist? Du hast zum ersten Mal dieses verlassene Areal unter dem Sternenhimmel gesehen. Wie hat sich Eloi dabei benommen?«

Wohl oder übel ging ich tief in mich und beschwor die vergilbten Bilder mit solcher Akkuratesse herauf, wie ich es vorher noch nie versucht hatte. »Wenn ich es mir jetzt recht überlege, nicht besonders aufgeregt. Aber er war ohnehin ein ziemlich cooler Typ. Außerdem ernährte er sich ja praktisch von diesem Minzenzeug, so daß er nicht anders konnte, als cool zu sein. Auch der rote alte Zausel, der ganz vorne stand und bei der Überbringung der Hiobsbotschaft noch außer sich gewesen war, wurde nicht gerade von Panikanfällen geschüttelt. Die anderen auch nicht. Ja, eigentlich war es eine einigermaßen sachliche Veranstaltung.«

»Und dann habt ihr die Leiche gesehen.«

»Ja. Sie ... sie lag da, alle viere von sich gestreckt. Nein, nun kommt es mir so vor, als sei ihr Kopf doch nicht vom Hals abgetrennt gewesen. Sie sah eigentlich auch nicht besonders zermanscht aus, eher ... nun ja, überhaupt nicht zermanscht.« Diese verdammte Minze! Sie vergröberte die Eindrücke, lieferte Bilder, die der Erwartungshaltung entsprachen, und würzte alles mit einer starken Prise Dramatik. Ich fuhr fort: »Eigentlich sah der Artgenosse im Gras wie ein gewöhnlicher Toter aus. Ich habe kaum Blut ringsherum bemerkt. Vielleicht habe ich beim ersten Anlauf etwas übertrieben ... basta!«

Junior war während des revidierten Berichts immer ruhiger geworden. Er hatte nun allen Grund, an der gesamten Geschichte zu zweifeln, was ich aber nicht glaubte.

57

Eher war er als guter Sohn bestrebt, die wertvollen Erinnerungen des Alten zurechtzurücken, um sich die Anfänge seines Lebens in ihrer ganzen Wahrhaftigkeit und Schärfe zu vergegenwärtigen. Ich dagegen hatte mir all die Jahre eingebildet, meine Biographie wie in Stein gemeißelt vor mir zu sehen. Was für ein Unfug! Die Erinnerung ist ein Chamäleon, das die Farbe je nach Stimmung und Gutdünken des sich Erinnernden ändert. Das weiß doch jedes Kind. Vor allem wußte es mein schlaues Kind.

»Eine Frage, Paps«, sagte Junior nach einer Weile. »Weißt du noch, wo sich dieser Brunnen befindet?«

»Was hast du vor? Wenn du deinem detektivischen Vater nacheifern möchtest, kommst du leider ein bißchen zu spät. Sechzehn Jahre sind seit dieser bitteren Zeit vergangen. Oder vielleicht sogar siebzehn?«

»Trotzdem. Kannst du dich noch erinnern, wo dieser blöde Brunnen ungefähr liegt?«

»Klar. Normalerweise bist du in dreißig Minuten dort. Wenn du allerdings jetzt durch den Schneemantel stakst, dauert es bestimmt eine Stunde. Aber was willst du nach so langer Zeit dort noch finden? Den jungen Geist von Francis? Falls die ganze Brunnenanlage überhaupt noch existiert.«

»Ich weiß es ehrlich gesagt selbst nicht. Aber irgend etwas an deiner Erzählung kommt mir komisch vor. Wie ein Gemälde, in dem eine wichtige Botschaft versteckt ist, die man erst nach mehrmaligem Hinsehen wahrnimmt.«

»Wieso denn das? Du hast sie ja nicht einmal zu Ende gehört. Wenn du die ganze Geschichte kennst, dann wirst du verstehen, daß du am falschen Ort nach den Spuren des

58

Bösen suchst. Und ich kann dir versichern, nach all den Jahren existieren dort mit absoluter Sicherheit überhaupt keine Spuren von gar nichts mehr!«

»Vielleicht hast du recht«, sagte er nachdenklich. »Zunächst solltest du diesen Abschnitt deiner Erinnerungen zu Ende bringen. Erzähl doch weiter.«

»Wie gütig«, erwiderte ich. »Falls du darauf spekulierst, daß ich gleich zusammenbreche und du dann alles erben wirst, muß ich dich leider enttäuschen: Die Häuserzeilen in Notting Hill und Manhattan und meine dreißig Prozent Anteil an Google habe ich schon dem World Wide Fund For Nature vermacht. Du bekommst nur deinen Pflichtteil – meinen Freßnapf! Also gut, wo war ich stehengeblieben? Ach ja, die Dudes zogen mich auf, und aus der Retrospektive will es mir so scheinen, als hätten sie diese Aufgabe besser bewerkstelligt als …«

5

Die Dudes zogen Paps auf, und nachträglich wollte es ihm
so scheinen, als hätten sie diese Aufgabe besser bewerkstelligt, als seine arme, ungebildete Mutter es je hätte tun können. Nun ja, Paps neigte schon immer zu dezidierten Mei-
nungen. Vermutlich weil ihm nach all seinen kriminalistischen Großtaten niemand mehr zu widersprechen wagte.
Schon gar nicht der alte Blaubart, sein verknöcherter
Kumpel, der trotz seiner Bärbeißigkeit zu ihm aufschaute
wie zu einem Denkmal. Gewiß, ein Denkmal war der inzwischen schon hinter Mythen und Bewunderungswolken
verschwindende Francis schon. Und ich konnte nicht ver-
hehlen, daß ich normalerweise schier platzte vor lauter
Stolz auf meinen Paps. Doch allmählich merkte ich, daß
gerade der Denkmal-Hochsitz, auf dem er es sich gemütlich gemacht hatte, ihm bisweilen den Blick unter seine
Warte trübte.

Etwa eine Stunde lang hatte der Alte noch seinen Erinnerungen nachgehangen, bis er schließlich eingeschlafen
war. Mich dagegen beschlich immer heftiger das nagende
Gefühl, daß ich jenen ins Vergessen geratenen Ort auf-
suchen mußte. Der Grund dafür erschloß sich mir selber
kaum. Vielleicht wollte ich mich wie ein Museumsbesucher
an den verstaubten Relikten des furchtlosen Detektivvaters

ergötzen oder in Anbetracht der Exponate das Abenteuer seiner Teufelsjugend im Geiste selbst erleben. Ganz so abgehoben war die Sache dann aber doch nicht, denn ich wußte sehr wohl, wonach ich im Brunnen suchen wollte. Eins aber stand fest: Ich hätte mir für die Aktion weiß Gott einen passenderen Zeitpunkt aussuchen können.

Kaum hatte Paps die Augen geschlossen, verdrückte ich mich durch die für unseresgleichen vorgesehene Klappe an der Wohnungstür in den Hausflur, schlich zum rückwärtigen Teil des Baus und gelangte schließlich durch einen Türspalt ins Freie. Im Gegensatz zu den lächerlichen Umhüllungen der Menschen bot mir mein dichtes Fell bei der Eiseskälte einen genialen Schutz. Doch schnell merkte ich, daß dieses Überlegenheitsgefühl mehr auf Wunschdenken beruhte. Denn binnen kurzem begann ich zu frieren wie jeder andere Sterbliche auch. Zum Glück hatte es den Schneegott inzwischen woandershin verschlagen. Ein klarer kobaltblauer Nachthimmel mit vereinzelt blinkenden Sternen starrte auf mich herab.

Es war nach Mitternacht. Ich watete durch die schneeverhüllten Gärten mit ihren zu Eisskulpturen erstarrten Bäumen und bestieg Mauer um Mauer. Sie unterteilten das Karree zwischen den Rückfassaden der Gründerzeitgebäude in ein verschachteltes Setzkastenmuster. Mein dampfender Atem in der kalten Luft ließ faszinierende Geisterbilder entstehen, und meine Pfotenballen begannen auf dem frostigen Untergrund allmählich taub zu werden. Dennoch spürte ich wenig von alldem, weil ich in Gedanken immer noch mit den Ereignissen beschäftigt war, von denen mir Paps in der letzten Stunde erzählt hatte.

Nach der gruseligen Nacht mit der aufgefundenen Leiche war im Brunnenbecken wieder das normale Leben eingekehrt. Soweit das Wort normal im Alltag der Dudes überhaupt eine Rolle spielte. Während in der Oberwelt der Frühling in augenblendendem Sonnenschein zu Hochform auflief, hockten die Minzeschnüffler in ihrer vom Kerzenschein weichgezeichneten Gruft, schmökerten in ihren Buchstabenwelten, pflegten ihre exzessive Vorliebe zu einer bestimmten Pflanze und ließen ansonsten Gott einen guten Mann sein. Hin und wieder verirrten sich ein paar Vertreter des stolzen Nagervolks in die Höhle, und die Dudes hießen sie herzlich willkommen, indem sie sie zur ökologisch korrekten Nahrung veredelten. Hin und wieder jedoch verirrten sich auch einige der ihrigen nach draußen und kamen als Leichen zurück. Das heißt, den Weg zurück schafften sie nicht mehr und blieben dort, wo man ihnen das Lebenslicht ausgeblasen hatte, nämlich in den Minzefeldern. Selbst Paps, der für sein jugendliches Alter in dieser Angelegenheit eine geradezu wissenschaftliche Neugier an den Tag legte, wurde daraus nicht schlau. Aber bis auf diese Verluste, die wie in einer archaischen Legende als Opfer zur Beschwichtigung einer grausamen Gottheit angesehen wurden, ging es im Reich der Dudes recht gemütlich zu.

Nicht nur gemütlich, sondern auch gebildet. Zwischen der Dauerdröhnung und dem eintönigen Rattenfraß blieb als einzige Abwechslung die Vertiefung in die wurmzerfressenen Bücher. Besonders Eloi gab sein Bestes, um dem jungen Francis eine anständige Bildung zu verpassen. Nachdem er ihm das Lesen beigebracht hatte, fing er bei Adam

62

und Eva an, beziehungsweise bei den alten Griechen. Er dozierte, daß die Sehnsucht nach dem Paradies, wo Mensch und Tier miteinander in Harmonie lebten, sich im Mythos von Orpheus ausdrückte, der durch seinen Gesang selbst die wildesten Kreaturen in friedfertige Wesen verwandelte. Und daß die ersten Götter zuerst Tiergestalten waren und erst viel später menschliche Form annahmen. Tiere, die bestimmte Wesenszüge verdeutlichten, wurden ihnen als Attribute beigegeben. In Vertretung realer Opfertiere weihte man tierische Statuetten. Mäuse galten schon damals als dämonische Wesen. Bei den Griechen stand die Maus mit dem Heilgott Apollon Smintheus in Verbindung, der Seuchen aussandte, wobei ihm die Mäuse als Boten dienten, denn man hatte den Zusammenhang zwischen dem Auftreten von Mäusen und dem Ausbruch von Seuchen erkannt.

Im Christentum war dann Schluß mit lustig. Die Bibel ging von der Unsterblichkeit der menschlichen Seele aus. Damit war die Vorstellung verknüpft, daß im Sterben die Seele den Körper verläßt und zu Gott auffährt. Der hebräische Begriff für Seele bedeutet unter anderem Luftröhre. Wenn unseresgleichen ähnlich wie die Menschen eine unsterbliche Seele hätten, könnten auch wir einen hohen Rang in der religiösen Werteordnung beanspruchen und damit letztlich einen besonderen Respekt. Zumindest nach den biblischen Quellen gab es allerdings eine solche direkte Kommunikation zwischen Gott und den Tieren nicht. Bereits für den Theologen Augustinus war klar, daß nur Menschen eine unsterbliche Seele hatten, also im direkten Austausch mit Gott stehen konnten, während die

Seele von unseresgleichen mit dem Tod zugrunde ging. Von einer Auferstehung der Tiere oder einem Leben der Tiere nach dem Tod konnte im Christentum keine Rede sein. Deshalb kann man sie auch bedenkenlos umbringen – und verspeisen.

Nach dieser bitteren Lektion kamen die Klassiker dran, von *Lebensansichten des Katers Murr* über *Moby Dick* bis hin zu *Die Möwe Jonathan*. Nebenbei lernte Paps natürlich auch viel über die in Schrift gegossene Vorstellung des Menschen über sich selbst. Ob im Drama, Heldenepos oder in schmerzlicher Selbsterkenntnis, stets drehte sich der Mensch um sich selbst und nahm am Schicksal der andersgearteten Kreuchenden und Fleuchenden höchstens als Spender von billigem Mitleid oder als wichtigtuerischer Mahner Anteil. Nichtsdestotrotz half das Studium Paps, intellektuelle Werkzeuge zur Durchdringung der Welt zu erlangen, kurz, er erhielt eine gute Bildung. Die Schattenseite der Übung war die recht seltsame Schule, in der man während des Unterrichts mit Billigung der Lehrer Drogen zu sich nehmen durfte. Die Dudes ermunterten ihren Schüler sogar dazu. Es blieb am Ende also die Frage, ob der Zögling Francis unter diesen Umständen tatsächlich so viel Kultur in sich aufgesogen hatte, wie er später glaubte. Vielleicht war es ja vielmehr so, daß er sich in seinem von der Minze beflügelten Dauertraum all diesen bildungsbürgerlichen Kram schlichtweg erträumt hatte, genau wie die Schauergeschichten über die sich gelegentlich außerhalb des Brunnens ereignenden Morde. Denn obwohl die Gemeinde der Dudes offenbar kontinuierlich dezimiert wurde, zeigte sie sich davon so wenig geschockt wie vom sprichwörtlichen Sack Reis, der in China umfällt. Als ich Paps mit meiner Vermutung konfrontierte, wußte auch er keine vernünftige Antwort darauf.

Trotz dieser Ungereimtheiten konnte Paps sich einer Sache sehr genau entsinnen. Ich nahm es ihm ab, weil er hierbei von einer Ergriffenheit gepackt wurde, die ich bei ihm noch nie so erlebt hatte. Der Frühling hatte das Staffelholz mittlerweile an den Sommer übergeben, obwohl im Brunnen stets eine gleichmäßig angenehme Temperatur herrschte und das dämmrige Kerzen-Ambiente »Christmas forever!« suggerierte. Die biologische Glut indes stieg dem Knaben, der unaufhaltsam zum Manne reifte, immer schneller in den Kopf, und, Minze-Delirium hin, Marathonschmökerei her, schon bald war auch das Ziel dieser speziellen Glut ausgemacht.

Sie hieß Madam und war eher ein freches, junges Madamchen. Paps beschrieb sie mir als eine Britisch Kurzhaar Weiß, ein Schneeflöckchen mit einem runden und breiten Kopf, orangefarbenen großen Augen und einer geraden Nase mit einem rosa Nasenspiegel. Dieses strahlend weiße Geschöpf hatte es Paps angetan, und waren die beiden noch vor ein paar Wochen ganz normale, sich neckende und miteinander spielende Jugendliche gewesen, so änderte sich die Beziehung mit einem Male.

Es kam zu heimlichen Verabredungen in dem Tunnellabyrinth. Der junge Francis inhalierte Madams bezaubernden Duft, und er konnte sich nicht satt sehen an ihrem kurzen dicken Schwanz, der wild auf- und abfuhr, wenn sie gemeinsam turtelten. Bald geriet sie in Hitze, und ihr betörendes Gewinsel hallte durch das ganze Gewölbe wie Sirenengesang. Doch gleichzeitig mit diesem Weckruf, der schwärmerisch als das Erwachen der Lust bezeichnet wird, lernte Paps einen höchst unangenehmen Nebenaspekt der ganzen Sache kennen, sozusagen die Kehrseite der Medaille. Denn nicht allein ihm jagte der Starkstrom der Natur durch jede einzelne Faser, wenn die glutäugige Madam ihre Liebeslieder anstimmte, sondern mindestens zehn anderen Kerlen in der Umgebung auch. Natürlich war unser Held jung und stark – oder sagen wir besser, die anderen Junkies klebten schon ein ganzes Weilchen länger an dem Stoff und waren dadurch ziemlich geschwächt.

Dennoch erlebte Paps zum ersten Mal, wie in der Höhle ein wahrer Gladiatorenkampf losbrach, wenn das Objekt der Begierde sich inmitten der lüsternen Gaffer auf dem Boden wälzte, abwechselnd schnurrte, knurrte und schrie, teuflische Pheromone absonderte, den Schwanz in die Höhe schwingen ließ und ihr kostbarstes Gut präsentierte und so alle in ein Stimmungsgemisch aus Leidenschaft, Aggression und Wahnsinn stürzte. Natürlich blieb Held Fancis stets der Sieger. Aber für diesen Sieg floß sein Blut in Strömen, und viele Kratzer, ja bisweilen tiefe Wunden vor allem im Gesichtsbereich blieben dabei unvermeidlich. Einige markante Narben zeugten noch heute von dem »Liebesspiel«.

Paps erinnerte sich trotzdem gern an diese kurze und doch so aufregende Zeit zurück. Sie enthielt alles, was ein junges Herz begehrte: Romantik, Kraftproben, einen weisen Mentor, der ihn in die Geheimnisse des Intellekts einführte, und last not least jede Menge genialen Stoff! Doch eines Abends wurde er von dem seltsamen und zugleich unerschütterlichen Gefühl heimgesucht, daß seine Kindheit nun unwiderruflich hinter ihm lag und seine Entwicklung zum Manne abgeschlossen war. Er stand inmitten der Brunnenhöhle und ließ den Blick kreisen. Unter den brennenden Kerzen und im Schatten der Büchertürme hatten sich viele Dudes schlafen gelegt. Sie wirkten auf ihn wie die Ausbeute eines fleißigen Pelzjägers. Silber-Tabby, Chocolate-Chinchilla, Smoke, Schildpatt-Shaded, Lilac-Lavender, es war ein Festival der Farbschläge und Haarstrukturen. Und all diese schlaff wie Brotteige ruhenden und zufrieden ihren Minzeträumen nachhängenden Wesen, mit denen es das Schicksal recht schlecht gemeint hatte, waren seine Freunde. Bis auf Madam. Sie war mehr als das. Das Schneeflöckchen lag wie der weißeste Engel auf einem der Buchhaufen, hatte sich zu einem Halbkreis zusammengerollt und ließ sich vom Licht einer fast heruntergebrannten Kerze bescheinen. Trotz ihrer gekrümmten Haltung war deutlich ihr angeschwollener Bauch zu erkennen. Paps stellte nicht ohne Stolz fest, daß er zu diesem Zustand einen erheblichen Teil beigesteuert hatte. Die Narben in seinem Gesicht, die er wie Orden vor sich her trug und die ihn immer noch schmerzten, gemahnten ihn daran. Es waren seine Kinder, die sie in sich trug. Er atmete mit einem zufriedenen Seufzer aus.

»Na, Dude, siehst ganz schön fertig aus.« Eloi wedelte mit einem Minzestengel vor Paps' Gesicht wie Sultan Karl Lagerfeld mit seinem Fächer. Er hatte es sich auf dem höchsten der Büchertürme bequem gemacht und lächelte maliziös auf ihn herab. Seine ozeanblauen Augen funkelten intensiv wie Signalfeuer, und seine wie zernagt ausse-

67

henden Lauscher zuckten in gemächlicher Regelmäßigkeit. Irgend etwas im rauchfarbenen Maskengesicht des zerrupften Beinahe-Siamesen ließ darauf schließen, daß er inzwischen mehr über seinen Eleven wußte als der selber. Vielleicht hatte er sich ja auch den Minzestengel eine Spur zu lange in die Nase gesteckt. Danach sah man in der Regel meistens total erleuchtet aus.

»Wieso?« erwiderte Paps. »Ich habe mich noch nie so wohl gefühlt.«

»Vielleicht habe ich mich mißverständlich ausgedrückt, Dude. Ich meinte, deine körperliche Entwicklung ist abgeschlossen, auch die, was den Unterhosenbereich angeht. Und du hast durch das Bücherstudium eine geistige Reife erlangt, mit der du für dein weiteres Leben bestens gerüstet bist. Mit einem Wort: Siehst ganz schön fertig aus, Dude!«

Paps schaute voller Dankbarkeit zu seinem Lehrer auf. »Und dafür gebührt dir mein ewiger Respekt, Eloi. Ohne dich wäre ich immer noch der Holzklotz, der ich einmal war. Allerdings immer noch ein ziemlich cooler. Ich stimme auch nicht mit dir überein, daß Mickey Mouse kulturell das Gesicht des zwanzigsten Jahrhunderts geprägt haben soll. Ich meine, ich bitte dich, die Viecher schmecken gerade mal leidlich. James Joyce' *Finnegan's Wake* dagegen scheint mir eher geeignet …«

»Ist klar, Dude, jeder von uns hat so seine Vorlieben«, unterbrach ihn Eloi und lächelte weiterhin sein unterirdisches Lächeln. »Aber kann es sein, daß du jetzt an einem Punkt in deinem Leben angelangt bist, wo du es unter uns Müllmännern nicht mehr aushältst und dich nach neuen Horizonten sehnst?«

Da mußte der junge Francis innehalten und tief in sich hineinhorchen. Und natürlich vernahm er nichts als das Echo seiner eigenen Gedanken, die er während der vergangenen Tage ausgebrütet hatte. Nämlich, daß er in dieser Gruft wohl kaum alt zu werden gedachte. Die Dudes hatten weder die Ambition noch den Mut, etwas aus sich zu machen und das Reich außerhalb des Brunnens zu erobern. Wenn man so wollte, waren sie glücklich im besten Sinne. Denn das Diesseits als Paradies bezeichnet nur derjenige, der sich das Naschen an verbotenen Früchten selbst untersagt und sich damit zufrieden gibt, einfach die schöne Aussicht zu genießen. Paps' Pläne waren aber andere, und trotz des beruhigend wirkenden Minzekonsums war er vom jugendlichen Größenwahn befeuert. Er wollte die Welt sehen und nicht nur ihr zweidimensionales Abbild in den Büchern betrachten. Er wollte richtige Abenteuer erleben und nicht mittels der Literatur das wiederkäuen, was andere erlebt hatten. Und er wollte, was die Jugend eigentlich immer will: seinen Platz in dieser Welt finden.

»Du hast recht, Eloi«, sagte Francis und schaute etwas betreten drein. »Ich fürchte, ich werde euch verlassen müssen. Das gemütliche Leben im Loch beengt mich. Ich möchte wissen, wie es draußen wirklich zugeht.«

»Aber das weißt du doch bereits: mörderisch!« Eloi leckte immer noch launisch an der Minze. »Im Gegensatz zu vielen hier kennst du die andere Seite. Hast du schon vergessen, was sie mit deiner Familie angestellt haben?«

»Nein, aber offenbar hast du vergessen, was Freiheit bedeutet. Warst du es nicht, der mir gesagt hat, daß sich die Gefahren dieser Welt nicht in Luft auflösen, indem man sich die Bettdecke über den Kopf stülpt? Ja, hier drin bin ich in Sicherheit und unter den besten Freunden, die man sich nur wünschen kann. Und doch habe ich das Gefühl, als läge ich die ganze Zeit unter der Decke. Ich kann kaum noch atmen und brauche frische Luft. Als erstes werde ich ernsthaft untersuchen, was es mit diesen Morden auf sich hat. Jedenfalls habe ich vorerst meine Nase genug in die Bücher gesteckt. Jetzt will ich endlich mal das Rohmaterial des Bücherlebens unter meinen Pfoten spüren.«

»Gut gebrüllt, Löwe. Dann mal los! Komm mir aber später nicht mit einer aufgeschnittenen Kehle an und verlange, daß ich sie dir wieder zunähen soll.« Dann jedoch, geradeso, als hätte sich jäh ein düsteres Eisentor vor sein verlottertes, schwarzbeiges Gesicht gesenkt, schien Eloi von tiefster Trauer erfaßt. »Nicht daß du mich falsch verstehst, Amigo. Du bist mir näher als ein Sohn, und von denen habe ich viele. Aber keiner von ihnen versprüht so viel Esprit und Tatendurst wie du. Ich … wie soll ich mich ausdrücken? Wenn dir etwas zustoßen sollte, dann …«

»Nun fang mir bloß nicht zu heulen an, Eloi«, sagte Francis. »Ich habe nicht vor, nach Chile auszuwandern. Ich werde in der Nähe bleiben, schon allein wegen Madam und den Rabauken, die noch in ihr schlummern. Aber vierundzwanzig Stunden am Stück Kerzen-Weihnacht und Lesen bis der Arzt kommt, damit ist erst mal Schluß. Schon mal was von Lagerkoller gehört?«

Eloi legte seinen Minzestengel beiseite, was bei ihm eigentlich schon einem kalten Entzug gleichkam, erhob sich und sprang von dem Bücherturm herab. Er näherte sich Paps, bis sich ihre Nasen berührten. Auf den ersten Blick glich er tatsächlich einem Drogenwrack, mit den wäßrigen blauen Augen, dem wie ein Weizenfeld nach einem Tornado zerzausten, im Grunde keiner Farbe zuzuordnenden Fell, seinem verbraucht wirkenden Schatten-Gesicht, in dem jeder Muskel wie von kleinen Gewichten behangen abwärts deutete. Doch war es auch die Erscheinung eines altmodischen Gelehrten, der wenig Wert auf Äußerlichkeiten legt und selbstredend davon ausgeht, daß Stimulantia den Geist eher anregen als vergiften. Und die wäßrigen Augen waren jetzt nicht wegen einer chronisch defekten Tränendrüsenfunktion so feucht.

»Wann willst du denn die Welt erobern, Dude?« fragte Eloi, und seine Lippen zitterten leicht. Paps' Mentor spürte wohl, daß es sich um den Moment des Abschieds handelte. Vielleicht nicht gleich, aber doch auf Raten. Und irgendwann für immer.

»Nun ja, eigentlich wollte ich jetzt gleich draußen eine kleine Runde drehen, Dude. Wenn ich auf den Mörder stoße, schicke ich dir eine Postkarte.«

Mit diesen Worten kehrte Paps Eloi den Rücken zu und spazierte in Richtung des Tunnels. Weniger deshalb, weil er seinen Freigang gar nicht mehr abwarten konnte, sondern weil er nicht mit ansehen wollte, wie dem guten Gefährten die Tränen über das Gesicht liefen. Ein flüchtiger Seitenblick bestätigte ihm, daß mittlerweile alle anderen Dudes im tiefen Schlaf versunken waren, einschließlich des alten Roten, der wie ein Mensch auf dem Rücken lag und alle viere von sich himmelwärts gestreckt hatte. Ummantelt von dem Gewölbe-Halbrund über ihren Köpfen und umhüllt vom Kerzendämmer sahen sie wie fossile

71

Überbleibsel eines Märchenreiches aus. Paps bekam dabei einen Kloß im Hals, weil er spürte, daß dieser leichtpfötige Spaziergang in die Außenwelt in der Tat einem Schlußstrich nahekam. Er wußte instinktiv, mit diesem Schritt würde der Abschied vollzogen sein. Und auch wenn er in ein paar Stunden wieder in die Höhle zurückkehrte, würde es nicht mehr das gleiche sein.

Die Eindrücke in dem Tunnel unterschieden sich von denen während seiner vorangegangenen Erkundungen. Zwar war Francis auch jetzt von vollkommener Finsternis umgeben, seine Trippelschritte hallten fast unendlich fort, und auch jetzt beschlich ihn eine durch Klaustrophobie verursachte und sekündlich stärker werdende Unruhe. Da er diesmal vorher nicht von der Minze gekostet hatte, entfaltete der dunkle Tunnel eine doppelt unheimliche Wirkung, und die Beklemmung war ziemlich real. Schon bald standen ihm die Haare zu Berge.

Als er endlich nach draußen gelangt war und die Senke hochstieg, bemerkte er als erstes die radikale Veränderung des Luftdrucks. Der Nachthimmel über dem verwucherten Terrain war von einem aufgeladenen Wolkenbrodem bedeckt, in dessen sich ständig umformenden Schleiern es grell zuckte und grollte. Ein Sommergewitter mit reichlich Blitz und Donner rückte heran. Ein starker Wind fauchte wie ein fiebriger Geist über das wild gewachsene Gras, schüttelte die Bäume durch und blies loses Gestrüpp hoch durch die Luft. So wie es aussah, hatte sich Paps den denkbar ungünstigsten Zeitpunkt für seine Lebenswende ausgesucht. Er konnte schon den Regen riechen, der in Kürze einsetzen würde.

Was um alles in der Welt hatte ihn dazu veranlaßt, mitten in der Nacht solch eine gewichtige Entscheidung in die Tat umzusetzen? Schließlich konnte man auch morgen eine neue Seite im Leben aufschlagen, wenn wieder die Sonne schien. Doch da ein junger Mann eher bereit ist, in den Krieg zu ziehen, als sich seine eigene Dummheit einzugestehen, wollte Paps wenigstens so tun, als würde er die neue Freiheit genießen. Ein zielloser, kurzer Spaziergang bestätigte ihm, daß nirgendwo zufällig eine Leiche herumlag, mit deren Hilfe er sich seine ersten Sporen als Ermittler von Gottes Gnaden hätte verdienen können. Pech! Unterdessen blies der Wind immer unerbittlicher über das weite Feld. Das hochgewucherte Gras, die wilden Sträucher und die vereinzelten krumm und schief gewachsenen Bäume wurden hin- und hergerissen, als würden sie geohrfeigt.

Paps bestieg einen kleinen Erdhaufen und schaute sich um. In der Ferne erspähte er das, was er während seines lustlosen Spaziergangs aus den Augenwinkeln zwar schon längst registriert, aber geflissentlich übersehen hatte. Denn das Augenfälligste an diesem düsteren Ort zu erkennen hätte für einen Heißsporn wie ihn bedeutet, daß er es auch untersuchen mußte. Um es kurz zu machen, die verkommene Villa dort in der Ferne, ein unheilschwangeres Schattengebilde mit ewig glühenden Fenstern, jagte Paps immer noch einen gehörigen Schrecken ein. Dabei hatte er selbst ja Eloi gegenüber immer wieder argumentiert, daß es ziemlich naiv wäre, wenn man das Böse gleich vor der eigenen Haustür vermutete. Anscheinend ein Selbstbetrug, um das gespenstische Domizil und seinen unheimlichen

Bewohner, immerhin einen ehemaligen Strafgefangenen, bloß nicht genauer unter die Lupe nehmen zu müssen. Jetzt gestand Paps sich seine Feigheit ein.

Unser Held hatte aber das Maul vorhin nicht deshalb so voll genommen, um bei erstbester Herausforderung wieder still und leise ins kuschelige Nest zurückzuschleichen. Also faßte er sich ein Herz, stieg den Erdhaufen hinab und tappte mit bang klopfendem Herzen in Richtung des Geisterhauses, um es sich aus der Nähe anzuschauen. Der immer wütender werdende Wind wehte seine Fellhaare in alle Himmelsrichtungen, und das Gebrüll des Donners ließ ihn zusammenzucken, während er sich durch den Urwald kämpfte. Das Licht der Blitzverästelungen ließ die Villa für Bruchteile von Sekunden hell erstrahlen und verlieh ihr etwas von einem makellos weißen Mördergebiß. Je näher Francis seinem Ziel kam, desto deutlicher erkannte er, wie heruntergekommen das Gebäude war. Aus der Mitte des zweistöckigen Hauses mit dem Mansardendach wuchs ein wuchtiger Erker hervor, der unten eine Art Wintergarten und darüber eine Terrasse beherbergte. Beide Teile zeichneten sich durch Merkmale des Niedergangs aus. Farbe und Putz waren abgeblättert und entblößten den hölzernen Rohbau. Die Fenster, Stützsäulen und das Terrassengeländer hatten im Lauf der Jahrzehnte irreparablen Schaden genommen. Sie waren teilweise auseinandergebrochen, zerschlagen oder gar nicht mehr vorhanden. Das Dach, dessen zersprungene und verrutschte Schindeln des Namens nicht wert waren, wies großflächige Löcher auf, durch die der Regen Zugang ins Innere fand. Der Rest sah nicht viel besser aus. Vermoderte Fassaden, schief hängende Regenrohre und zerschlagene Fensterscheiben. Das Haus war eine einzige Ruine.

Paps befand sich nur ein paar Meter von der Hausleiche entfernt, als der meteorologische Rüpel ernst und ihm einen Strich durch die Exkursion machte. Mit pompösem Getöse und geradezu explosionsartig entlud sich der aufgeladene Himmel über dem Altbauviertel, wobei mehrere Blitze die entsprechende Lightshow lieferten. Von einem Moment zum anderen gingen über dem verlassenen Ort unglaubliche Wassermengen nieder, und der angehende Detektiv fühlte sich jäh wie von einer Superwelle erfaßt. Im naß verklebten Fell sah er plötzlich so aus, als läge eine Crash-Diät hinter ihm. In diesem elenden Aufzug schien es wohl kaum ratsam, weiterhin den Spion zu spielen. Morde hin, Morde her, wenn man bis auf die Knochen durchgeweicht war, hatte man wahrlich andere Probleme.

Paps drehte sich auf den Pfotenballen um und lief durch die dichten Regenschleier zurück in Richtung der Senke. Das Prasseln der Regentropfen, die sich auf seinem Rücken wie Nadelstiche anfühlten, schwoll zu einem Gebrüll an. Außer Atem und naß wie ein Wischmop schaffte er es endlich zum Ausgangspunkt seiner sinnlosen Erkundung und schlüpfte wieder in die Röhre. Für einen Moment fragte er sich, ob er sich am Ende nicht eine Lungenentzündung zugezogen hatte und bald sterben müsse. Aber nun war er, Gott sei's gedankt, wieder im Trockenen. Er schüttelte sich heftig das Wasser aus dem Fell und trottete dann die dunkle Strecke in Richtung der warmen Stube. Was würde er nun bloß Eloi erzählen? Denn auf seinen ersten Trip in die Freiheit traf wohl kein anderes Wort als

75

Blamage zu. *Gut gebrüllt, Löwe*, würde Eloi sagen und noch einen abgedroschenen Spruch dranhängen: *Außer Spesen nix gewesen.*

Als die Röhre ihrem Ende zuging und Paps allmählich das schwache Kerzenlicht aus dem Brunnenbecken wahrnahm, spürte er Feuchtigkeit unter seinen Pfotenballen. Gewiß, sein Fell war immer noch nicht richtig trocken, so daß notwendigerweise auch die Unterseite seiner Pfoten benetzt sein mußte. Dennoch beschlich ihn das Gefühl, daß diese Feuchtigkeit zu zähflüssig, ja geradezu glitschig war im Vergleich zu Regenwasser. Sie roch auch verdächtig anders. Als immer mehr Licht in die Röhre fiel, erkannte er, daß er in einem kleinen dunklen Rinnsal lief, das sich im gewölbten Boden angesammelt hatte. Er wollte die Sache untersuchen, weil sie ihm auf dem Hinweg nicht aufgefallen war. Doch da sprang ihm plötzlich die Quelle des ominösen Rinnsals ins Auge.

Wie hingeschmissen lag der rote Dude da und stierte ihn aus offenen, doch längst toten Kupferaugen an. In seiner Genickgegend klaffte ein riesiges, fransiges Loch, das entweder von einem wütenden Gebiß oder einem spitzen Gegenstand verursacht worden war. Das daraus geflossene Blut hatte sich in Form des Rinnsals seinen Weg gebahnt. Der Alte war offenkundig im Innern des Beckens das Opfer eines Angriffs geworden, hatte sich einige Meter in die Röhre retten können und war dann hier verblutet.

Trotz des Schocks hatte Paps Verstand genug, sich die Frage zu stellen, wie solch eine Bestialität geschehen konnte, ohne daß die anderen Dudes davon etwas mitbe-

76

kommen hatten und zu Hilfe geeilt waren. Selbst in Anbetracht der Tatsache, daß zum ersten Mal ein Mord im Brunnenbecken geschehen war, und alle Anwesenden zu diesem Zeitpunkt geschlafen hatten, mutete der Vorfall reichlich ungereimt an. Zumindest Eloi, der noch vor einer Stunde zwar wie immer einen zugedröhnten, nichtsdestotrotz halbwegs wachen Eindruck gemacht hatte, hätte etwas bemerken müssen. Der Schock jedenfalls wich der Wut über so viel Unaufmerksamkeit, und Francis stürzte an dem Toten vorbei in die Höhle ... um blitzartig von der Wut in einen neuen Schockzustand katapultiert zu werden, einem Schockzustand allerdings, der den vorangegangenen um das Tausendfache übertraf.

Vor ihm breitete sich ein Tableau des Grauens aus, so fürchterlich, daß Paps nur mühsam Worte für dessen Beschreibung zustande brachte. Zunächst einmal war da das Blut in seinen vielfältigen Erscheinungsformen. Überall Blutlachen, dick und scharlachrot, die sich zu einem See vereinigten, auf dessen Oberfläche sich der Goldglanz der brennenden Kerzen spiegelte. Der Blutsee bedeckte den ganzen Boden des Brunnenbeckens, so daß Paps das Gefühl hatte, der Ort hätte eine Rückwandlung zu seiner ursprünglichen Funktion in der satanischen Variante durchgemacht. Dann Schlieren von Blut, an den Wänden, an den Bücherstapeln und in den aufgeschlagenen Büchern, wie Graffiti des Bösen. Und schließlich die Lieferanten all des vielen Blutes, die Dudes, seine Helfer, seine Freunde, seine Familie. Sie waren alle auf die gleiche Weise umgebracht worden wie der bemitleidenswerte Artgenosse in der Röhre. Ihre Hälse und Genicke schmückten tiefe

77

Bißwunden, und oft sogar richtig große Löcher, die der Schlachter schön herausgearbeitet hatte. Paps drängte sich das Bild des Hühnerstalls auf, in dem der Fuchs gewütet hat. Mit einem Unterschied der Gnade: Vermutlich, höchst wahrscheinlich sogar hatten die Ermordeten nichts von ihrem Wechsel vom Diesseits ins Jenseits gespürt. Da alle ihren Minzerausch ausschliefen, hatte der Mörder sich für jeden einzelnen Zeit nehmen und ihnen seine ganz spezielle Sorgfalt angedeihen lassen können.

Paps torkelte, zwischen Schwächeanfall und dem nackten Wahnsinn schwankend, ins Zentrum der Höhle und brach schließlich zusammen. Seine Liebe galt eigentlich einem jeden an diesem Ort, doch zwei von ihnen besonders. Um so intensiver war der Schmerz, als er sah, daß das Ungeheuer bei diesen beiden keine Ausnahme gemacht hatte. Madam ruhte immer noch wie ein weißer Engel auf ihrem Bücherhaufen, doch ihr Kopf hing schlaff über die Kante, und aus ihrer Nase tropfte in quälend langen Abständen Blut herunter. Als ein Akt schierer Barmherzigkeit empfand es Francis, der bitterlich zu weinen anfing, daß die Augen der Ermordeten geschlossen waren. Doch auch die kleinen Seelen in ihrem Bauch, die bis dahin dem Lebenslicht entgegengeschlummert hatten, waren jetzt nicht mehr. Ein ungeheurer Schluchzer entrang sich seiner Kehle und hallte wie eine Klage in dem Gewölbe nach.

Dann der Horror, der sich ihm bis an sein Lebensende einprägen sollte: Eloi, der Entfernt-Siamese, der Lehrer, sein innigster Freund hatte einen tiefen und recht blutigen Sturz von seinem Bücherturm vollzogen. Er saß aufrecht wie ein Mensch am Fuße des Turms, den Rücken gegen die aufgestapelten Bücher gelehnt, die Hinterpfoten locker ausgestreckt, als fehle nur noch eine interessante Lektüre auf seinem Schoß, in die sich das herabbaumelnde Haupt vertieft hatte. Sein Fell war über und über mit Blut verschmiert, so daß man die Beige- und Rauchtönungen nur erahnen konnte. Der Oberdude sah aus wie ein Clown, den ein der abstrakten Richtung zugeneigter Maler auf die Leinwand gebannt hat. An welchen Stellen der Leiche sich die vielen Wunden befanden, vermochte Paps nicht mehr auszumachen. Er hatte sich von dem ganzen Greuel schon längst abgewandt.

Er weinte jetzt nicht mehr. Und wenn in seinen Augen noch Tränen schwammen, so waren diese nicht mehr der Tragödie angesichts seines nun zum zweiten Mal zerbrochenen Lebens geschuldet, sondern unbändigem Zorn. Zorn auf das Monster, das dieses Massaker angerichtet hatte, während er mal eben für eine Stunde draußen gewesen war. Eloi hatte sich vielleicht das halbe Hirn weggekifft, sein Instinkt jedoch war in einem einwandfreien Zustand gewesen. Während er, der Klugscheißer Francis, sich an intellektuell mehr Eindruck schindenden Erklärungen für die Mordserie versucht hatte, hatte Eloi sich einfach auf sein Bauchgefühl verlassen. Und das, so gestand sich Paps nun ein, war viel genialer gewesen als all die spitzfindigen Fürze zusammen, die ihm entwichen waren. Wie hatte er nur so dumm sein können? Natürlich verbarg sich der Killer nirgendwo anders als in der verfallenen Villa dort draußen! Warum, wieso, weshalb er es auf eine unschuldige Tiergemeinschaft abgesehen hatte, spielte keine Rolle. Erkläre mal einem Verrückten, daß er Verrücktes tut. Eloi hatte von Anfang an recht gehabt. Sein einziger Fehler war gewesen, daß er sich von einem Grünschnabel mit Geniegehabe blenden und so von dem richtigen Verdacht auf den wahren Mörder hatte ablenken lassen. So niederschmetternd es auch klang, dieser Massenmord wäre wahrscheinlich vermeidbar gewesen, wenn es einen gewissen Francis unter den Dudes nicht gegeben hätte. Man hätte Vorsichtsmaßnahmen treffen können.

Schuld, Trauer, noch mehr aber Haß, unvorstellbarer Haß auf den diabolischen Fremden in der Schrottvilla überwältigten Paps, und plötzlich sann er nach nichts anderem als nach Rache. Rache ebenfalls unvorstellbaren Ausmaßes und den Wunsch nach Vergeltung. Jetzt gleich! Wie er diese Rache als ein kleines Tier gegenüber einem gefährlichen Menschen ausüben sollte, wußte er im Moment freilich nicht. Doch wenn zwei Dinge sich einfach nicht zwischen zwei noch so spitze Lauscher quetschen ließen, dann hießen sie Rache und Logik, zumal wenn sie sich zwischen den Lauschern eines jungen Mannes in die Quere kamen. Also kehrte Francis dem Brunnen für immer den Rücken und ging wieder in den Tunnel zurück, um seine Ersatzfamilie und noch mehr seine ungeborenen Kinder zu rächen.

An dieser Stelle hatte der Alte die Erzählung abgebrochen. Das stundenwährende Heraufbeschwören der Vergangenheit hatte sichtlich an seinen Nerven und Kräften gezehrt. Er öffnete für mich eine längst versiegelte Tür, hinter die er niemals wieder hatte blicken wollen. Nun aber ging es nicht mehr weiter, die Erinnerungsarbeit mußte eine Pause einlegen. Bevor er vor dem fast erloschenen Kamin die Augen zum Nachtschlaf schloß, versprach er noch, gleich morgen die Fortsetzung zu liefern.

Ich jedoch war von dem Gehörten total aufgerieben, um nicht zu sagen, ich war in fiebrige Unruhe versetzt. An Schlaf war nicht zu denken. Nun, da ich mich durch die frisch verschneite Gartenlandschaft kämpfte, fragte ich mich, was mich wohl an dem beschriebenen Ort erwartete. Immerhin waren ja sechzehn Jahre ins Land gegangen, vielleicht sogar siebzehn. Ich jagte einem alten Abbild nach, das in der Realität vermutlich gar nicht mehr existierte. Und wenn es den Brunnen tatsächlich noch geben sollte, war er inzwischen sicher bis zur Unkenntlichkeit entstellt. Welche Schlüsse in bezug auf das Massaker konnte ich nach all der Zeit daraus noch ziehen? Ich gebe zu, ich verhielt mich nicht weniger irrational als der junge Francis. Dennoch hatte ich das deutliche Gefühl, daß an der ganzen Geschichte etwas nicht stimmte. Und daß ich auserwählt war, den Fehler zu finden. Dieses Gefühl hatte ich von Anfang an gehabt. Blieb natürlich noch die Frage, wen das alles überhaupt noch interessierte. Ich gab mir selbst die Antwort: mich!

Schon zum x-ten Mal in dieser Nacht schleuderten mich meine Hinterpfoten auf eine schneeberieselte Gartenmauer. Oben ließ ich den Blick kreisen. Wenn ich Paps richtig verstanden hatte, befand ich mich nun an dem Ort, an dem alles seinen Anfang genommen hatte. Mein Atem stieg in die frostige Luft wie Zigarettenqualm. Vor meinen Augen breitete sich ein perfektes Vorweihnachtsidyll aus, ein eingeschneites Puzzle aus unter dem Sternenlicht bläulich schimmernden Mauern und ganz weiß gewordenen

Bäumen und Wiesen, die wie von einem leuchtenden Teppich bedeckt schienen. In dieser kitschigen Winter-Ansichtskarte war es unmöglich herauszufinden, wo ein Brunnen stehen könnte. Falls es überhaupt noch einen Brunnen gab. Denn wenn ich mich so umschaute, unterschied sich die Gegend mittlerweile vollkommen von dem Endzeitszenario jener Jahre. Die zerfallenen Mauern hatte man in der Zwischenzeit wieder aufgebaut, so daß von irgendwelchen Lücken keine Rede mehr war. Und trotz des Schneemantels konnte man erkennen, daß das einstige dschungelhafte Erscheinungsbild einem akkurat unterteilten Design aus Rasen, Beeten, Hecken und Sträuchern gewichen war. Ein mächtiger Pinsel war hier geschwungen worden und hatte im Bemühen, das alte Gemälde zu restaurieren, ein völlig neues Bild erschaffen.

Aber dann, ganz plötzlich stach er mir doch ins Auge … Natürlich wußte ich nicht mit endgültiger Gewißheit, ob es sich dabei tatsächlich um den besagten Brunnen handelte. Doch das eingeschneite Gebilde von über einem Meter Höhe, faßförmig und offenkundig aus Stein, sah ganz danach aus. Es wuchs aus der Mitte der Wiese des übernächsten Gartens vor mir empor wie ein Dekorationselement. Ganz so, wie Paps es geschildert hatte.

Über die Zickzack-Bahnen der Maueroberfläche lief ich schnell dorthin, sprang in den Garten und näherte mich vorsichtig dem Ding, welches in unmittelbarer Sichtweite wie ein umgedrehter Heuballen wirkte. Dabei erinnerte ich mich an Paps' Worte, die er bei seiner Flucht vor den Jägern ausgesprochen hatte: ›Wenn ich auf den Brunnenrand sprang und der Zugang tatsächlich verschlossen war,

82

dann gab ich für die Jäger ein Ziel wie auf einem Präsentierteller ab. Und falls der Brunnen tatsächlich offenstand und ich mich in die Röhre fallen ließ, landete ich letztendlich im Wasser und würde irgendwann ganz gemütlich darin ersaufen.‹

Und ich, was sollte ich jetzt tun? Ganz einfach… Ich hechtete nach oben an den Rand des steinernen Fasses und vollführte dort eine Vollbremsung. Na ja, mich verfolgten auch nicht zehn durchgeknallte Rentner mit Gewehren im Anschlag. Die gute Nachricht: Es handelte sich in der Tat um einen Brunnen, dem Anschein nach wirklich um den, in dem der gute alte Francis seine Jugend verbracht hatte. Die Bewohner des angrenzenden Hauses waren vermutlich stolz darauf, dieses antiquarische Schmuckstück zu besitzen, wenn auch in der längst verdorrten Ausführung. Die schlechte Nachricht: Obwohl ich den Kopf tief in den Schacht hineinsteckte, gähnte mir nichts weiter als unergründliche Finsternis und Eiseshauch entgegen. Aus der unendlich scheinenden Tiefe glimmte nicht einmal ein schwacher Lichtschein empor, wie ihn Paps damals während seines freien Falls gesehen hatte. Die letzte Kerze war also tatsächlich ein für allemal erloschen, nachdem der einzige Überlebende des Massakers die Brunnenhöhle verlassen hatte.

Da ich die genaue Ausgangsposition des von innen abgehenden Verbindungstunnels nach draußen nicht kannte, ich also keine andere Zugangsmöglichkeit ins Reich der gewesenen Dudes besaß, blieben mir nur zwei Alternativen: Entweder zog ich unverrichteter Dinge wieder ab und beendete fürs erste das eh aus einer Schnapsidee geborene

Detektivspiel, was auch am vernünftigsten schien. Oder aber ich tat es Paps gleich und ließ mich einfach in den Brunnen fallen, in der Hoffnung, daß mich unten immer noch ein weiches Polster aus hereingewehten Pflanzenresten auffing. Angesichts der vielen Jahre, die übers Land gezogen waren, und der damit einhergegangenen tausenderlei Veränderungen, war es eine ziemlich gewagte Hoffnung.

Was soll ich sagen, ich tat's! Bevor ich mich auf einen quälenden Entscheidungsprozeß einließ und bevor ich mir hinterher hämische Kommentare wegen meiner angeblichen Feigheit anhören mußte, tat ich den Schritt in den sprichwörtlich luftleeren Raum. Was übrigens Sprichwörter betrifft: Wie der Vater, so der Sohn.

›Ich fiel und fiel den Brunnenschacht hinunter, und lebensmüde oder auch todesmutig wie ich war, riskierte ich dabei einen Blick abwärts, um meinem Exitus ins Angesicht zu schauen. Doch weder plätscherndes Naß noch ein finsterer Orkus kam mir in rasender Geschwindigkeit entgegen, sondern …‹ Nein, im Gegensatz zu Paps kam mir nicht das Licht etlicher brennender Kerzen entgegen, sondern Dunkelheit und noch mehr Dunkelheit. Also war die Höhle seitdem tatsächlich nicht mehr bewohnt gewesen. Einige Sekunden mit mörderisch erhöhter Herzfrequenz später stellte ich jedoch fest, daß sich das Grundlegende im Untergrund nicht verändert hatte. Denn ich landete wie ersehnt in einem Bett aus vertrockneten Pflanzenresten. Diese flogen bei meinem Aufprall um mich her wie bei einer Explosion. Unendlich dankbar, daß ich den Sturz aus solcher Höhe überhaupt überlebt hatte, doch immer noch ziemlich aufgewühlt, dauerte es eine Weile, bis meine

84

Augen auf Nachtsichtgerät-Modus umschalteten. Doch dann konnte ich feststellen, wie exakt Paps' Beschreibungen gewesen waren, auch wenn inzwischen ziemlich aktualisierungsbedürftig.

Die vielen Büchertürme, die abgebrannten Kerzen und das hereingewehte Pflanzengestrüpp waren immer noch vorhanden. Doch im Lauf der bleischweren Zeit hatten sie sich einer Art Verklumpungseffekt unterworfen. Irgendwie war alles mit allem zusammengewachsen, wobei das Wachs einer im Standbild gefrorenen Flut gleich jeden Gegenstand und jeden Winkel durchdrungen und überlappt hatte. Die Bücher selbst waren zu festgebackenen Gebilden transformiert; allein ihre Form verriet noch etwas über die einstige Funktion. Staub, Spinnwebenvorhänge und undefinierbare klebrige Substanzen bedeckten alles Sichtbare und bildeten einen vermoderten Teppich. Ein kraß übler Fäulnisgeruch hatte sich fest eingenistet.[2]

In Anbetracht dieses Schimmelparadieses klappte mir vor Erstaunen nicht gerade der Unterkiefer herunter, als ich bemerkte, daß sich das emsige Volk der Mäuse hier häuslich eingerichtet hatte. Die Biester wieselten überall herum. Unter normalen Umständen war das ein Ansporn, wieder etwas Sport zu treiben und als Lohn dafür solide Hausmannskost zu erhalten. Doch im Moment interessierten sie mich nicht im geringsten. Denn ich entdeckte allmählich außer dem allgegenwärtigen Müll und dem betriebsamen Mäuseverkehr, wonach ich in Wahrheit gesucht hatte: die Gerippe der Dudes. Sie lagen im ganzen Gewölbe verteilt, teils vollständig erhalten, teils als verstreute Knochen.

Paps' Gedächtnis hatte ihn nicht getrogen. Ich konnte zwar wegen der Bruchstückhaftigkeit mancher Skelette die Anzahl nicht genau benennen, aber es waren ganz schön viele. Wie morbide Exponate schmückten sie jede Ecke des Brunnens. Die einsamen Schädelkapseln, Schulterblätter, Wirbelsäulen und Rippen versetzten mich kurzzeitig in tiefe Trauer. Das Makaberste war, daß ich selbst das komplett erhaltene Skelett von Madam auf einem der Büchertürme entdeckte, ja sogar die winzigen Knöchelchen von Francis' ungeborenen Kindern in dem Knochenhaufen erkennen konnte. Sozusagen meine Halbgeschwister.

So sehr war ich der Faszination des vergessenen Grabes erlegen, daß ich zuerst gar keine Gelegenheit hatte, mich zu fürchten oder gar zu gruseln. Nun aber und so ganz allmählich kam sie doch, die Angst. Denn ich hatte mit einem Mal das Gefühl, daß meine empfindlichen Lauscher neben dem unentwegten Fiepen des Mäusevolks noch etwas anderes vernahmen. Ein leises Atmen irgendwo vielleicht oder die typischen Knistergeräusche, die entstehen, wenn jemand seine Position nur um einen Zentimeter verrückt. Meine Fellhaare sträubten sich unwillkürlich. Ein panisches Kopfkreisen bestätigte mir jedoch nur, was ich schon vorher gesehen hatte: Bücher über Bücher, Kerzenrudimente, Gestrüpp, Müll und noch mehr Finsternis. So tat ich diese verdächtigen Geräusche als einen milieubedingten paranoiden Schub ab, wohl auch, um meine Nerven zu beruhigen. Ich konzentrierte mich auf die Aufgabe, derentwegen ich die Reise angetreten hatte.

Ich schlenderte im Brunnen umher und inspizierte die einzelnen Gerippe etwas genauer. Denn ich hatte eine Theorie. Wenn den Massenmord an den Dudes tatsächlich ein Killer menschlicher Gestalt mit einem spitzen Gegenstand, sagen wir mal mit einem Messer oder einem Eispickel, verübt haben sollte, so war es sehr wahrscheinlich, daß solcherlei Stiche auch Spuren an den Knochen hinterlassen hatten. Irgendwelche Kratzer, Abschürfungen, Furchen, schlimmstenfalls sogar Brüche. Das gleiche galt bei einem monsterartigen Wesen mit Riesenhauern. Jedenfalls konnte ein Artgenosse aufgrund unserer kleineren Zähne nur bedingt Knochen derart beschädigen, selbst wenn er gräßlich wütete. Tödliche Fleischwunden ja, augenfällige Schäden am Knochen nein. Das war meine Theorie.

Das Resultat meiner Untersuchungen fiel aus, wie ich vermutet hatte. So penibel ich jedes Gerippe und jeden einzelnen Knochen der Opfer auch in Augenschein nahm, ich konnte keine auffälligen Kratzer, geschweige denn Brüche daran feststellen. Höchstens hier und dort einen vernachlässigbaren Knacks, der sich durch zeitbedingte Materialermüdung erklären ließ. Was Wunder, denn wie hätte auch ein Mensch in die Höhle hineinkommen sollen? Indem er über eine halbe Stunde lang bäuchlings durch den schmalen Tunnel gerobbt war? Falls ein Mensch da überhaupt hineingepaßt hätte. Eine abenteuerliche Vorstellung. Oder indem er sich in den Brunnenschacht abgeseilt hatte? Dann hätte er bequemlichkeitshalber doch lieber gleich eine Handgranate hineinschmeißen können. Von der noch krasseren Monster-Theorie ganz zu schweigen.

Von wegen also, der Kannibale vor der Haustür habe zugeschlagen! Doch was war damals wirklich hier geschehen?

Ich hatte einen Verdacht. Paps' Angaben zufolge hatten

an dem fraglichen Abend sämtliche Dudes geschlafen, und nach dem letzten Gespräch und nach dem Abgang seines Meisterschülers war wohl auch Eloi im süßen Minzetraum versunken. Ab diesem Zeitpunkt gab es nur zwei vorstellbare Möglichkeiten für den weiteren Hergang. Version 1: Ein Tier von etwa unserer Statur war von außen durch den Tunnel in die Brunnenhöhle eingedrungen und hatte einen Dude nach dem anderen gemeuchelt. Keine schlechte Erklärung – allerdings mit einem großen Haken. Gesetzt den Fall, es handelte sich um ein Wildtier aus dem benachbarten Naherholungsgebiet (wie Paps anfangs spekuliert hatte), so hatte es ein bißchen zu viel Umsicht gezeigt. Wildtiere waren dafür bekannt, daß sie wild waren. Sie schlichen sich nicht zu ihrem schlafenden Opfer, brachten es still und leise um und gingen dann auf Zehenspitzen zum nächsten. Nein, der Fuchs mochte vielleicht, was das Anschleichen an den Hühnerstall angeht, wirklich eine Kanone seines Fachs sein. Aber einmal im Hühnerstall, ließ er die Sau raus. Und in all dem Tohuwabohu sollte kein einziges Huhn Reißaus genommen haben?

Version 2: Ich gebe zu, diese Version würde Paps sicherlich nicht gefallen, weil sie nicht nur sein Weltbild zerstört, sondern auch häßliche Risse im schönen Lack seiner Biographie erzeugt hätte. Der Feind kam von innen, was bedeutete, der Killer war schon die ganze Zeit im Brunnen gewesen. Einer der Dudes kannte sich mit den Drogen- und Schlafgepflogenheiten der anderen bestens aus. Er wußte, wann die Minze die anderen in den Tiefschlaf hinabriß und sie in halbe Bewußtlose verwandelte. Deshalb konnte er sich mit jedem einzelnen von ihnen Zeit lassen. Er ging

88

leise von Dude zu Dude und biß ihnen in den Nacken. Sie bluteten alle aus. Durch einen Zufall wurde der rote Alte wach und konnte sich trotz der ihm zugefügten Wunden bis zum Ausgangsrohr retten und –

»Spät, aber doch kommst du, Dude. Ich habe schon so lange auf dich gewartet.«

Ich erschrak so sehr, daß ich wie von Knallkörpern an jeder Pfote drangsaliert hochschoß, um mich wirbelte und mich – ja, ich gestehe es – eines kleinen, umweltfreundlichen Strahls entledigte. Schließlich kippte ich nach hinten und stürzte in ein Gerippe, das in tausend Einzelstücke zerbrach. Die Stimme, männlich, warm und zugleich weich, hallte im Gewölbe immer noch nach wie eine akustische Halluzination.

Dann sah ich die brillantblauen Augen in der Dunkelheit, die bisher durch zugeklappte Lider verborgen gewesen waren.

6

Wo war Junior? Diese Frage beschäftigte mich schon seit einer geraumen Weile. Dabei hatte alles ganz harmlos angefangen, um nicht zu sagen in bester Stimmung. Genauso wie Gustav waren Sancta, Blaubart und meine Wenigkeit am Morgen etwas später aufgestanden. Es war ja auch eine lange Nacht gewesen. Bevor Gustav sich in seinem zerschlissenen Morgenmantel mit den niedlichen Elefantenmotiven in der Küche ein Frühstück vom Ausmaß des Angebots der VW-Werkskantine zubereitete, machte er erst einmal unsere Näpfe voll. Noch ziemlich schlaftrunken schleppten wir uns zum Trog und begannen mit dem Freßvorgang.

»Wo ist der Kleine?« fragte ich nach einiger Zeit mit vollem Mund.

Blaubart sah nach dem Aufstehen stets aus wie jemand, der einen schweren Autounfall hinter sich hatte, aus dem Wrack herausgekrochen war und, im Bemühen, andere Autofahrer auf der Straße auf seine Katastrophe aufmerksam zu machen, vom nächsten Auto überfahren wurde. Er war ein paar Jährchen älter als ich. Außerdem war der schwarz-rot-braune Maine-Coon seinerzeit von Menschen arg mißhandelt worden. In seinem ergrauten Gesicht klaffte eine verschrumpelte Augenhöhle, er war seines Schwanzes

90

verlustig gegangen und wirkte überhaupt wie verkehrt herum angezogen. Die vielen Deformationen hatten auch auf seine Ausdrucksweise abgefärbt.

»Scheiße ja, das habe ich mich auch gerade gefragt«, brummte er. »Normalerweise ist er der erste, der den Napf leerräumt, und wir haben das Nachsehen. Aber er ist jung, das heißt, bekloppt. Vielleicht ist er in aller Herrgottsfrühe hinausgerannt und heckt wer weiß was für einen Unsinn aus.« Er hob den Kopf und warf einen grimmigen, einäugigen Blick auf das zweiflüglige Toilettenfenster, das durch die geöffnete Tür zu sehen war. Hinter der Scheibe schwebten dicke weiße Flocken vorbei. Der Schneegott hatte eine neue Schicht eingelegt. »Allerdings muß man schon mehr als jung und bekloppt sein, um bei diesem Wetter auch nur eine Pfote ins Freie zu setzen. Ja, ja, wenn man so alt ist wie ich, dann hat das unbestreitbar auch einen großen Vorteil: Man stirbt erst viel später!«

Mit einem Mal durchfuhr es mich wie ein Blitz. Die Gutenachtgeschichte über meine dramatische Vergangenheit, die ich Junior bis weit nach Mitternacht zum besten gegeben hatte, kam mir in den Sinn. Wie er mich gedrängt hatte, zu verraten, wo sich dieser verdammte Brunnen befindet, bevor ich die Geschichte überhaupt zu Ende bringen konnte! Dieser leichtsinnige Junge sollte doch nicht etwa mitten in der Nacht …?

Ich unterbrach das große Fressen und versuchte mich zu beruhigen. Selbst wenn er so verrückt gewesen sein sollte, gleich nach dem ersten Teil meiner biographischen Ergüsse den düsteren Ort der Anfänge aufzusuchen, konnten ihm dort nach all den Jahren keine wirklichen Gefahren mehr drohen. Alles war längst aus, vorbei und tot, nichts als ein ausgebleichter Schwarzweißfilm in meinem Schädel. Dennoch breitete sich die Sorge um meinen einzigen Helden, meinen lieben Sohn, in mir aus wie eine nach allen Richtungen auseinanderdriftende Armee giftiger Insekten. Ja, so wie ich den stets von krankhafter Neugier erfüllten Klugscheißer kannte (ein unseliges Vermächtnis seines Vaters), war er bestimmt nach der Viertel-Beichte sofort zum Ort des ehemaligen Geschehens gerannt, um sich ein eigenes Bild davon zu machen. Eine intellektuelle Art von familiärem Sensationstourismus. Aber, und dieses Aber jagte mir großen Schrecken ein, wieso war er dann nicht schon längst zurückgekehrt? Denn selbst wenn man die widrigen meteorologischen Umstände berücksichtigte, hätte er jetzt mit uns am Freßnapf stehen müssen. Eine furchtbare Ahnung bemächtigte sich meiner und schnürte mir die Kehle zu.

»Wir müssen los, Blaubart!« sagte ich.

»Wie bitte?« Sein verunfallt aussehendes Gesicht wirkte so verdattert, als hätte ich verlautbart, unsere Rasse müsse noch vor dem Homo sapiens eine Basisstation auf dem Mars errichten. Er deutete mit hilflosem Ausdruck und einer Pfote in Richtung des Klofensters, hinter dem der Schneefall an Heftigkeit zugenommen hatte.

Auch Sancta unterbrach ihr Frühstück und schaute mich besorgt an. »Bestimmt machst du dir umsonst Sorgen, Lieber«, sagte sie mit ihrer sanften Stimme. »Du weißt doch, wie flatterhaft Junior ist. Hast du schon vergessen, daß er immer mal für Tage von der Bildfläche verschwindet und dann urplötzlich wieder auftaucht? Versteh das jetzt nicht falsch, aber er ist ein junger Mann!«

Meine schlanke silberblaue Schöne mit dem gebogenen Rücken blickte mich durch wache grüne Augen mitfühlend an. Ihre hochgestellten Riesenohren signalisiérten Anspannung, wo sie doch so bemüht war, mir ruhige Gelassenheit vorzugaukeln.

»Danke für das Kompliment, Liebste. Aber jetzt erzählt euch der alte Mann, was letzte Nacht vorgefallen ist, während ihr längst im Schlummer gelegen habt. Vielleicht zweifelt ihr dann auch daran, daß der Kleine kurz mal nach draußen geschlüpft ist, um einen schmucken Schneemann zu bauen.« Ich berichtete den beiden in Kurzform von meiner durch Junior erzwungenen biographischen Beichte und davon, wie er die ganze Zeit unbedingt die genaue Lage des Brunnens hatte erfahren wollen. »Ich sage ja nicht, daß ihn die bösen Geister von damals erwischt haben«, endete ich. »Aber so ein tiefer Brunnen ist rein architektonisch keine ungefährliche Anlage, auch nicht für Genossen mit seiltänzerischen Qualitäten wie wir.«

»Scheiße ja, da ist was dran«, sagte Blaubart in seinem ehrfurchtgebietenden Baß und kratzte sich den ergrauten Schädel. »Schätze, wir müssen den Kleinen wirklich suchen. Und wenn wir ihn gefunden haben, ziehe ich ihm als erstes mit der Kralle eins über die geschniegelte Visage, damit er weiß, wo der Hammer hängt. So ein Mist, und ich hatte gehofft, ich könnte wenigstens einmal im Leben während der Weihnachtstage nur meinen Arsch so nah an den Kamin schieben, bis der zu brutzeln anfängt!«

Wir liefen alle gleichzeitig in die Toilette, hechteten die Fensterbank hoch und begannen zu miauen, ein Wink an Gustav, daß er uns ins Freie entlassen möge. Und da kam

93

er auch schon, das heißt er stampfte heran, der Alptraum aller Verfettung-der-westlichen-Welt-Apokalyptiker, und bekundete im Selbstgespräch sein Erstaunen darüber, weshalb wir bei diesem Sauwetter überhaupt hinaus wollten. Man verstand ihn natürlich schlecht, da seine Backen wie bei einem Monsterhamster bis zum Platzen vollgestopft waren mit irgendwelchen Frühstücksdelikatessen, an denen er geräuschvoll mahlte. Schließlich öffnete er das Fenster, und Eiseskälte gepaart mit umherschwirrenden Schneeflocken schlug uns entgegen, so daß es in der Tat der Überwindungskraft eines Polarforschers bedurfte, um an dem gefaßten Entschluß festzuhalten. Mit einem Seitenblick registrierte ich, daß Sancta enthusiastischer dreinschaute als ich selber.

»Nein, meine Liebe, du kommst nicht mit«, sagte ich.

»Aber wieso, Francis, ich habe den Kleinen genauso lieb wie du. Und um es etwas deutlicher zu formulieren, sollten wir wirklich in Gefahr geraten, so bin ich doch wohl die Gelenkigere von uns beiden.«

»Das weiß ich, Sancta. Dennoch könnte ich es nicht verwinden, wenn dir etwas zustieße. Außerdem muß einer von uns hier die Stellung halten. Vielleicht ist Junior in der Zwischenzeit zurück und glaubt dann wiederum seinerseits, wir wären verschollen. Jetzt mach dir mal keine Sorgen. Vermutlich hat ihn unterwegs zu dem Brunnen der starke Schneefall überrascht, und er hat sich in irgendeinem Keller verkrochen.«

Ich gab ihr einen zärtlichen Nasenstubser, bevor sie weiter protestieren konnte, und sprang dann gemeinsam mit Blaubart auf die schneebedeckte Terrasse. Hinter uns wur-

94

de das Fenster von Gustav wieder verschlossen. Ich blickte zurück und sah meine Herzensdame hinter der Scheibe ihren Sugar-Daddy giftig anfunkeln. Es sollte ihr Mißfallen demonstrieren. Doch las ich hinter ihrer empörten Fassade etwas anderes, die Furcht nämlich und die einsetzende Ahnung, daß sich das harmlos begonnene Gedenken an Gestern zu etwas Verhängnisvollem im Heute materialisieren könnte. Offen gesagt war das auch meine Vermutung.

»Na, dann wollen wir mal!« Blaubart humpelte tapfer ein paar Schritte vorwärts, um sodann abrupt innezuhalten. »Ähm … da fällt mir gerade etwas ein.« Er schwenkte seinen kaputten Kopf mit den wie von einer hyperaktiven Schere zugefügten Narben über die vor uns befindliche Gartenlandschaft. Durch den dichten Schneeschleier trat ein Nebeleffekt ein, der das Setzkasten-Muster der zahlreichen Gartenmauern und die Rückfassaden der Gründerzeithäuser unscharf erscheinen ließ. Mal ganz abgesehen von der Kälte, die mir schon jetzt in alle Glieder kroch.

»Scheiße nein, wie soll ich sagen, Francis, aber ich habe das blöde Gefühl, daß ich das ständige Auf-und-Ab an den Mauern bis zu diesem verdammten Brunnen nicht schaffen werde. Sicher, ich kann es immer noch mit jeder Arschgeige aufnehmen, die mir krumm kommt, aber …«

»Du brauchst nicht weiterzureden, Blaubart«, sagte ich. »Ich habe da, ähm, auch ein Problem – nämlich dasselbe wie du. Ich kann mir auch nicht vorstellen, daß es mir noch gelingt, bis zu unserem Zielort die Mauern auf- und abzuhüpfen. Du hattest zwar recht: Wenn man so alt wird wie wir, dann hat das tatsächlich den unbestreitbaren Vorteil, daß man erst viel später stirbt. Aber um welchen Preis? Deshalb habe ich mir eine weniger strapaziöse Route einfallen lassen. Wenn auch eine weit gefährlichere.«

Ich machte kehrt und eilte zu der dachwärts im Zickzack verlaufenden hölzernen Außentreppe an der Rückfassade. Sie diente sowohl als Feuertreppe als auch im Sommer als Hochsitz für Gustav und Archie, um bei einem Gläschen Wein die schöne Aussicht auf die Gärten zu genießen. Ich stieg die mit Schnee vollgepappten Stufen empor, während Blaubart hinter mir herhastete.

»Was hast du vor?«, rief er mir nach.

»Das kannst du dir doch denken. Wir gehen einfach den glatten Weg über die Dächer.«

»Den glatten Weg? Scheiße nein! Kannst du dir vorstellen, wie es dort oben bei dem Wetter aussieht?«

»Lebhaft. Aber kennst du eine andere Alternative?«

»Ähm …«

»Scheiße nein! Na also.«

Als wir an dem ersten Stockwerk vorbeistreiften, sahen wir durch die halbverglaste Balkontür Archie in seinem Ebay-Lager hocken, zu dem er seine ganze Wohnung inzwischen umgestaltet hatte. Die Hälfte des Plunders bestand aus von bienenfleißigen Chinesen gefälschter Markenware. Ganze Berge von Textilien, Turnschuhen und Unterhaltungselektronik stapelten sich kunterbunt an den Wänden bis zur Decke. Dem Rest der zu ersteigernden Ware haftete etwas Kurioses an, so daß man sich unweigerlich fragte, woher man solcherlei dummes Zeug überhaupt beziehen konnte. Original-Dieter-Bohlen-Pappkameraden, Klobürsten, deren Bürstenköpfe die Gestalt von Igeln

96

besaßen, Nofretete-Häupter aus Plastik ebenfalls made in China und und und. Die Krönung bestand aus einer aufgetürmten Pyramide Einmachgläser randvoll mit einer dubiosen Enthaarungscreme unbestimmter Herkunft. Ich jedenfalls wollte nicht derjenige sein, der sich dieses bestimmt hyperaggressive Zeug wer weiß wohin schmiert. Es war in der Tat schwer zu sagen, ob sich für diesen Tinnef auch nur ein einziger Käufer auf dem Planeten finden lassen würde, oder aber ob Archie nicht vielmehr dem Messie-Syndrom anheimgefallen war. Der innovative Ebay-Verkäufer saß im Pyjama vor seinem Notebook, und sowohl der bis zum Anschlag angespannte Gesichtsausdruck als auch der aus rotgeränderten Augen ausgesandte, fahrige Blick ließen den Betrachter inständig hoffen, daß der gute Mann sich zur Sicherheit auch die Notfallnummer der nächstgelegenen Klapsmühle im Laptop gespeichert hatte.

Von den letzten Treppenstufen taten Blaubart und ich einen beherzten Sprung auf einen verrosteten Campingtisch und von da aus einen weiteren zum Gesims. Dort hangelten wir uns an der Traufe hoch und standen dann endlich auf dem Dach. Vor uns breitete sich ein schauriges und zugleich faszinierendes Panorama aus. Hinter dem Schneeschleier zogen sich die Gründerzeithäuserzeilen wie parallel verlaufende, ins Unendliche reichende Bahngleise, deren Enden sich am Horizont im Dunst verloren. Rings um uns ragten baufällig wirkende Schornsteine, Belüftungsaufsätze und Gauben wie überdimensionale Pilze in einem eingeschneiten Wald empor. Auch unsere Rükken und Köpfe waren schon von einer Schneeschicht bedeckt. Da ein Gebäude lückenlos an seinen Nachbarn anschloß, konnten wir problemlos von einem Dach zum nächsten gelangen. Haarig wurde es trotzdem wegen der extremen Rutschgefahr und des Schneefalls. Und auch unsere nicht gerade olympiaverdächtige Kondition konnte uns noch Schwierigkeiten bereiten. Zudem pfiff uns hier oben der Eiswind im Vergleich zu unten in Zehnerpotenz um die Ohren, so daß bei jedem Schritt die Gefahr bestand, daß wir auf unsere alten Tage noch das Fliegen lernen mußten.

Nichtsdestotrotz trippelte ich mit demonstrativem Elan voran und nahm die erste Dachschräge in ungefährem Kurs auf den Brunnen in Angriff. Der treue Blaubart folgte mir humpelnd und ächzend. Seine angestrengte Miene verriet schon jetzt, daß er große Mühe haben würde, diese Polarexpedition der Generation 50 plus bis zum Ende durchzustehen. Er stapfte nicht durch den Schnee, sondern schwamm geradezu darin. Wofür brauchte man einen leicht-, um nicht zu sagen, einen schwachsinnigen Sohn, wenn man einen solch treuen Freund besaß? Dieser unmögliche Junior! Wenn ich ihn je wieder zwischen die Pfoten kriegte, würde ich Blaubart zuvorkommen und ihm selber mit der Kralle eins über die geschniegelte Visage ziehen.

Nachdem wir den Gipfel des Daches erreicht hatten, gestaltete sich der Abstieg recht bequem. Wir mußten nur darauf achten, daß wir nicht über das Ziel hinausschossen, beziehungsweise über die Dachkante segelten. Der Anfang war jedenfalls gemacht. Und als wir ein paar Dächer bewältigt hatten, fanden wir unseren eigenen Rhythmus. Trotz der beschwerlichen Tour, bei der höchste Konzentration gefordert war, beschäftigte ich mich in Gedanken mit der gestrigen Nacht. An welcher Stelle der Erzählung hatte ich aufgehört? Ach ja, jetzt fiel es mir wieder ein …

Von tiefem Schmerz über meine hingemeuchelten Lieben überwältigt, rannte ich zwischen Selbstmordgedanken und wildesten Rachephantasien schwankend aus dem Brunnenbecken. Der Sprint in die Röhre an dem toten Zausel vorbei war ein besinnungsloses Taumeln in der Finsternis, das ich kaum wahrnahm. Wenn es für mich überhaupt noch so etwas wie eine Verbindung zur Realität gab, dann die Gewißheit, daß ich nie mehr an diesen einst so heimeligen und nun hinter einem blutigen Vorhang versunkenen Ort zurückkehren würde. Ich weinte in einem fort und fühlte mich verflucht, da ich nun zum zweiten Mal aus dem Paradies vertrieben worden war. Die Ahnung darüber, was Schicksal ist, nahm in meinem Kopf auf tragische Weise Gestalt an. Und während mir die Tränen immer mehr die Sicht verschleierten, freundete ich mich allmählich mit der Idee an, daß ich das eine mit dem anderen verbinden könnte, nämlich die Rache mit dem Selbstmord. Es sollte mein finales Geschenk an diese Welt sein, die sich mir seit der Geburt als eine Bestie gezeigt hatte.

Draußen hatte sich das Sommergewitter inzwischen verzogen. Allein vereinzelte Wassertropfen, die von den Pflanzenblättern leise herunterglitten, und die klare Luft zeugten davon, daß hier vor einer halben Stunde noch die reinste Sintflut geherrscht hatte. Jetzt lieferte wieder das tiefblaue Sternenzelt eine grandiose Vorstellung. Die warme Temperatur war zurückgekehrt und das Zirpen der Grillen. Zwi-

99

schen der chaotisch wuchernden Fauna ragte am Horizont die alte Villa düster und, wie ich empfand, hohnlachend empor wie ein alter Dämon. Wie immer brannte hinter den Fenstern Licht, geradeso, als erwarte der Hausherr um diese späte Stunde noch Besuch. Das war vielleicht gar kein abwegiger Gedanke. Vermutlich erwartete er mich tatsächlich, nachdem er die komplette Brut massakriert, aber zum Schluß leider, leider feststellen mußte, daß das letzte Leichen-Puzzlestück in seinem morbiden Gemälde noch fehlte. Er sollte sein Puzzle vollenden, vielleicht nicht um den Preis seines Lebens, aber zumindest um den seiner Augen, die ich ihm auszukratzen gedachte. Wenigstens so wollte ich Rache nehmen, bevor ich in die ewigen Jagdgründe abwanderte.

Als ich wenige Meter vor der Villa angekommen war, drang daraus ein bizarrer Ton in meine Ohren. Es war ein kaum differenzierbares Gebräu aus fremdländisch klingender, menschlicher Sprache, mannigfachen Tierlauten, recht schräger Musik und anderen Geräuschen. Das Ganze hörte sich etwa so an, als würde jemand sämtliche Platten seiner umfangreichen Sammlung auf einmal abspielen, und das auch noch rückwärts. Obwohl ich eben noch in Todesmut geschwelgt hatte, kehrte bei dieser babylonischen Geräuschkulisse die Furcht zurück, und meine Fellhaare richteten sich igelgleich auf. Wer weiß, vielleicht feierte die Blutsäufer-Internationale da drin gerade ihr alljährliches Betriebsfest und konnte echt ungemütlich werden, wenn man das Schild mit der Aufschrift *Bitte nicht stören* draußen an der Tür mißachtete.

Trotz des rasenden Bumm-Bumm meines Herzens sprang

ich leise auf die Veranda und näherte mich auf Pfotenspitzen einem der erleuchteten Fenster. Ein riesenhafter Schatten huschte dahinter nervös hin und her. Dieser Anblick gepaart mit den anschwellenden Teufelsgeräuschen ließen meinen anvisierten Opfertod immer schneller in den Hintergrund rücken. Das Herz rutschte mir nicht nur in die Hose, es kam mir schon fast hinten wieder heraus. Dennoch behielt ich einigermaßen die Nerven. Drauf und dran, auf die Fensterbank zu springen, um dann durch die Scheibe ins Hausinnere zu linsen, zog plötzlich eine andere Alternative meine Aufmerksamkeit auf sich. Ich bemerkte in einiger Entfernung ein nach oben zum ersten Stockwerk führendes Regenrohr, um das sich eine Kletterpflanze mit dickem Astwerk spiralförmig gewunden hatte. Es war ein Klacks für mich, sie hinaufzukraxeln. Da die Fenster in dieser Ebene stark beschädigt und die Scheiben teilweise zu Bruch gegangen waren, konnte ich von dort mit gebührender Vorsicht den Einstieg ins Haus wagen, ohne mich der Gefahr auszusetzen, dem Ungeheuer unten direkt in die Arme zu laufen. So konnte ich mich mit dem brenzligen Terrain erst einmal vertraut machen.

Gedacht, getan. Mit der Leichtigkeit eines Freeclimbing-Asses krallte ich mich an der Kletterpflanze empor und stand bald vor der leicht gewölbten, mit Schieferschindeln bedeckten Fassade des ersten Stockwerks. Durch ein Fenster, dessen Glas in der Mitte zerbrochen war, riskierte ich einen Blick hinein. Das Innere unterschied sich eigentlich kaum vom verwahrlosten Äußeren. Räume, deren hohe Türen sperrangelweit offenstanden und die gerammelt voll waren mit verstaubtem, antiquarischen Mobiliar. Meterlange Regale gefüllt mit von Staub und Spinnweben überzogenen Büchern, zumeist erlesene Lederbände. Vergilbte, von Mäusen zernagte Papiere, zu losen Seiten auseinandergebrochene Bücher und umgekippte alte Pokale, Porzellanfiguren, ja sogar antike Standuhren lagen auf dem schmutzigen Boden. Hätte nicht in jedem der Räume eine Funzel von einer herabbaumelnden, nackten Glühbirne für ein bißchen Helligkeit gesorgt, hätte man tatsächlich meinen können, der Ort sei allein von Gespenstern bewohnt.

Ich schlüpfte durch das kaputte Fenster ins Haus und lief über den vom allgegenwärtigen Müll übersäten Dielenboden durch die Zimmer. Im schwachen Licht wirkte alles wie eine verlassene Rumpelkammer, wären da nicht die von unten aufsteigenden, wie durch einen Quirl gejagten Stimmen und Geräusche gewesen, die hier in unmittelbarer Nähe enorm an Lautstärke zugenommen hatten. Schließlich nahm ich allen Mut zusammen und schlich zu einer Tür, die auf einen Flur mit anschließender Treppe abwärts führte. Der Flur entpuppte sich als eine ausladende Galerie, die rund um das gesamte Stockwerk verlief und einen ungehinderten Blick nach unten erlaubte. Das Erdgeschoß war ein einziger Salon, und was für einer!

Voller Erstaunen spähte ich zwischen den kunstvoll geschnitzten Geländerstäben auf einen ausgedehnten Raum hinab, dessen Eindruck keineswegs nur von dem mächtigen Kamin, in dem ganze Baumstämme zu lodern schienen, und den vielen brennenden Kerzen in Kandelabern dominiert wurde. Plattenspieler, Kassettendecks, dickbauchige Fernseher, Tonband- und Videogeräte, standen in solcher

102

Hülle und Fülle und so dicht an dicht, daß man sich im Lager eines Elektronikfachgeschäfts wähnte. Damals galten diese Geräte noch als das multimediale Nonplusultra. Der Ort war vollgestopft mit dem Zeug, das bisweilen Inseln und Hügel bildete und sich schier unendlich ausbreitete. Und alles befand sich in Betrieb, lief ohne Unterbrechung.

Doch der Inhalt dieses audiovisuellen Chaos war, wenn mich nicht alles täuschte, der Kern seiner selbst: Kommunikation. Und zwar in jeder Art und Dimension. Da schallten von den Tonbändern Gesänge von Buschmenschen, gurgelten seltene Sprachen und Dialekte aus vergessenen Schellackplatten, zwitscherten Vögel, brüllten Löwen und kreischten Affen aus den Kassettenrecordern. Auf den Monitoren flimmerten kuriose Übungsfilme für Sprachbehinderte oder Aufnahmen von Menschen, die perfekt Tierlaute nachahmten. All dieses Plappern, Jaulen, Grölen und Schnattern vermischte sich zu einem unheimlichen Radau, der mir schier die Sinne raubte.

Inmitten der sonderbaren Szenerie stand der Hauptdarsteller, der äußerlich seiner Umgebung in nichts nachstand. Es handelte sich um einen Greis. Allerdings wahrlich um keinen, der so wirkte, als erfreue er sich nach der Verrentung nur noch an seiner beeindruckenden Rheumadecken-Kollektion. Er war mit einem kaftanartigen, düsteren Gewand bekleidet, das jedoch seine kräftig gebaute, großgewachsene Gestalt kaum verbergen konnte. Vor dem von scharfkantigen Falten überzogenen, immer noch von pulsierender Energie beseelten Gesicht wedelten einzelne Strähnen seiner weit über die Schultern reichenden Haare. Sie waren ergraut, doch funkelten sie imposant wie bei

103

einem alten Indianer. Er besaß eine eindrucksvolle Adlernase, kobaltblaue Augen und einen wie von einem Visagisten purpurrot geschminkten, breiten Mund. Alles in allem vermittelte der alte Knabe den Eindruck, als wäre der Lebensherbst nicht mehr als ein vernachlässigbares Handicap, das es durch die Kraft des Willens zu überwinden galt.

Weniger imposant sah freilich das aus, was er inmitten des Multimedia-Gaus veranstaltete. Und damit war auch das Rätsel gelöst, weshalb alle Geräte bis zum Anschlag aufgedreht waren. Der Hausherr hielt sich ein altmodisches Hörrohr ans Ohr, das sich von der dünnen Spitze am Gehörgang zu einem gewaltigen Trichter nach außen vergrößerte. Damit eilte er von einem Radaumacher zum anderen, was etwa so aussah, als schwebe Graf Dracula in Pelerine durch seine Gruft, und lauschte in den jeweiligen Lautsprecher hinein. Sodann notierte er sich mit einem antiquierten Griffel etwas auf einen Schreibblock und sputete danach zum nächsten Gerät.

Das Ganze sah für mich ziemlich verrückt aus, und mit Sicherheit hatte ich auch einen Verrückten vor beziehungsweise unter mir. Dennoch kamen mir wieder die scheußlichen Bilder aus dem Brunnen in den Sinn, die dieser Verrückte zu verantworten hatte: Madam, Eloi, der rote Zausel und all die anderen Dudes, wie sie in grotesk verrenkten Posen in ihrem Blut gelegen hatten. Und im Schlepptau dieser bluttriefenden Bilder kam auch der Vernichtungswille auf den langhaarigen, grauenhaften Clown zurück, der sich, wie es aussah, nach getanem Massenmord seinem abstrusen Hobby hingab. Mein ganzer Körper wurde von einer Hitze erfaßt, als müßte ich jeden Moment auseinanderbersten. Bei genauerem Hinsehen war es vollkommen irrelevant, womit sich dieser Schlächter sonst noch beschäftigte. Relevant war nur, daß er für seine Missetaten büßen mußte. Und zwar hier und jetzt!

Für feinsinniges Pläneschmieden hatte ich weder die Zeit noch die Nerven. Ich erfaßte instinktiv, daß ich mich zwischen den Geländerstäben nur nach unten zu katapultieren brauchte, um geradewegs auf dem Kopf des Alten zu landen. Dort aufgetroffen, konnte ich mein heiliges Rachewerk in Angriff nehmen, das zunächst einmal mit dem Auskratzen seiner Augen beginnen sollte. Würde er sich bei der Abwehr ungeschickt anstellen, sah man weiter.

Mit der Wucht eines Stahlpfeils und einem wahnsinnigen Fauchen schoß ich von der Galeriekante herunter, flog in einem hohen Bogen durch die Luft, und obwohl mir dabei vor Anspannung kurzzeitig das Bewußtsein entschwand, schaffte ich tatsächlich eine punktgenaue Landung auf der silbernen Matte des alten Zottelfreaks. Er schrie so laut auf, als sei er von tausend Klapperschlangen gleichzeitig gebissen worden, und wirbelte wie ein Kreisel mit ausgebreiteten Armen mehrfach um die eigene Achse. Das Hörrohr, der Griffel und der Schreibblock flogen ihm aus den Händen, der schwarze Umhang blähte sich durch die Drehung auf wie ein Fallschirm. Er wußte nicht, wie ihm geschah. Da sich meine Krallen fest in seine Kopfhaut eingegraben hatten, liefen ihm Blutrinnsale über die Stirn und bekleckerten das gesamte Runzelgesicht. Akustisch hätte es eine Steigerung nicht mehr geben können: Das lautstarke Quäken aus den Geräten, mein wutschnaubendes Gefauche und seine verzweifelten Schreie bildeten eine infernalische Kakophonie.

Allmählich jedoch schien der alte Herr die Sachlage zu erkennen, und er griff mit beiden Händen über seinen Kopf. Ich aber arbeitete mich flugs in Richtung der Stirn, um mir von oben seine Augen vorzunehmen, bevor er mich herunterholen konnte. Zu spät! Seine Finger packten mich wie eiserne Greifer bäuchlings, und obwohl ich mich um so vehementer an der Kopfhaut festkrallte, gelang es ihm, mich von sich herunterzureißen. Schließlich hielt er mich, ein sich windendes und wild fauchendes Bündel, fest zwischen seinen Händen, so daß ich gezwungen war, ihm direkt ins Antlitz zu blicken. Gewiß, er sah mit seiner inzwischen vollkommen verwuselten Haarpracht, den schmerzverzerrten Gesichtszügen und all dem zerlaufenen Blut aus wie soeben der Hölle entstiegen. Und doch erkannte ich in dem Gesicht vollkommenes Unverständnis darüber, wieso ihm eine wildgewordene Bestie die Haut vom Kopfe fetzen wollte. Auch war sein Griff um meine Taille sanfter, als es die Situation erforderte. Er hätte mich mit Leichtigkeit zerquetschen können.

»Warum machst du das?« schrie er mich in einem ehrfurchtgebietenden Brummbaß an. In seinen blauen Kobaltaugen zuckten kleine Blitze. Die restliche zerfurchte Miene jedoch signalisierte tiefste Traurigkeit, ganz so, als hätte er einen sehr schmerzhaften Verlust zu verarbeiten. Der Scheißkerl tat mir beinahe schon leid. »Was habe ich dir getan?«

»Was du getan hast?« erwiderte ich. »Frag doch nicht so scheinheilig! Du hast die Mutter meiner künftigen Kinder gemeuchelt. Du hast meinen besten Freund hingemetzelt. Du hast alle meine Gefährten abgeschlachtet. Du bist groß und ich bin klein. Aber solange ich auch nur ein Quentchen Leben in mir spüre, werde ich dich bekämpfen, bis zum bitteren Ende.« Ich haschte mit dem Maul nach seinen Fingern und versuchte, zumindest in einen von ihnen hineinzubeißen. Doch es gelang mir nicht. Er hatte mich noch immer fest im Griff.

»Was redest du da für einen Unsinn, kleiner Freund«, sagte er, und seine Stimme wurde von Wort zu Wort milder. Sogar so etwas wie einen Anflug von Amüsement vermeinte ich in der Knitterfratze auszumachen. »Nie im Leben habe ich jemandem etwas angetan, schon gar nicht irgendwelchen hilflosen Tieren. Ich weiß gar nicht, wovon du überhaupt redest.«

»Ach nein? Wieso hat man dich dann dreißig Jahre lang in den Knast gesperrt? Etwa weil du mal einem Baby den Schnuller geklaut hast?«

»Knast? Ich war nie im Knast. Ich war …« Er hielt mit einem Mal inne, verharrte mit dem ganzen Körper in Regungslosigkeit wie ein Roboter, der in voller Aktion jäh abgeschaltet wurde. Er sah derart verdattert aus, daß man von irreparablen Schäden in seinem ohnehin arg fehlerhaft tickenden Hirn ausgehen mußte. Die wulstigen Lippen öffneten und schlossen sich, ohne daß auch nur ein Laut hervorkam. Der Schweiß brach ihm aus. In Anbetracht dieser seltsamen Reaktion fiel ich unwillkürlich ebenfalls in eine Art Lähmung. Fünf, sechs Sekunden vergingen so, ohne daß etwas passierte. Dann lockerte er langsam den Griff um meinen Bauch. Eigentlich hätte ich ihm jetzt be-

107

quem ins Gesicht springen können. Aber eine weise, innere Stimme hielt mich davon ab.

»Was hast du eben gesagt?« wollte er schließlich wissen.

»Ich sagte …« Jetzt war ich plötzlich der Roboter, dem man den Saft abgedreht hat. Und nicht nur das. Wie von einem Intelligenzserum gedopt, erfaßte ich nun zeitverzögert, was bei meinem Gegenüber zu einem Aussetzer geführt hatte. Die Brisanz dieser Erkenntnis war derart überwältigend, daß ich an meinem Verstand zweifelte.

Der alte Mann begann erst unmerklich, dann immer erkennbarer zu nicken, und er schaute mir dabei mit einer Ernsthaftigkeit in die Augen, die mich frösteln ließ.

»Ich sagte, daß du dreißig Jahre im Knast warst«, brachte ich endlich hervor.

»Und ich sagte, daß ich nie im Knast war … ein richtiger Informationsaustausch … echte Kommunikation …«

»Wir können uns also richtig unterhalten. Unfaßbar! Dreh diesen verdammten Krach ab!«

Er setzte mich auf den Boden. Dann ging er von einem Apparat zum nächsten und schaltete sie nacheinander aus. Nachdem er auch die letzte Tonarmnadel ratschend vom Plattenteller gerissen hatte, kehrte endlich vollendete Stille ein. Er zog ein Taschentuch aus einer seiner beutelgroßen Seitentaschen, wischte sich damit das Blut vom Gesicht und näherte sich mir bedächtigen Schrittes. Da die Kontrollämpchen und Displays an den Geräten nun nicht mehr glühten und in dem Raum auch sonst keine andere künstliche Beleuchtung existierte, wurde der Saal nur mehr vom schwachen Schein des Kaminfeuers und den brennenden Kerzen erhellt. Mit seiner ergrauten Mähne, seiner

Riesenstatur und mit dem südländisch wirkenden Gesicht sah der Greis in der Tat furchteinflößend aus. Und doch strahlte er unterschwellig eine Art Weisheit, ja ein verborgenes Wissen aus, wie es manche indische Gurus tun. Er kniete sich zu mir und musterte mich lange.

»Endlich habe ich dich gefunden«, sagte er dann und tätschelte liebevoll meinen Kopf. »Jetzt brauche ich den ganzen technischen Krempel nicht mehr.«

Auf diese Gelegenheit hatte ich gewartet. Denn ich wollte wissen, wie er es tat. Hätte mir ein Spiegel zur Verfügung gestanden, dann hätte ich dabei auch gern meine eigene Physiognomie, insbesondere meine Maulpartie während des Sprechens studiert. Aber das ging momentan leider nicht. Das Objekt der Untersuchung war glasklar. Offenkundig konnte der Bursche tatsächlich mit mir sprechen – und ich mit ihm. Daß unseresgleichen die Sprache der Menschen verstehen kann, ist ja wohl kein großes Geheimnis. Und daß die Menschen durch die Jahrtausende während Deutung unserer Lautäußerungen und die Beobachtung unseres Verhaltens ein Gefühl dafür entwickelt haben, was uns so umtreibt, bedarf auch keiner Erklärung. Doch ich wettete meinen Kopf darauf, daß bis zu diesem Zeitpunkt noch kein Ohr vernommen hatte, wie ein Mensch mit einem Tier redet und umgekehrt. Was wir jetzt taten!

Ich hatte ihn, während er die letzten Worte aussprach, genau im Auge behalten. Die Worte von seinem Gesicht abgelesen, wäre vielleicht die passendere Beschreibung gewesen. Denn seine Lippen bewegten sich dabei kaum. Es handelte sich eher um so etwas wie lautes Denken, einer

Kombination von sichtlichem Gedankenfassen, mimischer Reflexion desselben und halbherzigem Artikulieren. Vielleicht rührte es daher, daß er etwas schwerhörig war. Weshalb sollte er sonst ein Hörrohr benutzen? Wer weiß, vermutlich war auch etwas Ähnliches wie Gedankenübertragung im Spiel. Wie man jedenfalls die Sache auch drehte und wendete, wir konnten miteinander kommunizieren, in Worten wie von Mensch zu Mensch oder wie von meinesgleichen zu meinesgleichen, wenngleich auf eine höchst ungewöhnliche Art.

»Du willst dich also herausreden?« wollte ich wissen, weil mir in der merkwürdigen Situation nichts Gescheites einfiel.

Er machte ein Gesicht wie ein Kind, dem man gerade offenbart hat, daß Mama und Papa etwas Schmutziges tun mußten, damit es das Licht der Welt erblickte. Danach wollte er wissen, was er sich denn habe zuschulden kommen lassen, daß ich ihn derart brutal angegangen war. Ich lieferte ihm eine Kurzfassung der grausamen Ereignisse, obwohl ich mich lieber über den Umstand unserer wundersamen Verständigung ausgelassen hätte. Am Ende meiner Erzählung schien er tief betroffen, ja ich vermeinte sogar, Tränen in seinen Augen zu sehen.

»Nein, mein lieber Freund, nein«, sagte er und wirkte dabei so, als spreche er mit sich selbst. »Da hast du dir in deiner Verzweiflung den erstbesten Sündenbock aus der greifbaren Umgebung auserwählt. Ein alter Kauz in einem verwunschenen Haus, miese Gerüchte über seine Vergangenheit als Kannibale und Sträfling, und fertig ist das Monster. Dabei ist alles anders, als du denkst. Das Herz bricht

110

mir entzwei bei der Vorstellung, wie grausam deine Lieben umkommen mußten. Zunächst möchte ich mich aber vorstellen: Ich heiße Eduard von Refizul, bin Sprachforscher. Und ich habe das Vergnügen mit …?«

Er lächelte mich erwartungsvoll an. Ich zuckte mit den Schultern. Über einen eigenen Namen hatte ich mir bis dahin keine Gedanken gemacht. Kein Wunder, ich besaß gar keinen.

»Nenn mich einfach Dude«, sagte ich gleichgültig.

»Nun gut, Dude, dann erzähle ich dir jetzt, was es damit auf sich hat, daß wir uns miteinander unterhalten können. Ja, es ist wahr, ich habe dreißig Jahre meines Lebens in einer Institution in Unfreiheit verbracht. Ich ging als junger Mann hinein und kam als ein alter Mann zurück in das Haus meines Vaters. Dazwischen lag eine Ewigkeit. Es war eine Zeit der Verstellung, die ich wie ein Schutzschild um mich herum aufbaute, damit ich nicht in diesem Quasi-Gefängnis verrottete. Schon von früh an hatten es mir die vom Antlitz der Erde längst getilgten Völker angetan. Die alten Ägypter zum Beispiel, aber auch noch ältere wie die Sumerer in Mesopotamien viertausend Jahre vor Christus. Diese praktizierten übrigens eine der ersten Sprachen – wenn nicht die erste –, für die eine Schrift entwickelt wurde. Doch alle diese Völker verband vor allem eines: der Kult um das Tier.«

»Kein Wunder«, schaltete ich mich ein. Endlich hatte ich ein ebenbürtiges Plappermaul gefunden, bei dem ich mit meinen unter Eloi angesammelten Wissensbrocken Eindruck schinden konnte. Ich legte mich auf den Holzboden und begann meine Pfoten glattzulecken, die von der

111

zurückliegenden Aufregung ganz struppig geworden waren. »Diese Völker waren auch die ersten, die Tiere domestiziert haben. Zum Beispiel mein edles Geschlecht. Nutzvieh ist zwar ein von unserer Seite des Zauns betrachtet diskriminierender Begriff, doch zum ersten Mal standen sich zu jener Zeit Mensch und Tier nicht mehr als Feinde gegenüber.«

Der angejährte Hippie klopfte sich anerkennend auf die Schenkel, erhob sich und sandte einen brüllenden Lacher gen Himmel. Dabei entblößte er ein Gebiß, das hoffnungslos gelb, ja sogar von etlichen braunen Flecken bedeckt war. Wie zur Erklärung dieses Makels kramte er im nächsten Moment aus seiner Seitentasche ein Päckchen Tabak und Blättchen heraus und begann, sich dann eine Zigarette zu drehen. Mir fiel auf, daß seine Finger wie bei einem Penner völlig nikotingelb und seine Fingernägel extrem lang, brüchig und sehr spitz gewachsen waren.

»Wußte ich's doch gleich, daß ich es bei dir mit einem Oberschlaumeier zu tun habe.« Buchstäblich im Handumdrehen hielt er eine perfekt gerollte Zigarette zwischen den Fingern. Er steckte sie sich an einer der brennenden Kerzen an. »Wärst du einer meiner Studenten gewesen, hätte ich dich Klugscheißer genannt. Natürlich nur in Gedanken.«

Er ging im Raum auf und ab und zog so heftig an der Zigarette, als müsse er in dieser Disziplin einen Weltrekord aufstellen. Dabei wirbelten die silbrigen Indianerhaare dramatisch umher. Was mich anging, hatte ich die Putzerei zwar in aller Seelenruhe auf andere Fellpartien ausgedehnt, behielt aber den irren Rentner aus den Augenwinkeln

112

immer noch unter Beobachtung. Mein Instinkt ließ mich wissen: Trau ihm nicht! Mein Verstand sagte: Wenn ein Mensch den Doktor Dolittle gibt, hat er bestimmt Besseres zu tun, als in irgendwelche Brunnen zu kriechen und vollgedröhnte Spitzohren zu massakrieren. Kurz, ich wußte noch nicht, was ich von ihm halten sollte.

»Wie ich sehe, besitzt du einiges an Vorbildung«, sagte er. »Ungewöhnlich für deinesgleichen. Kompliment! Doch der Kult um die Kreatur, den diese untergegangenen Völker pflegten, eigentlich jeder Kult, besitzt einen lebensbezogenen, wahren Kern. Und dieser Kern kann nicht nur darin bestanden haben, daß sie damals das Tier für sich nutzbar machten. Die Sumerer jedenfalls besaßen eine weitaus intensivere Beziehung zum Tier, als es sich nur auf materieller Ebene erklären ließe. Auf einem freigelegten mächtigen Steinpfeiler fanden Forscher die Darstellung eines Mannes, eine kopflose Gestalt mit Phallus. Über der Gestalt sind riesige Geierdarstellungen eingemeißelt – Illustrationen eines gewaltsamen Todes? Wohl kaum. Denn auch in den später ausgegrabenen Darstellungen stieß man immer wieder auf kopflose Gestalten, über denen Geier schweben. Offenbar nahm der Glaube, daß die Vögel den Körper der Toten ins Jenseits tragen, schon in früher Zeit seinen Anfang. Damals …«

Er machte eine bühnenreife Kunstpause und sog an der bis auf einen Zentimeter heruntergerauchten Filterlosen, von der Aschebrocken fielen. »Damals schienen die Menschen mit den Tieren tatsächlich gesprochen zu haben. Beide Parteien vermochten in die Gedankenwelt des jeweils anderen einzutauchen. Irgendwann verlor sich diese

Gabe. Die Sprachverwirrung in Babylon, wie sie uns die Bibel lehrt, bezieht sich vermutlich auf eine ganz andere Kommunikationsentfremdung als nur auf die unter den Menschen. Ich jedenfalls war stets mit der Frage beschäftigt, ob ein sprachlicher Austausch zwischen Mensch und Tier möglich sei. Ich meine damit nicht das Put-put-put! mit Hühnern oder das Hasso-sitz! mit des Menschen bestem Freund. Ich rede hier von echter Sprache, von mündlichem Informationsaustausch. Man hat mich für verrückt gehalten. Mit Tieren könne man nicht reden, hieß es. Und die Leute hatten auf ihre borniere Art recht. Mir gelang es ja selber nicht. Und doch habe ich mit allen Mitteln versucht, einen Zugang zu eurer Sprache zu finden. All die Hilfsmittel, die du hier siehst, zeugen davon.«

Er vollführte mit dem linken Arm eine Geste in Richtung seines audiovisuellen Instrumentariums. Dann schritt er an den einzelnen Geräten entlang und schaltete sie nacheinander wieder ein. Auf den Monitoren erschienen erneut Paviane, deren aufgeregte Schreie einem undurchsichtigen Modulationsmuster gehorchten, aus den Kassettenrecordern erklang Vogelgezwitscher vielfältiger Art, die Schallplatten wiederholten die sich bizarr anhörenden Übungen für Sprachgestörte, und von den Tonbändern vernahm man das geheimnisvolle Fiepen und Kiecksen von Kreaturen, die selbst ich kaum einer Gattung zuzuordnen vermochte. Der Alte hatte sich wahrhaftig in die Materie hineingekniet. Fragte sich bloß, was er in all den Jahren der Isolation in dieser Institution ohne den ganzen technischen Kram angestellt hatte.

»Okay, Refizul.« Ich stand auf und folgte ihm. »Du wolltest unbedingt beweisen, daß man auch mit Ameisenbären einen gepflegten Plausch halten kann. Und das ist dir ja endlich gelungen. Es ist jetzt offenkundig, daß du diese verschüttete Gabe besitzt. Wieso und warum, ist mir allerdings schleierhaft. Aber da ist ein kleiner Haken an deiner Geschichte. Man sperrt jemanden nicht dreißig Jahre ein, nur weil er sich bemüht, mit anderen Arten auf sprachlicher Ebene in Kontakt zu treten.«

»Bist du dir da so sicher?« Er drehte sich auf dem Absatz zu mir herum, wobei sich der weite Umhang wieder so aufplusterte, als habe sein Träger den Kopf durch die obere Öffnung eines Zirkuszeltes gesteckt. »Glaubst du wirklich, daß sich das Wertesystem der heutigen Welt noch so aufrechterhalten ließe, wenn es tatsächlich eine Kommunikation zwischen Mensch und Tier gäbe?«

»Wie meinst du das?«

»Nun, was macht ein Bauer, mit dem seine Schweine plötzlich reden? Oder seine Rinder, seine Schafe, seine Hühner? Bringt er sie dann trotzdem ruhigen Gewissens zum Schlachter? Man stelle sich die Situation einmal bildlich vor: Wenn er die Tiere an dem entscheidenden Tag in den Viehtransporter treibt, spüren die Opfer allmählich ihr Bestimmungsziel, sie werden immer unruhiger, tuscheln mit zittrigen Stimmen, fassen schließlich ihr blankes Entsetzen laut in Worte ...«

Mir fiel der Unterkiefer herunter. Über diese Konsequenz hatte ich bis jetzt noch gar nicht nachgedacht.

Refizul lächelte, er genoß sichtlich den Umstand, daß er mir gedanklich ein paar Schritte voraus war. »Die Sprache vermenschlicht den anderen und verwandelt selbst das fremdartigste Wesen in eine gleichberechtigte Person. Wie würde sich solch eine revolutionäre Veränderung auf die moralischen Fundamente auswirken? Vor allem aber auf die Geschäfte? Ist einem Lastwagenfahrer sein Job überhaupt zuzumuten, wenn er aus dem vollgepferchten Auflieger hinten statt diffusem Muhen und Blöcken ständig die Schmerzens- und Hilfeschreie der geschundenen Kreaturen hört und sie auch noch versteht? Was macht der Herr Professor im Versuchslabor, wenn ihm der Affe, den er regelmäßig mit irgendwelchen Medikamenten und Chemikalien traktiert, offen ins Gesicht fragt, ob er sich für diese an ihm begangenen Verbrechen nicht schäme? Und was wird aus dem Industrieboß, der bei Fleisch nur an Profit und Absatzmärkte denkt, wenn seine Konsumenten sich von der Ware Tier abwenden? Ach, und noch etwas: Was passiert, wenn Vierbeiner ihre Rechte vor Gerichten erstreiten wollen, die sie nunmehr im Wortlaut erfassen? Nein, die direkte Rede mit Tieren hätte Auswirkungen auf unsere Gesellschaft, die man sich nicht auszudenken vermag. Denn damit wäre bewiesen, daß auch Tiere eine Seele besitzen.«

»Mit Verlaub«, sagte ich, »aber offen gesagt bin ich auch nicht gerade Vegetarier.«

»Weil es deine Natur ist. Aber der Mensch hat sich von seiner, von jeglicher Natur so weit entfernt wie ein erkalteter Planet von der Sonne. Damals wie heute will man unbedingt verhindern, daß jemand die Sprache der Tiere beherrscht und diese Kunst dann verbreitet.«

»Wer ist man?«

»Nun, laß deiner Phantasie bei der Beantwortung dieser Frage freien Lauf. Ein paar Kreise, die an so einer ungemütlichen Sache alles andere als interessiert sind, habe ich ja schon genannt. Doch so schlau, wie du bist, fallen dir bestimmt noch ein paar andere ein. Auf deren Druck hin wurde ich vor dreißig Jahren aus dem Verkehr gezogen.«

»Puh!« Ich trottete nachdenklich zu ihm und setzte mich zu seinen Füßen auf die Hinterbeine. Unterdessen begann er, sich eine neue Zigarette zu drehen. »Zwei Dinge kapiere ich allerdings immer noch nicht, Refizul. Wieso bist du der einzige Mensch, der mit mir reden kann? Und obwohl dein Lebensziel allein aus der Verwirklichung dieses einen Ziels bestand, hast du nicht gerade einen Freudentanz aufgeführt, als der Fall eintrat. Ich meine, köpfen Menschen bei derart sensationellen Erfolgen nicht die beste Flasche Champagner oder rufen ersatzweise irgendeinen Sender an, um sich den nächsten Nobelpreis zu sichern?«

Wieder steckte er sich die Selbstgedrehte an einer brennenden Kerze an und atmete den Rauch genüßlich aus. »Ich bin bestimmt nicht der einzige Mensch, der die Sprache der Tiere beherrscht. Sonst hätte ich meinen Kampf schon längst aufgegeben. Nein, mein Lieber, jeder Mensch kann es. Wir alle sind Geschöpfe dieser einen Welt, und einst verstanden wir einander, in Eintracht und gegenseitiger Achtung. Aber dann … irgend etwas muß passiert sein, eine Art Sündenfall, der uns geistig und sprachlich voneinander trennte. Man muß die Menschen wieder für die Tiere sensibilisieren, für ihre Sprache, aber auch für ihre Würde. Deshalb hat sich meine Überraschung auch in Grenzen gehalten, als mein sehnlichster Wunsch in Erfüllung ging. Weshalb sollte ich von etwas über die Maßen überrascht sein, das ich die ganze Zeit erwartet habe?«

»Da fällt mir noch etwas ein«, sagte ich. »Ich glaube, daß ich es in einem uralten Buch aufgeschnappt habe. Waren diese Sumerer nicht das Völkchen, das auch die Figur des Teufels erfunden hat?«

»Ja, aber das ist eine andere Geschichte, die …«

Plötzlich wurde die Tür aufgestoßen, und zwar mit einem solch ohrenbetäubenden Rumms, daß ich vor Schreck wie ein gezündeter Böller senkrecht nach oben schoß. Ein Poltern erfüllte den ganzen Raum. Refizul und ich fuhren herum in Richtung des Lärms. Zwei Männer standen in der aufgetretenen Tür vor der tiefblauen Sommernacht, durch die das Licht der glänzenden Sterne hereinschien.

Der eine war ein Brocken von einem Kerl. Es war schwer zu unterscheiden, ob es sich bei dem Typ mit der Statur eines Ochsen um einen Übergewichtigen handelte oder um einen verkappten Kugelstoßer, dessen Muskelpakete ins Animalische ausgeartet waren. Er besaß einen kantigen, schwarzhaarigen Schädel, der ohne Hals direkt in einen panzerartigen Körper überging. Sein aufgedunsenes Gesicht war übersät von Pockennarben, sein durch dunkle Pupillen ausgesandter Blick konnte gewiß glühenden Stahl zum Vereisen bringen. Arme und Beine hatten den Umfang von Baumstämmen, und es hätte mich nicht gewundert, wenn er in seiner Freizeit zur Entspannung krachend mit den wurstigen Fingern geknackt hätte. Ihn als »brachial« zu beschreiben wäre eine glatte Untertreibung gewesen.

Der andere schien den vollkommenen Gegensatz darzustellen, machte jedoch mitnichten einen weniger abstoßenden Eindruck. Der extrem schmale Lulatsch mit den starren Augen einer Leiche war so blaß, daß nicht einmal

118

der warme Schein aus dem Kamin etwas zur Intensivierung seiner Gesichtsfarbe beitragen konnte. Der Kopf besaß die Form einer längs liegenden Honigmelone, die großen, abstehenden Ohren verliehen ihm etwas von einem geschrumpften Elefanten. Die gesamte Physiognomie wirkte geradeso, als wäre sie von einer Vakuumpumpe nach innen gesogen worden.

Die beiden trugen blütenweiße Kittel wie Ärzte, bloß daß diese eher Dienstuniformen ähnelten. Der Dünne schwenkte in der Hand eine Art Jacke, ebenfalls weiß, allerdings offenbar aus strapazierfähigem Segeltuch geschneidert und mit absonderlichen Ärmeln, aus denen seilartige Bänder wuchsen. Der panzerartige Kerl warf mir einen amüsierten Blick zu und stampfte dann mit dröhnendem Schritt auf Refizul zu.

»Na Refi, hast du wieder einen behaarten Kameraden gefunden, mit dem du ein Schwätzchen halten kannst?« Er schaute dem Alten mit solch arroganter Ironie ins Gesicht, als habe er ein schwachsinniges Kind vor sich. Refizul drehte den Kopf zu mir und schaute mich resigniert an, als wolle er sagen: Was habe ich dir gesagt?

»Kümmere dich um den Kleinen, Zack«, befahl der Panzermann dem Schmalen. »Ich glaube, den können wir im Bunker gut brauchen.«

Bevor ich wußte, wie mir geschah, stand Zack schon bei mir, packte mich am Nacken, hob mich hoch und umklammerte mich fest. Dann schleuderte er die weiße Jacke zu seinem Kumpel. Der knöpfte bereits den düsteren Umhang von Refizul auf, worunter der arme Mann nichts weiter als lange Opa-Unterwäsche trug.

»Aber wieso denn?« protestierte er, während er sich auf diese würdelose Art ausziehen ließ. »Ich wurde als geheilt entlassen. Da drüben irgendwo müssen die Entlassungspapiere liegen. Dreißig Jahre sind genug. Ich kann nicht wieder in den Bunker zurück.«

»Jetzt krieg hier keinen Zusammenbruch, Refi. Denk an deine Pumpe«, sagte der Panzermann im beruhigenden und doch höhnenden Tonfall. Er hatte inzwischen Refizul komplett ausgezogen und stülpte ihm von vorne die weiße Jacke über. Der Alte ließ es sich gefallen, was von großer Weisheit zeugte, hätte sein Peiniger ihm doch bei geringster Gegenwehr mit bloßen Händen das Genick brechen können. »Von geheilt war nie die Rede. Sagen wir mal so: Wenn du ein Verbrechen begangen hättest, wäre der Begriff ›auf Bewährung‹ bei deiner Entlassung zutreffend gewesen. Aber das hast du ja nicht. Davon gehe ich jedenfalls aus. Hat dich der Oberdoc nicht tausendmal ermahnt, daß du immer die gelben Pillen nehmen sollst?« Er schnalzte dreimal kurz mit der Zunge. Dann ergriff er die langen Enden der Jackenärmel und verschnürte Refizul damit, so daß dessen Arme vor der Brust über Kreuz festgezurrt wurden.

»Ich habe mir nichts zuschulden kommen lassen«, beteuerte er kraftlos.

»Doch, doch, das hast du, Refi«, sagte der Panzermann, packte ihn am Nacken und führte ihn zur Tür. Zack und ich in seinen Klauen folgten den beiden. »Schau dir doch mal den Schrott an, den du dir wieder zusammengeklaubt hast. Sieht aus wie das Labor – eines Bekloppten? Willst wieder mit Füchsen und Eulen reden, was? Ich glaube, wir müssen dich noch ein paar Jährchen weiter heilen. Danach bist du eh reif für die Pflege.«

Draußen etwas abseits der Villa parkte ein schwarzer Kastenwagen, dessen doppelflüglige Hecktür der Panzermann mit einem Handgriff öffnete. Er stieß den Alten hinein, und ich flog aus Zacks sensiblen Händen hinterher. Obwohl es drinnen ziemlich düster war, merkte ich schnell, daß wir uns in einer Art Zelle befanden. Allein ein enger, vergitterter Sehschlitz erlaubte etwas Einblick in die Fahrerkabine. Seitlich gab es zwei karge Bänke zum Sitzen. Decke und Wände waren mit einer harten Gummischicht gepolstert, in Abständen baumelten Gurte und Riemen zum Festbinden der »Fahrgäste«.

»Ich muß dir etwas gestehen, lieber Freund«, sagte Refizul, als unsere fürsorglichen Helfer vorne eingestiegen waren und den Wagen starteten. Er sah in seiner blöden Jacke mit den über Kreuz verbundenen Armen lächerlich und mitleiderregend zugleich aus. »Ein Kannibale bin ich wohl nicht, und auch kein Mörder oder Sadist. Aber dort, wo wir nun hingebracht werden, wimmelt es nur so von derlei freundlichen Zeitgenossen. Es ist nämlich …«

»… eines der schlimmsten Irrenhäuser im Lande!« ergänzte ich und seufzte.

121

7

»Spät, aber doch kommst du, Dude. Ich habe schon so lange auf dich gewartet.«

Brillantblaue Augen tauchten aus dem finstersten Winkel der Brunnenhöhle wie eine Geistererscheinung auf, dann ein Gesicht. Ich erkannte es sofort wieder – und doch hatte ich es noch nie vorher gesehen. Aber Paps' Erinnerungen an die einstigen Bewohner dieses Ortes hatten sich mir so stark ins Gedächtnis gegraben, daß ich mittlerweile jeden einzelnen von ihnen so gut zu kennen glaubte, als wäre ich damals selber unter ihnen aufgewachsen. Und das mir zwischen den modernden Gebeinen entgegentretende Gesicht hatte sich mir besonders eingeprägt.

Schließlich wurde der ganze Kerl sichtbar. Er trug über dem braunbeigen Fell quasi eine Ganzkörper-Maske aus schwarzen Einfärbungen am Gesicht, an den Ohren, dem Schwanz und an den Beinen. Der Kopf war keilförmig, was der Erscheinung etwas Arrogantes verlieh, die Statur orientalisch schlank und ziemlich muskulös. Doch der buchstäbliche Eye-Catcher bestand aus diesen strahlenden Augen, in denen es wie Zauberfeuer loderte. Kurzum, ich hatte einen wahren Apoll von einem Siamesen vor mir. Daß er mir trotz der preisverdächtigen Empfindlichkeit meiner Sinne bis jetzt wie unter einer Tarnkappe verborgen geblieben war, sprach für sein Können in dieser unserer Rasse höchsteigenen Disziplin. Der Umstand aber, der mich umgehauen hatte, war seine Ähnlichkeit mit dem aus Paps' Erzählung stammenden Portrait in meinem Schädel. Sein Name war Eloi!

Er stolzierte aus dem düsteren Winkel und näherte sich mir, während ich rücklings immer noch ganz baff auf den Knochen lag.

»Entschuldige, daß ich dich erschreckt habe«, sagte er mit seiner geschmeidigen Stimme. »Aber dieser Ort birgt ein grausames Geheimnis, und wer sich darin verirrt, ist mit höchster Vorsicht zu genießen. Du sahst aus, als würdest du dich hier ein bißchen auskennen. Außerdem scheinst du nach etwas ganz Bestimmtem zu suchen.«

»Eloi!« Es war keine Frage, sondern eher der Widerhall meiner konfusen Gedanken.

Er blieb so abrupt stehen, als sei er gegen eine Glaswand gestoßen, und blickte mich mit zehnfach intensivierter Glut an. »Eloi? Hast du Eloi gesagt?«

»Ja.«

»Du kennst Eloi?«

»Ja, ich kenne ihn. Aus den Jugenderinnerungen meines Vaters. Ich heiße übrigens Junior.«

Er nickte bedächtig, so als ob nun alles für ihn einen Sinn ergeben würde. Dabei zeigte sich in dem wie von einer Airbrush-Pistole schwarz gehauchten Siam-Antlitz eine Kombination aus theatralischer Melancholie und einer Aha!-Miene. Er streckte sich vor mir lang. »Dann weißt du ja, was an dieser unseligen Stätte vor vielen, vielen Jahren vorgefallen ist. Ich bin Morlock und so eine Art Wächter des

123

unterirdischen Massengrabs. Oder ein hoffnungsloser Spinner, der die Vergangenheit nicht ruhen lassen will. Eloi war mein Vater, aber ich habe ihn nie zu Gesicht bekommen. Als meine Mutter – sie kam von auswärts – mit mir schwanger ging, wurde er ermordet. Vermutlich kennst du ja die ganze Geschichte. Wie es so ist bei Kindern, die ihren Vater nie gesehen haben, war ich die ganze Zeit besessen davon, ihn zumindest in der Erinnerung kennenzulernen und nachträglich zu ihm eine Art von Nähe herzustellen. Ich bin oft hier, um mich mit einem Verbrechen auseinanderzusetzen, für das sich keiner mehr interessiert. Das ist meine Art von Andenken an den Alten.«

Er machte einen unendlich traurigen Eindruck. Er war ein Verlorener in einem längst verlorenen Reich.

»Ich kann dich verstehen«, sagte ich. »Auch mich hat es magisch zu den Dudes hingezogen, kaum hatte ich von ihnen erfahren. Die Gerippe hier zeugen ja noch heute von der Grauensnacht.«

»Und weißt du auch, wer dafür verantwortlich war?«

»Ich habe da so eine Ahnung«, erwiderte ich, weil ich nicht gleich mit der Tür ins Haus fallen wollte.

»Dann erzähle ich dir zunächst meine Version. Nach diesem entsetzlichen Blutbad kursierten die wildesten Gerüchte im Revier. Natürlich kann man auf Gerüchte wenig geben. Doch ein klitzekleiner, wahrer Kern steckt in jedem Gerücht, hab ich recht? Es gab damals einen unter den Dudes, der sich stets für etwas Besseres hielt. Ein richtiger Klugscheißer war das. Er kam so wie du durch den Brunnenschacht hereingeflogen, und mein Vater nahm sich seiner an und unterrichtete ihn. Doch in Wahrheit war er ein undankbarer Psychopath, der die ganze Zeit das Ziel verfolgte, die Pfote abzuhacken, die ihn fütterte. Damals fanden hier unvorstellbare Minze-Exzesse statt. Dieser falsche Dude machte eifrig mit, aber so wie es aussieht, hat er das Zeug nicht vertragen. Die Droge hat ihn in eine Bestie verwandelt. Er kannte die Schlafgewohnheiten der anderen, er wußte genau, ab welchem Zeitpunkt die zugedröhnten Dudes regelmäßig ins Koma fielen. So konnte er seinen Amoklauf ganz locker angehen. Alles spricht für diesen Ablauf der Dinge, denn zufällig soll er als einziger das Massaker überlebt haben.«

Inzwischen arbeitete mein Hirn wieder auf normaler Betriebstemperatur. Das nützte mir freilich wenig. Denn wie sollte ich einen Sohn, der jahrelang das selbstgebastelte Ideal des abwesenden Vaters angeschmachtet hatte, davon überzeugen, daß der Angebetete nicht der reine Engel war, für den er ihn hielt?

»Du wirst es mir nicht glauben, aber zufällig kenne ich diesen Psychopathen«, sagte ich und versuchte dabei, eine neutrale Miene zu ziehen. »Er ist mein Vater.«

Morlock zuckte so heftig zurück, als hätte er mit feuchter Nase an einem offenen Starkstromkabel geschnüffelt. Die blauen Augen trübten mit einem Mal ein. »Er hat dir also alles erzählt. Auf seine alten Tage plagen ihn wohl Gewissensbisse, und die Erinnerung an die Schandtat ist aus ihm herausgebrochen. Mit seiner Beichte hat er Absolution angestrebt. Ist es nicht so?«

»Nein, Morlock, ganz so ist es nicht. Es ist eher die Geschichte desjenigen, der dieses Massaker tatsächlich als einziger überlebt und daraufhin Rache geschworen hat. Und, wenn ich dich darauf aufmerksam machen darf, es ist auch die Geschichte desjenigen, der das Ganze nicht von irgendwelchen dubiosen Gerüchten her kennt, sondern aus unmittelbarer Nähe erlebt hat.«

Ich gab in kurzen Worten Paps' Schilderungen wieder, wobei ich am Schluß ehrlichkeitshalber gestand, daß ich sie wegen meiner krankhaften Neugier nicht zu Ende gehört hatte. »Eins kann ich dir versichern, Morlock, der gute alte Francis ist über jeden Verdacht erhaben. Er hat deinen Alten geliebt und verehrt, mehr noch als seinen eigenen Erzeuger. Und er liebte Madam, die zu der Zeit seine ungeborenen Kinder in sich trug. Paps genießt den Ruf eines überragenden Detektivs und eines Mannes, der stets für Frieden, Gerechtigkeit und die feline Sache kämpft. Mehr als einmal hat er für diese Werte sein Leben aufs Spiel gesetzt. Und weshalb sollte jemand erst Amok laufen und dann den Rest seiner Tage damit verbringen, für das Gute zu fechten?«

Morlock lächelte, und für den Bruchteil einer Sekunde erkannte ich in seinen blauen Augen den bodenlosen Haß auf das Phantom, das er in den unglücklichen Jahren seiner Vaterlosigkeit aufgebaut hatte. Dieses Phantom von einem Mörder, das er für alles Leid in seinem Leben verantwortlich machte, mußte nun wie eine Seifenblase zerplatzen. Deshalb kam zu dem Haß jetzt auch noch die Wut auf das eigene Unvermögen hinzu. Ich mußte aufpassen, denn der Haß und die Wut konnten sich leicht auch gegen mich richten.

»Das kann ich dir verraten, Juniorlein: weil dein Vater wie gedruckt lügt. Und du weißt das, willst es dir aber

126

nicht eingestehen. Weshalb sonst bist du in dieser eisigen Nacht hierher gekommen und hast die Gerippe selbst in Augenschein genommen? Ganz einfach, du traust in Wirklichkeit dem Märchen selber nicht, das dein alter Herr dir aufgetischt hat.«

»Ein klein wenig hast du recht, Morlock. In der Tat sind mir in seiner Geschichte Ungereimtheiten aufgefallen. Aber nicht, weil ich für das Massaker meinen Vater in Verdacht hatte, sondern weil ich seinen Verdacht entkräften wollte.«

»Was soll das für ein Verdacht sein?«

»Vielleicht ist dir bei deinen Recherchen zu Ohren gekommen, daß man seinerzeit einen ganz anderen verdächtigte. Denn der Massenmord war ja der Höhepunkt von einer Reihe von vorangegangenen Morden draußen auf den Minzefeldern. Du weißt, wovon ich spreche: die verfallene Villa am anderen Ende des verwilderten Parks, zu der man durch den Abwassertunnel dort drüben gelangt. Und der zwielichtige Ex-Sträfling, der damals darin gelebt haben soll.«

Morlock brach in ein solches Gelächter aus, daß ich im ersten Moment dachte, er habe seine Stimmbänder an einen Lautsprecher angeschlossen. Nichtsdestotrotz spürte ich in diesem explosiven Lachen etwas ganz und gar Künstliches, ja die Darbietung eines Theatereffektes, der mich blenden und so vom Kern des Geheimnisses ablenken sollte.

»Die berühmt-berüchtigte Mär von dem Kannibalen, der nach der Verbüßung seiner tausendjährigen Strafe ins Geisterhaus zurückkehrt und nur noch Vierbeiner killt,

127

weil er auf seine alten Tage milde geworden ist«, sagte er, nachdem er sich wieder eingekriegt hatte. »Das galt schon vor siebzehn Jahren als ausgemachter Blödsinn. Und heute? Heute ist es verschimmelter Blödsinn. Die Villa ist seitdem nicht mehr bewohnt und gleicht einem Langzeit-Experiment von Architekten, die feststellen wollen, wann ein sich selbst überlassenes Gebäude in sich zusammen-stürzt. Und was diesen alten Narren angeht, ist er inzwi-schen mit absoluter Sicherheit den Weg allen Fleisches ge-gangen. Das war also der grandiose Verdacht deines Vaters? Hast du eben nicht erwähnt, er sei ein überragender De-tektiv? Da sieht man mal wieder, wie effektiv Public rela-tions in eigener Sache die Karriere fördern.«

Ich wußte nicht, was ich ihm darauf antworten sollte, war ich doch der gleichen Meinung. Jedenfalls was den Quatsch mit dem Kannibalen betraf. Was allerdings die Darstellung von Paps als karrieresüchtigem Detektiv an-ging, war es unter meinem Niveau, über derartigen Blöd-sinn überhaupt zu reden. Nein, der Grund, weshalb ich mit der wahren Antwort zögerte, hatte weniger mit Speku-lationen zu tun, auf denen mittlerweile zentimeterdicker Staub lag, sondern mit seinen verletzten Gefühlen. Hin-sichtlich seines Vaters Eloi nämlich, den er in seiner Schein-welt zu einem sakralen Opfer hochstilisiert hatte. Wieder einmal bestätigte es sich, daß man der Schönste und der Coolste sein konnte, obwohl man permanent aus dem Herzen blutete.

»Es wäre vielleicht nett, wenn ich meine Ausführungen zu Ende bringen könnte, Morlock«, fuhr ich fort, ohne auf die höhnische Unterbrechung einzugehen. »Ich glaube auch nicht, daß der geheimnisvolle Mann in der Villa für das Massaker verantwortlich war – nicht direkt. Als mir ein paar Details in Paps' Beichte unstimmig erschienen, konnte ich das Ende nicht mehr abwarten und bin hierher gerannt. Meine Zweifel waren gerechtfertigt. Zunächst einmal ist es eine groteske Vorstellung, daß ein erwachsener Mann durch ein stillgelegtes Wasserrohr kriecht, um eine Kolonie von halbverhungerten, minzesüchtigen und den Menschen durch keinen unmittelbaren Schaden bedrohenden Tiere auszulöschen. Es gibt aber gegen die Kannibalen-Theorie auch einen handfesten Beweis. Ein Mensch tötet normalerweise mit einem Werkzeug, einem Messer vielleicht oder einer Schere, von mir aus auch mit einer richtigen Waffe. Dabei würden diese prägnante Spuren an den Knochen der Opfer hinterlassen. Aber die Gebeine hier sind bis auf ein paar vernachlässigbare Kratzer makellos.«

»Was willst du damit sagen?« Morlocks in krampfhafter Ironie aufrechterhaltene Fassade bröckelte allmählich.

»Ich will damit sagen, daß der Typ in der Villa mit diesem Gemetzel direkt nichts zu tun hatte. Es war, wie du es schon sagtest, einer der Dudes, der sich mit den Drogen- und Schlafgepflogenheiten der anderen auskannte. Dennoch spielen die vorherigen Morde auf den Minzefeldern eine entscheidende Rolle.«

»Jetzt bin ich aber mal gespannt.«

»Ich ebenso, denn mit einer waschechten Auflösung kann ich leider nicht dienen. Es ist nur eine Ahnung. Und diese Ahnung bezieht sich auf den unglaublichen Minzekonsum, der von …Eloi kräftig forciert wurde.«

Morlock schaute mich mit unbewegter Miene an, als wolle er demonstrieren, daß üble Nachrede gegen seinen geheiligten Vater ihn in keiner Weise aus der Fassung zu bringen vermochte.

»Auch das Lesen der Bücher, von denen ich übrigens glaube, daß sie bewußt zu diesem abgeschiedenen Ort gebracht wurden, erscheint mir als eine Art Test. So wie ich es sehe, handelte sich bei der ganzen Sache um so etwas wie eine Selektion. Es ging darum, innerhalb der Brunnenbewohner die Spreu vom Weizen zu trennen. Es ging darum, den Richtigen zu finden.«

»Den Richtigen wofür?«

Nun war ich es, dessen Fassade bröckelte. »Ich habe nicht den blassesten Schimmer, Morlock. Dennoch sagt mir eine innere Stimme, daß die Minze bei jedem einzelnen Dude zunächst das Bewußtsein erweitern und dann sein wahres Ich zum Vorschein bringen sollte. So konnte man erfahren, ob er der Richtige ist.«

»Konnte man erfahren? So, so.«

»Und was das exzessive Lesen angeht, kann ich mir vorstellen, daß es sich dabei auch um einen Check gehandelt hatte, bei dem eine bestimmte Eigenschaft überprüft werden sollte.«

»Aha, nichts Genaues weiß man nicht, meinst du?« Morlock wurde nun doch unruhig, weil er wohl spürte, daß ich mir das Schmerzlichste zum Schluß aufgespart hatte. »Offen gesagt redest du für mich in Rätseln, mein Freund, besser gesagt, in ungedeckten Schecks. Weder ergeben deine kriminalistischen Flickflacks, die du vermutlich deinem hochstaplerischen Paps abgeguckt hast, irgendeinen

Sinn, noch rückst du mit einer plausiblen Auflösung heraus. Du läßt alles hübsch in der Schwebe.«

»Nein, Morlock, so gern ich es auch tun würde, ich kann und will es nicht in der Schwebe lassen.« Ich blickte kurz zu Boden, atmete tief durch und hoffte inständig, daß mein Gegenüber genug Anstand aufbringen würde, um meine folgenden Worte ohne irgendwelche Ausfallerscheinungen einzustecken. »Ich glaube, daß Eloi all die Dudes umgebracht hat!«

Er fuhr hoch. »Was redest du da, Mann? Mein Vater war selbst ein Mordopfer. Das hat dir sogar dein verlogener Francis erzählt.« Als hätte ich ihm anvertraut, daß ich unter einer sehr ansteckenden Krankheit leide, ging er einige Schritte rückwärts. Dann zog er sich wie ein schmollendes Kind wieder in die Finsternis zurück, wo nur noch seine phosphoreszierend blauen Augen seine genaue Position verrieten.

»Wie man's nimmt«, sagte ich tapfer, obwohl ich diese Unterhaltung liebend gern beendet hätte. Es machte echt keinen Spaß, einem Sohn das väterliche Heldenbild zu zertrümmern. »In seinem geschockten Zustand hat Paps Elois Leiche nicht näher untersucht, anders als bei den anderen Toten. Er hat nur erzählt, daß Eloi blutverschmiert dagelegen habe.«

»Während dein Vater also furchtlos Leichenbeschau betrieb, hat mein Vater sich mit dem Blut der Getöteten angemalt und sich danach totgestellt. Na toll! Eine Sache verstehe ich dabei allerdings immer noch nicht, Junior-Boy. Wieso hat Eloi, nachdem er die Dudes komplett ausgerottet hatte, Francis leben lassen? Hat ihm vielleicht die Killer-Gewerkschaft die Arbeit nach Mitternacht untersagt?«

»Komm wieder hierher und laß uns die Sache gemeinsam klären, Morlock.« Ich stand ebenfalls auf. »Wenn du denkst, daß ich hier bin, um irgendwessen Andenken in den Schmutz zu ziehen, bist du auf dem Holzweg. Und wenn du glaubst, durch spitzfindige Zwischenfragen mein Theoriengebäude zum Wackeln bringen zu können, hast du eh schon gewonnen. Weder gibt es die perfekte Theorie, noch kenne ich alle Antworten. Ich denke nur laut nach, nichts weiter.«

»Und wie hast du dir das mit der Aufklärung so vorgestellt?«

Ohne eine Reaktion von ihm abzuwarten, steuerte ich schnurstracks den Tunnel an, der von einem wahren Berberteppich von Spinnweben verhangen war. Leise und eiskalt blies kontinuierlich der Wind durch den düsteren Schlund und blähte das Netz auf wie einen Ballon. Ich durchstieß es mit dem Kopf und begab mich in die Röhre.

»Was hast du vor?« hörte ich hinter mir Morlock aus dem Becken rufen. Es klang recht verzweifelt.

»Dreimal darfst du raten!«

Hastige Trippelschritte hinter meinem Rücken ließen mich wissen, daß er endlich aus seinem Schmollwinkel herausgekommen war und sich mir anschloß. Er holte schnell auf, und gemeinsam eilten wir nun einen gespenstischen Gang entlang, der von unvorstellbarem Dreck, noch mehr Spinnweben, undefinierbarem winterfesten Insektenvolk und hin und wieder von einem desorientierten Mäuselein gesäumt wurde. Vor allem aber herrschte hier

132

undurchdringliche Finsternis, der allein unsere Zauberaugen ein bißchen Helligkeit abgewinnen konnten. Unser beider Atem dampfte vor uns wie Lokomotivenfurz, und das Geräusch unserer über den Stein schabenden Krallen hallte unendlich nach.

»Ich habe es dir schon gesagt, in diesem Haus gibt es nichts mehr zu entdecken«, sagte Morlock. »Keine Spuren und keinen mumifizierten Kannibalen. Der Kasten ist nach so langer Zeit nur noch ein Schatten seiner selbst. Wörtlich gemeint!«

»Doppelt seltsam, wo sich doch die Immobilienpreise in dieser Gegend seitdem mindestens verfünffacht haben.«

Nach einer guten Weile erreichten wir das Ende des Tunnels, traten ins Freie und erklommen die Senke. Nichts hatte sich draußen seit jenen Jahren verändert. Jedenfalls was das Bild des weiten Areals aus Paps' Erinnerungen betraf. Bis auf den Schneemantel natürlich, von dem jetzt die wuchernde Vegetation wie von einer geleckten Platte bedeckt wurde und der unter dem Nachthimmel bläulich schimmerte. Die Sterne von vorhin waren verschwunden. Dafür legte sich Frau Holle wieder mächtig ins Zeug und erstickte regelrecht die Erde unter sich mit dem Inhalt ihrer ausgeschüttelten Betten. In weiter Ferne ragte die Villa als undeutliche Silhouette hervor. Morlock hatte recht, sie sah wirklich ziemlich übel aus. Soweit man es durch das Schneetreiben erkennen konnte, war das Dach in der Mitte zusammengestürzt, geradeso, als hätte es ein riesenhafter Karatemeister in Ermangelung eines Riesenziegelsteins in der Mitte entzweigehauen.

Wir stapften durch den Schnee und standen schließlich

vor dem Gebäude. Hatte Paps es schon damals als Ruine empfunden, so fiel mir jetzt dafür nur noch der Ausdruck »Schrott« ein. Die Sicht von weitem trog und gaukelte noch den Umriß eines halbwegs vollständigen Baus vor. Eine Illusion. Nicht allein der Putz, sondern gleich einige Mauern der einst herrschaftlichen Villa waren weggebrochen, so daß ein großzügiger Blick ins Innere frei geworden war. In den verschneiten Räumen standen vermoderte Möbelstücke und zu Türmen gewachsenes, nach technischem Equipment aussehendes Gerümpel herum, durch eingefallene Decken rieselten Schneeflocken wie Konfetti hernieder, und die geschwungenen Treppenaufgänge ähnelten, ihres einstigen kunstvollen Bombastes entschlackt, den Rippen von Dinosauriern.

»Was habe ich dir gesagt!« Morlocks Gesichtsausdruck strotzte nur so vor Genugtuung.

Ich ließ mich nicht beirren. »Du nimmst dir die oberen Stockwerke vor, und ich das untere.«

»Aber wonach suchen wir, o großer Meister?«

»Nach allem, was uns Hinweise auf den Kerl liefern kann, der vor siebzehn Jahren hier gehaust hat.«

»Geniale Idee! Glaubst du, das hätte ich nicht schon längst getan?«

Ohne eine Antwort zu geben, sprang ich auf die Veranda, die eigentlich den Namen nicht verdiente, weil sämtliche Holzplanken entweder bis zur Unkenntlichkeit morsch und brüchig geworden oder gar nicht mehr vorhanden waren, und marschierte dann durch einen mannshohen Durchbruch direkt in das Erdgeschoß. Als ich den Kopf kurz zurückwandte, sah ich an der Stelle, wo eben noch

Morlock gestanden hatte … nichts. Vermutlich wollte er das Pferd von hinten aufzäumen, will sagen, er war zur Rückfassade des Hauses geeilt, um von dort zu den oberen Stockwerken zu gelangen. Viel Glück!

Vor mir breitete sich ein Kleinod von einem altmodischen Salon aus, das mich melancholisch stimmte. Die erlesenen Ingredienzien wie holzvertäfelte Wände, ein gewaltiger Kamin und zwei spiegelverkehrt angelegte Treppenaufgänge, die nach oben zu einer ausladenden Galerie führten, waren alle unfaßbar verrottet. Die Decke wies unzählige Löcher, teilweise sogar Öffnungen mit dem Durchmesser eines Traktorreifens auf. Durch die hatte sich im Lauf der Jahre die Witterung auf brutalste Weise Zugang verschafft, so wie jetzt der Schnee, von dem jeder Winkel wie von Puderzucker überzogen war. Wieso hatte man diese einst wunderschöne Dame nicht längst einem Lifting unterzogen und ihr die einstige jugendliche Frische zurückgegeben?

Das technische Gerümpel, welches mir gleich am Anfang aufgefallen war, entpuppte sich als Unterhaltungselektronik vergangener Tage. Videorecorder, dickbäuchige Fernsehmonitore, Plattenspieler, Kassettenrecorder, Tonbänder waren samt und sonders ebenfalls an der Schwelle zur Auflösung begriffen und von einer Schneeschicht bedeckt. Wo mit der Suche anfangen? stellte sich mir die Frage, als ich den ersten Eindruck verarbeitet hatte. Obwohl ich vorhin den neunmalschlauen Detektiv hatte raushängen lassen, wußte ich nun nicht mehr, wie ich vorgehen sollte. Also spazierte ich an den kaputten Möbeln und Geräten entlang, schnupperte mal in dieser, mal in jener Ecke, und versuchte anhand der wenigen, von einem Schmutzfilm überzogenen Bilder an den Wänden etwas über den abwesenden Hausherrn zu erfahren. Ich blätterte in den sich ebenfalls im Zustand der Zersetzung befindlichen Büchern und Papieren auf dem Boden. Soweit ich erkennen konnte, waren sie wissenschaftlicher Natur und handelten von Sprache und Kommunikation. Schon nach fünf Sätzen verstand ich den Zusammenhang nicht mehr, und zwei Sätze weiter kam mir das Gelesene wie Arabisch vor. Komischer Ex-Sträfling, der sich mit solch einem hochgeschraubten Zeug beschäftigt hatte.

Schließlich stand ich ratlos inmitten des Saales und ließ mich durch die diversen Löcher in der Decke einschneien. In der düsteren Ruine schien ein heller Schleier zu tanzen. Ich versuchte krampfhaft, mir etwas Gescheites einfallen zu lassen, wie ich die desaströse Hausdurchsuchung gegenüber Morlock rechtfertigen könnte. Immerhin hatte er mir ja versichert, daß er bereits alles durchsucht habe. Apropos Morlock, wo steckte der Kerl überhaupt? Ich schaute nach oben zu den Durchbrüchen, durch die Schneeflocken wie winzige Engel herunterschwebten. Nichts, kein Morlock, nirgends.

Ich wollte gerade nach ihm rufen, als mein Blick zufällig eine Kommode streifte und daran haftenblieb. Obwohl auch dieses Möbel vom Verfall völlig entstellt war, konnte man schon von weitem die stilvollen Intarsien und Messingbeschläge an dem einst kostbaren Stück erkennen. Zwei spießförmige Kerzenständer standen unmittelbar davor auf dem Boden. Ich sprang an dem kerzenlosen Dorn des einen vorbei hoch auf die Kommode und untersuchte den Kasten genauer. Er besaß drei Schubladen mit Messinggriffen. Der Teufel ritt mich, und ehe ich mich versah, war ich auf dem Boden, stellte mich auf die Hinterpfoten und biß mich an dem Griff der obersten Schublade fest. Dann ging ich langsam rückwärts Richtung Kerzenständer und benutzte dabei das ganze Maul als elastische Zugmechanik. Anfangs blockierte die Schublade, und die Anspannung in meinem Kiefer- und Halsmuskelbereich verwandelte sich sehr schnell in Schmerz. Dann aber gab das verdammte Ding endlich nach und ließ sich herausziehen.

Sofort hechtete ich hinein. Auch hier lag nichts Besonderes – allerdings war der Inhalt diesmal privater Natur. In der Schublade befanden sich ein Goldring, dessen Siegel eine Dämonenfratze darstellte, lose, vergilbte Papiere, auf denen mit einer geradezu künstlerisch zu nennenden, geschwungenen Handschrift Ansichten ohne Sinn und Verstand festgehalten waren, und ein paar Kunststoffminiaturen von Schafen und Giraffen, offenkundig Kinderspielzeug. Danach machte ich mich über die mittlere Schublade her und öffnete sie auf die gleiche anstrengende Art wie vorhin. Darin krabbelten Insekten über verstaubtem Krimskrams: ein Handspiegel, Feuerzeuge, verrostete Schlüssel, antiquiertes Rasierzeug und so weiter. Mein Goldgräber-Enthusiasmus hatte inzwischen den Tiefpunkt erreicht, dennoch hätte ich es mir nicht verziehen, wenn ich nicht auch noch die unterste Schublade untersucht hätte. Also erneut die Zähne in den Griff gerammt, wieder das beschwerliche Herausziehen mittels Rückwärtsgang und …

Plötzlich hörte ich ein Schwirren gepaart mit einem gellenden Schrei! Es war so laut, als hätte jemand eine Kugel abgefeuert. Ich fuhr herum und sah sofort zur Decke. Instinktiv spürte ich, daß die Gefahr von oben kam. Und da war er: Batman! In dem bläulich schimmernden Schneeflockenschleier sah ich den berühmt-berüchtigten Fledermaus-Mann aus einem der Löcher auf mich niederschießen. Doch je mehr er sich mir näherte, desto offensichtlicher wurde, daß es sich bei dem erdwärts stürzenden Schatten nicht um Batman handelte, sondern um einen meiner Artgenossen, den ebenfalls ein dunkles Geheimnis umgab.

Morlock prallte mit voller Wucht auf mich, und es glich einem Wunder, daß er mir dabei nicht sämtliche Knochen brach. Er hatte mich wohl die ganze Zeit vom Rand des Durchbruchs beobachtet und in dem Moment zugeschlagen, als ich seine neuralgische Stelle entdeckte. Nachdem wir ineinanderverkeilt wie zwei in der Kühltruhe zusammengefrorene Spießbraten zur Seite rollten, verlor er keine Sekunde, mir mit seinem bis zum Anschlag aufgerissenen Gebiß an die Kehle zu gehen. Das weiß blitzende Teil, welches einem Arsenal von Stichwaffen glich, haschte wie außer Kontrolle geraten nach mir. Dabei leuchteten seine blauen Augen so überhell, als bestünden sie aus einer kochenden Masse. Der elegant dandyhafte Gesichtsausdruck von vorhin hatte sich in die kalte Fratze eines Killers verwandelt. Fauchend überschlugen wir uns mehrmals auf dem Holzboden. Keine Gelegenheit wurde ausgelassen, den anderen zu beißen, zu treten und an ihm zu zerren. Und trotz des Fellpolsters blieb es nicht aus, daß unsere Leiber tiefe Kratzer abbekamen und unser Blut die Schneeschicht unter uns rot einfärbte.

Schließlich hielt ich die Grenze für erreicht, wo bloße körperliche Bedrohung in echte Todesgefahr umzukippen drohte. Morlocks Griff wurde immer fester, seine Krallen rissen immer qualvollere Wunden in meine Haut, und sein nunmehr von offener Mordlust entstelltes Maskenantlitz mit dem beharrlich zuschnappenden Messergebiß war von meinem schon arg blutenden Gesicht nur noch Millimeter weit entfernt. In einem seiner schwachen Momente gelang es mir mit allen mir zur Verfügung stehenden Kräften, mich von ihm zu befreien. Ich vollführte einen Riesensatz auf die Kommode, war mir jedoch dabei bewußt, daß er mir unverzüglich nachsetzen würde. Deshalb stürzte ich mich sofort nach der Landung zur Seite und sah ihn auch schon im Anflug in meine Richtung. Als er bei mir eintraf, versetzte ich ihm mit den Hinterpfoten einen brachialen Tritt.

Morlock wurde nach hinten katapultiert, flog von der Kommode und stürzte auf einen der spießförmigen Kerzenständer. Das Ding durchbohrte ihn vom Bauch, die Spitze kam aus dem Rücken wieder heraus. Er sah aus, als hätte er eine Metamorphose zu einem Schmetterling hinter sich, den ein Sammler mit einer Nadel gepfählt hat. Wie ein nach unten weisendes U an dem Kerzenleuchter hängend, bewegten sich die Beine noch, als gehörten sie einer Marionette, die ihr Spieler in der Luft zappeln ließ. Aus seiner Nase und dem Maul träufelte Blut, und der keilförmige Kopf schwang irritiert hin und her. Doch nicht einmal diese finale Situation konnte seiner braunbeigen Schönheit mit den markanten schwarzen Sprühflecken Abbruch tun. Im Angesicht des Todes kam die unvergleichliche Pracht des Schmetterlings mit vielfacher Wirkung zurück. Ich schwöre es, das hatte ich nicht gewollt!

Ich sprang von der Kommode und näherte mich ihm. »Wieso hast du den Schlüssel zu deinem Geheimnis nicht zerstört, bevor ihn jemand in die Pfoten kriegt, Morlock?« fragte ich. Nur eiserner Wille hinderte mich daran, in ein großes Geheule auszubrechen.

»Weil …« Seine Zähne färbten sich dunkelrot vom herausquellenden Blut. »Weil ich nicht damit gerechnet habe, daß sich nach all den Jahren jemand dafür interessieren würde. Es war meine einzige Verbindung zu ihm, das einzige Andenken. Die untere Schublade … mein Vater … er war nur ein dummer Dienstbote, weiter nichts für den Lichtbringer.« Er schloß die Augen und gab ein trauriges Stöhnen von sich.

»Was für ein Lichtbringer?«

Morlock öffnete die Augen wieder. Das brillante Blau war trübe geworden, geradeso, als sei die Farbe aus ihnen ausgelaufen. »Er bringt das Licht, die Morgenröte, und damit blendet er dich. Aber am Ende ist um dich herum nur noch die Finsternis. Mein Vater … er hat sich von ihm blenden lassen, obwohl er nur der Fänger war …« Er spuckte einen gewaltigen Klumpen Blut aus.

»Morlock, was bedeuten diese Begriffe, Lichtbringer, Fänger? Bitte, du mußt es mir sagen, bevor du …«

»Es tut mir so schrecklich leid, Junior. Vor allem, weil ich das Geheimnis für mich behalten habe. Aber ich, ich habe ihn so sehr geliebt, meinen Vater, ich war der Wächter seines Geheimnisses …«

Ein starkes Zucken durchfuhr ihn, so daß er sich ein

140

letztes Mal aufbäumte und einen Schrei ausstieß. Dann sackte Morlock in sich zusammen und glich jäh einem reglos am Bügel baumelnden Pelzkragen.

Was mich anging, so war mir die Lust an der Geheimniskrämerei nun gründlich vergangen. Tränen traten mir in die Augen, und am ganzen Leibe zitternd ließ ich ihnen freien Lauf. Ich hatte den Kerl kaum gekannt, und durch seine krasse Abschiedsvorstellung gewann ich auch nicht gerade den Eindruck, daß er je einer der Guten gewesen war. Und dennoch hatte es diese Verbindung zwischen uns gegeben: Ein Sohn zu sein und wie ein Sohn zu fühlen, auch wenn der eigene Vater ein Scheusal war. Sein Schicksal ging mir auch deshalb so an die Nieren, weil ich es bis vor ein paar Jahren selbst geteilt hatte. Ich hatte es verdrängt, aber in Anbetracht dieses grenzenlosen Unglücks eruptierte die Erinnerung um so machtvoller. Denn auch ich hatte einst den tollen Francis, den unbekannten, nie anwesenden Vater gesucht – und schließlich gefunden. Morlock jedoch hatte nie eine Chance gehabt, seinen Vater zu finden. Eloi war ihm schon vor seiner Geburt an den Lichtbringer verlorengegangen.

Allmählich spürte ich wieder meine schmerzenden Knochen und die brennenden Kratzer, die mir derjenige beigebracht hatte, um den ich nun weinte. Doch bevor ich mich auf den beschwerlichen Weg nach Hause machte und mich von Gustav verarzten ließ, trat wie erwartet die verdammenswerte Neugier erneut auf den Plan und forderte ihren Tribut. Sie machte nicht einmal vor der Totenruhe halt! Natürlich wollte ich nun doch noch das große Geheimnis lüften, für das ich mein kostbares Blut gegeben hatte, ob-

141

wohl ich noch vor ein paar Minuten gegenteiliger Meinung gewesen war.

Ich zog die untere Schublade heraus, doch anstatt einer Schatzkarte oder eines Satzes Totenschädel oder sonst etwas Spektakulärem, das Auskunft über das vergangene Verbrechen hätte geben können, sprang mir etwas völlig Harmloses ins Auge: eine gerahmte Schwarzweißfotografie hinter zersprungenem Glas, die im Lauf der Zeit und durch Stockflecken schon ziemlich braun und schimmelig geworden war. Es handelte sich dabei um einen Zeitungsausschnitt, um eines jener Sammelstücke, welches dem eigenen Ego schmeichelt, wenn man selbst darauf abgebildet ist. Darauf blickten zwei Gestalten den Betrachter geradewegs an. Eine von ihnen war ein älterer Herr, der an einem mächtigen Schreibtisch saß und galant lächelte. Allerdings hatte man keinen abgehalfterten Greis vor sich, sondern eine recht beeindruckende und vitale Persönlichkeit. Das auffälligste an dem Mann waren seine schulterlangen, silbrig ergrauten Haare, welche das von scharfen Falten überzogene und von einer imposanten Habichtnase und stechenden Augen gekrönte Gesicht umrahmten. Er besaß einen dunklen Teint, einen breiten, wulstigen Mund und die weise Aura eines erleuchteten Gurus.

Der Alte hatte seine linke Hand auf einen alten Bekannten gelegt. Auf dem Schreibtisch saß Eloi in vollem Glanz und starrte aus seinen strahlenden Augen ebenfalls frohgemut in die Kamera. Der attraktive Siamese schien das verwöhnte Haustierchen von dem Kerl gewesen zu sein. Sein Sohn, der nun nach siebzehn Jahren wie ein grausames Denkmal sinnloser Gewalt neben mir auf dem Kerzenstän-

142

der aufgepfählt war, glich ihm bis aufs Haar. Ein kleiner Holzglobus in fahlen Grautönen, der die rudimentär kartographierte Welt vor vielleicht fünfhundert Jahren darstellte, winzige Artefakte vornehmlich afrikanischer Herkunft, ein funkelnder Krummdolch auf einem Holzständer, eine Jugendstil-Tischlampe mit Schirm aus Tierhaut und weitere Gegenstände, die ihren Benutzer als den akademischen Kreisen zugehörig kennzeichneten, standen auf der Schreibtischplatte.

Die Bildunterschrift bestätigte meine Vermutung, daß es sich bei dem Mann auf dem Foto um den ehemaligen Hausherrn der Villa handelte. Höchstwahrscheinlich hatte das Bild jahrelang an irgendeiner Wand geprangt, bis Morlock es entdeckt, von der Wand gerissen und hier in der Schublade versteckt hatte. Wie auch immer, die Bildunterschrift jedenfalls klärte einiges auf und gebar doch wieder völlig neue Geheimnisse:

Professor Eduard von Refizul, Direktor der psychiatrischen Privatklinik MORGENROT, die einstmals ein Kloster gewesen war. Bei dem in Fachkreisen hochgeschätzten Wissenschaftler sind Tiere in der Behandlung willkommen. Das Pilotprojekt der sogenannten tiergestützten Therapie soll eine beruhigende und sogar heilende Wirkung besitzen, vor allem die Kommunikation der Patienten mit ihrer Umwelt fördern. Hier mit seinem Liebling Eloi, der bei besonders schwierigen Fällen eingesetzt wird.

Von wegen kannibalischer Ex-Sträfling! Aber warum hatte ein derart hoch angesehener Psychiater in einem Abbruchhaus gewohnt? Fragen über Fragen … Eine Zeile weiter stand die Adresse der Anstalt, die meine Ohren leise zum Klingen brachte. Soweit ich es vom Hörensagen mitbekommen hatte, befand sich das ehemalige Kloster auf einer Insel inmitten eines kleinen Sees ganz in der Nähe. Nun ja, so nah vielleicht auch wieder nicht, denn wenn ich mich nicht irrte, war es von hier mindestens einen Kilometer entfernt. Meine blutenden Wunden signalisierten mir, daß es keine gute Idee wäre, jetzt auch noch dort hinzulatschen. Und wahrscheinlich mußte ich eh davon ausgehen, daß diese sonderbare Klinik nach so langer Zeit überhaupt nicht mehr existierte. Sicher war es viel vernünftiger, erst nach Hause zurückzukehren, sich behandeln zu lassen, Paps' Geschichte zu Ende zu hören und sich dann in aller Ruhe ein paar Gedanken über die weitere Vorgehensweise zu machen.

Doch *Nein!* schrie die Diktatorin namens Neugier in meinem Schädel und *Beiß gefälligst die Zähne zusammen!* Draußen dämmerte es bereits, was nicht hieß, daß mich vor der Tür ein atemberaubender Sonnenaufgang erwartete. Es schneite immer noch so verschwenderisch, als hätte Frau Holle sich zwischenzeitlich in einen Arbeitsrausch hineingesteigert, und der Himmel kam aus seiner Trübnis gar nicht mehr heraus. Das war ja eine schöne Nacht gewesen! Ich überlegte. Wahrscheinlich würden meine Kräfte ausreichen, die Strecke bis zu der mysteriösen Anstalt zurückzulegen. Aber wenn ich dann am Ufer des Sees stand, wie würde ich auf die Insel gelangen? Paps und die anderen machten sich bestimmt schon Sorgen um mich.

Entgegen dieser einsichtigen Gedanken überwältigte mich schon im nächsten Moment der Teufel der Irrationalität, und ich schlug alle Vernunft in den Wind. »Wird schon gutgehen«, hörte ich mich sagen, als ich die Villa und meinen neugewonnenen und schon wieder toten Freund Morlock verließ und mich von dem unserer Spezies eigenen, unfehlbaren inneren Kompaß leiten ließ.

Zu Anfang hielten sich die Strapazen noch in Grenzen. Angetrieben von unbarmherziger Neugier, überwand ich die schneebedeckten Gärten und Mauern souverän und im passablen Tempo. Adrenalin und Übermut halfen mir über die Schmerzen hinweg, und das regelmäßig aus meinen Wunden tröpfelnde Blut, welches im Schneemantel eine bedenkliche Spur hinterließ, versuchte ich soweit es ging zu ignorieren.

Dann jedoch versagte alle Selbsttäuschung. Die Landschaft wurde nun ländlicher, nur noch vereinzelt streifte ich an Häusern entlang. Der Wald, ein vollkommen weißes Labyrinth, tauchte schon am Horizont auf. Die Schmerzen hatten sich mittlerweile enorm intensiviert, und der Blutverlust bewirkte eine zunehmende Erschöpfung. In diesem Zustand hätte ich es nicht mehr nach Hause schaffen können, selbst wenn ich es gewollt hätte. Mein Verhalten veränderte sich, ebenso meine Wahrnehmung der Umgebung. Das qualvolle Stapfen durch den Schnee geriet immer mehr zu einem mechanischen und fast besinnungslosen *Weiter so!* Das grauweiße Szenario um mich herum verkam zu einem unwirklichen, mit jedem Schritt unschärfer werdenden Aquarell, zu dem ich mich innerlich auf Distanz begab. Durchaus möglich, daß ich inzwischen unter Unterkühlungs- oder gar Erfrierungszuständen litt, denn wenn ich die Gelegenheit gehabt hätte, mich von außen zu betrachten, hätte ich vermutlich ein mühsam kriechendes, völlig zugeschneites Fellbündel mit zu Eiszapfen gefrorenen Haarspitzen gesehen. Und einen totalen Dummkopf!

Ich weiß nicht mehr, wie es ab einem gewissen, bewußt wahrgenommenen Moment weitergegangen war. Nur schemenhaft erinnere ich mich an zu Eisskulpturen erstarrte Bäume, an wie von glühenden Eisen verursachte Qualen in meinen Eingeweiden, an mit einem Gottespinsel weiß angemalte Äcker und an eine kurze Strecke durch den Wald, in dem trotz des brüllenden Schneegestöbers wundersamerweise eine schier kosmische Stille herrschte.

Dann jedoch, als hätte ein Hypnotiseur, der den Probanden in die wache Welt entläßt, laut mit dem Finger geschnalzt, kam die Wahrnehmung glasklar wieder zurück. Ich fand mich am Ufer des Sees wieder, der mein Ziel gewesen war. In der Ferne erblickte ich die kleine Insel, von der auf dem Zeitungsausschnitt die Rede gewesen war. Die Frage, wie ich dort hingelangen würde, erledigte sich auf ganz natürliche Weise. Der See war zugefroren und einige Boote an einem ins Wasser ragenden Holzsteg gleich mit. Eiszapfen von beeindruckender Länge hingen von den Tauen, an denen sie befestigt waren. Das Seltsame war jedoch, daß auf dieser Miniinsel kein klosterähnliches Gebäude mehr in den Himmel ragte, sondern ein gigantischer, monolithartiger Protzbau, der komplett aus Glas zu bestehen schien. Und eine riesige Tafel daran mit der Aufschrift MORGENROT …

8

Draußen begann der Morgen zu grauen. Durch den vergitterten Sehschlitz, der Einblick in die Fahrerkabine des schwarzen Kastenwagens und auf die Windschutzscheibe gewährte, kamen die ersten Goldstrahlen des Sonnenaufgangs zu uns in den Frachtraum gekrochen. Die Fahrt mit dem zwangsjackengeknebelten, armen Refizul hatte nicht sehr lange gedauert. Mein innerliches Navigationssystem ließ mich wissen, daß wir nur eine kurze Strecke aufs Land kutschiert worden waren. Als nun aber der Wagen anhielt und die Hecktüren von Zack und dem Panzermann wieder aufgerissen wurden, gewahrte ich, wie radikal wir alles Städtische hinter uns gelassen hatten. Ehe ich einen spontanen Fluchtversuch riskieren konnte, hatte der zombiegleiche Zack mich schon am Nacken gepackt, und Refi wurde von dem Riesen herausgezerrt.

Wir befanden uns am Ufer eines Sees, der ob seines lieblichen Randbewuchses von einem romantisch veranlagten Gartenbauarchitekten kreiert worden zu sein schien. Sich tief ins Wasser beugende Trauerweiden, im Morgenwind wiegende Schilfrohre, moosbewachsene Steine und eine atemberaubend farbenträchtige Blütenpracht umgaben das Gewässer. Alles war flankiert von einem düsteren Mischwald, der Assoziationen an Grimmsche Märchen weckte.

Etwas Märchenhaftes konnte man auch dem See selbst mit seinem klaren Wasser und der schier perfekten Kreisform abgewinnen. Ziemlich im Zentrum befand sich eine putzige Insel, welche von einem einzigen Gebäude dominiert wurde. Es handelte sich dabei um einen altertümlichen Bau, ein ehemaliges Kloster vielleicht oder der Landsitz eines schöngeistigen Monarchen. Obgleich das eckige Mauerwerk überwiegend in romanischer Schlichtheit gehalten war, traten hier und dort kunstvolle Türmchen, Erker, Portale und Kapellenauswölbungen mit verspielter Ornamentik hervor. Die Anlage erstreckte sich zwischen zwei burgähnlichen Mauertürmen von einem Inselende zum anderen. Es bedurfte keiner großen Phantasie, sich die ungezählten Flure und Gänge im Innern des alten Kastens vorzustellen und wie leicht man sich in ihnen verirren konnte. Der altehrwürdige Bau wirkte völlig marode und grau und überhaupt dem Gefängnis des Grafen von Monte Christo nicht unähnlich. Und doch schmeichelte ihm die Morgenröte so charmant, tauchte ihn in solch berückende warme Farbtöne, daß es eine einzige Augenweide war.

Ganz in unserer Nähe ragte ein arg einsturzgefährdet wirkender Anlegesteg ins Wasser. Die krummen und schiefen Planken der morschen Holzkonstruktion krümmten sich an den Seitenenden wie die Zehennägel einer häßlichen Kreatur nach oben. Daran war eine Fähre vertäut, die offenkundig aus einem anderen Jahrtausend stammte, ein schlichter und wie von einem Schreinerlehrling an seinem ersten Arbeitstag gezimmerter Kasten und, wen wundert's, genauso morsch.

In Begleitung unserer fürsorglichen Pfleger begaben wir

148

uns zu diesem Steg. Ich schöpfte schon ein wenig Hoffnung und begann Pläne zur Flucht zu schmieden, weil ich mir ausrechnete, daß die beiden nicht dieses archaische Ungetüm lenken und gleichzeitig Refizul und mich in Schach halten würden können. Doch gerade als wir das Ende des Stegs erreichten, versperrte uns mit einem lauten Schiuuuw! eine recht beeindruckende Gestalt den Weg. Das Ganze war einigermaßen wundersam, allerdings hatte ich beim Ausbrüten der Fluchtgedanken weder nach rechts noch nach links geguckt, sondern alles um mich herum ausgeblendet, so daß es durchaus möglich war, daß ein Fremder außerhalb meines Wahrnehmungskreises aus dem Nichts auftauchen konnte.

Dieser Fremde entsprach von seinem Erscheinungsbild her irgendwie dem maroden Anlegesteg. Sein Gesicht war das eines knochigen Kröterichs, es bestand nur aus Runzeln und war trotz des Traumsommers bleich wie ein Leichentuch. Ein weißer Kaktusbart sproß ihm aus den hohlen Wangen, die milchig trüben Augen lagen in tiefen Höhlen. Der greisenhafte Mann trug einen dunklen Schlapphut aus wie mürbe gekautem Leder und eine Art Pelerine, die farblich und von der Beschaffenheit her der Kopfbedeckung ähnelte. Er stemmte sich auf einen verkrüppelten Pflock, augenscheinlich der Antrieb seines Wassertaxis zu der anderen Welt.

»Grüß dich, Charon«, sagte der Panzermann zu dem Kröterich, der so grimmig dreinblickte, als wolle er kleinen Kindern Alpträume bescheren. »Na, alles frisch? Och, Entschuldigung! Hab vergessen, daß der Ausdruck mit deiner Gesichtsfarbe kollidiert. Nichts für ungut, Mann, bring uns einfach rüber.«

»Den Obolus!« tönte Charon mit der knarzigen Stimme eines kaputten Science-fiction-Film-Roboters.

Ich glaubte an einen weiteren Witz, denn weshalb sollten die Angestellten für einen Shuttledienst zu ihrem Arbeitsplatz bezahlen, wo doch so was normalerweise von der Firma geregelt wurde? Doch es war kein Witz, ganz im Gegenteil. Der Hüne griff in die Hosentasche und zog daraus nicht irgendeinen langweiligen Schein hervor, sondern wahrhaftig einen Goldtaler. Dieser funkelte augenblendend in dem intensiver gewordenen Sonnenschein. Charon überprüfte die Echtheit der Münze, indem er mit seinen wie gesprengte Steinblöcke wirkenden Vorderzähnen hineinbiß, ließ sie dann in der Pelerine verschwinden und machte den Weg frei.

Wir stiegen in die schon zu einem Viertel überspülte, aber auch sonst alles andere als vertrauenerweckende Fähre, und der alte Fährmann am Heck tauchte seinen Pflock ins Wasser und stieß vom Ufer ab. Das Ding abwechselnd rechts und links in den Grund des Sees stechend und so das Holzvehikel vorwärts schiebend, steuerte er in Richtung der Insel. Beim Näherkommen gab das prächtige und leider doch so heruntergekommene Gebäude immer ausgeklügeltere architektonische Details preis. Nach der Hälfte der Strecke begann uns Dunst einzuhüllen. Es war nicht ungewöhnlich, daß zu dieser Jahreszeit, da in der Frühe die morgendliche Wärme auf das in der Nacht abgekühlte Wasser traf, Nebelphänomene über den Gewässern entstanden. Ungewöhnlich waren nur die Dichte des Dunsts und die schlangengleich tanzenden Schwaden, die der Szenerie etwas Gespenstisches verliehen. Das Sonnenlicht durchflutete den Brodem und ließ bizarre Diffusionseffekte entstehen.

Während der ganzen Zeit schaute Refizul nachdenklich vor sich hin und schwieg. Er schien sich mit seinem Schicksal abgefunden zu haben. Ich selbst hatte mich inzwischen an meinen Entführer Zack gewöhnt, der mich auch nicht mehr grob am Nacken packte, sondern ganz lieb im Arm hielt. Wenn er mich gleich auch noch mit einem delikaten Mahl überraschte, würde ich ihn, so ausgepowert wie ich mich fühlte, glatt heiraten.

Wir erreichten endlich das andere Ufer, verließen die Fähre und gingen an Land, während Charon unverzüglich zurücksetzte. Vor dem spitzbogenförmigen, mit einem Zierband geschmückten Haupttor stand auch schon das entsprechende Begrüßungskomitee: zwei zahnlose, alte Frauen und ein Mann, der der König der Bekloppten zu sein schien. Sie steckten in weißen Nachthemden und empfingen Refizul wie einen Triumphator. Als sie ihn ankommen sahen, begannen sie zu tanzen, stimmten irgendwelche Gesänge an und vollführten mit wirrem Blick Gesten der Anbetung.

Trotz der Hosianna-Rufe gelang es mir, mich kurzzeitig in die Betrachtung des schmucken Portals zu vertiefen. Aus dessen Einfassung traten in kohlschwarzem Stein gemeißelte Köpfe, Fratzen, Torsos, Tiergestalten und greuliche Mythenwesen hervor. Alle Figuren hatten eine von Schrecken und Qual geprägte und grotesk verrenkte Pose eingenommen, aus traurigen Augen starrten sie in ein namenloses Grauen. Sie schienen gefangen in einem furchtbaren Ort, an dem allein Gewalt und Schmerz regierten.

151

»Refizul, o anbetungswürdiger Refizul!« kreischte eines der Weiber, dessen schlohweiße Haarpracht einem von talentlosen Vögeln gebauten Nest ähnelte. Sie sah aus wie eine Hexe in Rente. Die Gesichtshaut erinnerte an zerknülltes Recyclingpapier, die Augen waren groß wie Pingpongbälle, die Lippen über die Ränder hinaus scharlachrot geschminkt. Anscheinend handelte es sich bei dem alten Gemäuer um eine sehr fortschrittliche Institution, wenn die Irren schon von Irren abgeholt werden durften. »Wie ist es dir in deinem Königreich ergangen? Du mußt uns alles erzählen.« Sie war ganz aufgeregt.

»Ja, später, Clara.« Refizul rang sich ein künstliches Begrüßungslächeln ab, während er von dem Panzermann rüde vorwärts geschubst wurde.

»Du bist aber ein schöner Neuzugang. Wie heißt du denn?« hörte ich plötzlich an meinem rechten Ohr eine säuselnde Stimme. Ich drehte mich um und erblickte die männliche Verkörperung des Wahnsinns neben mir. Der alte Knabe mit dem dünnen weißen Haarkranz um die wie poliert wirkende Glatze stank zum Herrgottserbarmen. In dem schmutzigen Nachthemd und mit der gebrochenen und abstrus schief gewachsenen Nase, den Knopfaugen und dem Stoppelbart war er der Inbegriff des Revoluzzer-Idols sämtlicher Seniorenheime. Er haschte nach mir, doch Zack, der mich anscheinend mittlerweile ins Herz geschlossen hatte, hielt mich wie eine eifersüchtige Mutter von ihm fern. Nichtsdestotrotz trippelte er mit dem enthusiastischen Ausdruck eines Kindes, das in der Zoohandlung zum ersten Mal ein Meerschweinchen gesehen hat, neben mir her und machte mit den Fingern alberne Kille-kille-Bewegungen.

»Meinst du mich?« fragte ich aus reiner Verzweiflung.

»Na klar, wen denn sonst«, erwiderte er.

Hoppela! Schon wieder einer, der unsere Sprache verstand. Anscheinend hatte Refizul die Kunst aller Künste doch erst in dieser Akademie erlernt. Oder gestaltete sich die Sache vielleicht eher so, daß die Zwiesprache zwischen Mensch und Tier eine Domäne der Verrückten war, was eigentlich zum lustigen Allgemeinwissen gehörte? Ermüdende Gedanken, die zu Ende zu denken nach Ende der Ermüdung angebracht waren …

»Sorry, Jetlag«, wimmelte ich ihn ab.

»Macht nichts, hab jetzt eh einen Termin bei Gott«, sagte er und trat irre kichernd zurück.

Wir gelangten zum Hauptgebäude, welches meine schlimmsten Erwartungen übertraf. Ich hatte mir das Innere als einen gefängnisähnlichen Ort ausgemalt. Das mit dem Gefängnis stimmte, bloß hatte ich nicht ahnen können, daß hier Zustände wie in den allerersten Anfängen des Gefängniswesens herrschten. Wir durchquerten einen unendlich scheinenden Korridor mit spitzbogigem Tonnengewölbe, der rechterpfote von kerkerähnlichen Zellen gesäumt war. Diese waren fensterlos und beherbergten jeweils nur eine schmutzige Pritsche, eine zersprungene Waschschüssel und als Abort ein Loch im Boden. Selbstverständlich war jedes Verlies mit einem individuellen Design gestaltet, sei es in Gestalt von chaotischen Schmierereien an den Mauern oder nicht minder verschrobenen, aufgeklebten Collagen aus Zeitungs- und Magazinschnipseln. Gitterwände mit gurkendicken Eisenstäben dienten sowohl als Eingang als auch als eine perfekte Überwachungsmethode, um das Treiben der Insassen drinnen im Auge zu behalten.

Aber – und dieses Aber hatte es in sich – sämtliche Gitter standen offen! Die spektakuläre Folge davon konnte man auf dem Korridor besichtigen. Die Patienten lungerten nicht still und leise herum, sondern veranstalteten im wahrsten Sinne des Wortes ein wahnsinniges Theater. Die Irrentruppe bestand aus fratzenschneidenden, wirr monologisierenden Wortakrobaten, Volksreden an unsichtbare Untertanen haltenden Möchtegern-Majestäten, Pantomimen, die dadaistische Aufführungen veranstalteten, und Frauen, die den Verben *kreischen* und *keifen* reale Bedeutung verliehen. Die greisenhaften Leute in Nachthemden waren zu hundert Prozent unfaßbar häßlich, teilweise entstellten Narben ihre Gesichter und Körper, sie stanken nach Fäkalien und pafften nonstop Selbstgedrehte. Es war tatsächlich die Hölle!

Doch als sei diese eh schon im Übermaß vorhandene Konfusion nicht genug, wuselten zwischen den alten Radaubrüdern und -schwestern auch noch Vertreter meiner Art herum. Ich konnte einen durchtrieben aussehenden schwarzen Orientalen ausmachen, dessen schmaler Körper so langgezogen war wie ein Ofenrohr, einen fetten schneeweißen Perser, viele Angehörige der Rasse Rex mit ihrem lockigen, plüschigen Fell und der charakteristischen »römischen« Nase, aprikosenfarbene Burmas und jede Menge Promenadenmischungen. Sie schienen mit den Irren in einem ständigen Dialog, um nicht zu sagen, in einer innigen Beziehung zu stehen. Das ewige Miauen, Jaulen, Fauchen und andere, undefinierbare Laute vermischten sich mit dem Geschnatter der Insassen, und alles zusammen erwuchs sich zu einer unerträglichen Kakophonie.

Zunächst konnte ich mir diese eigenwillige Konstellation von Mensch und Tier ausgerechnet in einem Sanatorium, wenn auch in einem skandalös verwahrlosten, nicht erklären. Dann jedoch regten sich Erinnerungsfetzen in meinem Kopf, die wohl aus dem Studium von medizinischen Büchern im Brunnenbecken hängengeblieben waren. Soweit ich mich entsann, war darin die Theorie vertreten worden, daß Tiere im Krankenhaus- und Seniorenheimalltag nützliche Dienste zu erweisen vermögen. Der Kontakt mit der animalischen Kreatur zeigte bei den Patienten vielerlei positive Wirkungen. Das Immunsystem wurde gestärkt, die Heilung schritt schneller voran, es trat eine allgemeine Beruhigung ein, und das Gefühlsleben insgesamt erfuhr eine Bereicherung. Weshalb allerdings solch fortschrittliche Methoden ausgerechnet in einer Horror-Klapsmühle zur Anwendung kamen, blieb ein Rätsel.

Als die Irren uns Neuankömmlinge erblickten, ließen sie schlagartig von ihren verrückten Aktivitäten ab. Es war unverkennbar, daß sie Refizul als eine Art Star betrachteten, dessen Rückkehr unter ihnen große Freude auslöste. Einer nach dem anderen kamen sie zu ihm, auch das Tiervolk, streichelten über seinen aus der Zwangsjacke wie ein Puppenkopf mit Perücke herausragenden, silbrig ergrauten Schädel und redeten wirr auf ihn ein.

Der schwarze Orientale, ein ziemlich nervöses Bürschchen, sprang Refizul gleich auf die Schulter und fummelte vor Begeisterung mit den Pfoten an ihm herum. »Mensch, Alder, daß ich das noch erleben darf«, sagte er und schleck-

155

te ihm mit einer fast roten Zunge übers Gesicht. »Gestern noch als schizoclean entlassen, und heute wieder rückdeportiert in die Bekloppten-Haute-Couture. Hast du etwa da draußen was von Marsmännchen verlautbaren lassen, die pausenlos die New Yorker Börse manipulieren? Ich meine, so abwegig ist das ja nicht, wie meine Untersuchungen klar belegen.«

»Nein, Efendi, es ist das alte Lied«, erwiderte Refizul, während er vom Panzermann vorwärts gescheucht wurde. »Sie wollen es einfach nicht hinnehmen, daß ich mit euch sprechen kann.«

»Ist klar, Alder, würde denen einige Probleme bereiten. Ich frage mich nur, wieso du erst hinausgehst, um die ganze ungläubige Bande davon zu überzeugen, wo du es doch in all den Jahren nicht einmal bei dem Fettarsch hinter dir geschafft hast. Ich meine, immerhin bist du doch der Chef hier und könntest es dir wie Gott in der französischen Kloake gutgehen lassen.«

Efendi quatschte in seiner wohl allein dem hiesigen Publikum verständlichen Art noch weiter, während ich alles um mich herum ausblendete, um mir selbst zwei gewichtige Fragen zu stellen. Hatte Refizul vor ein paar Stunden in der Villa nicht behauptet, daß er zeit seines Lebens auf das Wunder der Kommunikation zwischen Mensch und Tier gehofft habe, welches erst durch mich vollbracht worden sei? So wie es aussah oder besser gesagt, so wie es sich anhörte, schien dieses Wunder hier der Normalfall zu sein. Denn ich merkte, daß sich auch die anderen Geisteskranken frei von der Leber weg mit den Kreuchenden und Fleuchenden unterhielten. Da hätte Refizul sich weiß Gott nicht in Unkosten stürzen und tonnenweise audiovisuellen Schrott anschaffen brauchen. Und, was eigentlich die wichtigere Frage war, wieso sollte Refizul, wie dieser Efendi gesagt hatte, ein Chef hier sein? Meinte er, Refizul sei der Chef derjenigen, welche die New Yorker Börse durch Marsmenschen unterwandert sahen, oder der Chef der Klapse? Oder wie?

Während ich noch über derlei Ungereimtheiten sinnierte, kamen endlich diejenigen zum Vorschein, die in einer Heilanstalt sowie in jeder anständigen Medi-Soap die glorreichen Hauptrollen spielen: die Ärzte. Ihr Auftritt übertraf alles, was ich bis dahin gesehen hatte. Ein ganzes Kolloquium marschierte uns vom anderen Ende des Korridors entgegen. Gleich fünf Docs in strahlend weißen Kitteln bahnten sich in einer geraden Reihe den Weg durch das verrückte Volk. Dieses sprang angesichts ihrer Präsenz verängstigt zur Seite, so daß man von einer von den Docs verursachten Schneise reden konnte. Seltsamerweise sahen diese weniger wie Ärzte aus denn wie – Schaufensterpuppen. Die jungen Herren trugen akkurat rechtsgescheitelte, kurze schwarze Haare und waren frisch rasiert. Ihre ebenmäßigen Gesichter strotzten nur so vor Gesundheit, und ich hätte mich schwer getäuscht, wenn auch nur einer von ihnen unter eins neunzig groß gewesen wäre. Soweit die übernatürlich leuchtenden Kittel eine optische Abtastung zuließen, besaß ein jeder von ihnen den Body eines Athleten. Um ihre Mundwinkel spielte dieses manierierte Dauerlächeln, welches auch Versicherungsvertretern zu eigen ist. Ihr ganzes Wesen strahlte einen derartig aufgesetzten Optimismus aus, daß selbst um die Wette lächelnde

157

Hutmodels aus den Fünfzigern dagegen vergeblich angestunken hätten. Allesamt hielten sie Klemmbretter mit Notizen in den Händen.

Allmählich waren sie so nahe, daß ich die Namensschildchen auf ihrer Brust entziffern konnte. Der Typ in der Mitte hieß Dr. Gabriel. Das durch die Luken unterhalb der Decke flutende Morgenlicht verlieh ihm eine goldene Aura, so daß er wie eine idealisierte Figur aus einer Glasmalerei wirkte. Links von ihm befand sich ein gewisser Dr. Michael, der merkwürdigerweise silbern reflektierte, und rechts ein Dr. Raphael. Bei den beiden an den Seiten schien es sich um ausländische Ärzte zu handeln: Dr. Uriel und Dr. Raguel. Doch im Grunde war es völlig egal, wie sie hießen, denn offenkundig kamen alle aus derselben Fabrik. Sie hatten etwas an sich, als müßten sie auf der Stelle die Rolle mit ihren Patienten tauschen, sobald ihre tägliche und nicht zu knapp bemessene Ration Valium auf einen Schlag abgesetzt würde.

»Wie ich höre, hast du über die Stränge geschlagen, Refizul«, sagte Dr. Gabriel und lächelte milde, als die ganze Truppe vor uns stoppte. Der Mann nannte eine Stimme sein eigen, die selbst Granit zum Schmelzen gebracht hätte. Der irgendwie liebliche Ton war sicherlich Teil einer therapeutischen Methode, die er sich auf etlichen Weiterbildungsseminaren hart erarbeitet hatte. Die Irren und ihre haarigen Betreuer hatten peu à peu ihre konfusen Selbstgespräche eingestellt. Sie waren den Göttern in Weiß hinterhergeschlichen und beobachteten den Verlauf der Geschehnisse mit angehaltenem Atem.

»Nein, eigentlich nicht. Nun ja, ein bißchen, ein klitzekleines bißchen«, wand sich Refizul, den der Panzermann dem Oberdoc wie ein entflohenes und wieder eingefangenes Raubtier stolz entgegenhielt. Seine langen Silberhaare schwangen gleich eines Fransenvorhangs vor seinem knitterigen Gesicht, welches in der Hoffnung auf Minderung der zu erwartenden Strafe ganz reumütig geworden war. Ich konnte mir nicht vorstellen, daß solch psychosadistischer Druck auf Patienten überhaupt erlaubt war, doch ein Blick auf das vorsintflutliche Ambiente lehrte mich eines Besseren.

»Refizul, ich hätte gedacht, daß der Chef sich in dieser Sache unmißverständlich ausgedrückt hätte«, fuhr Gabriel fort. Nanu, schon wieder ein Chef, diesmal ein neuer, der sogar über den sauberen fünf stand? »Wir hatten doch eine Abmachung. Deiner Entlassung wurde zugestimmt, weil du zugesichert hast, diese Wahnvorstellung mit dem Tiersprech nicht weiterzuverfolgen. Du hast uns dein Wort gegeben. Doch nun müssen wir enttäuscht feststellen, daß die letzten dreißig Jahre mühsamer Therapiearbeit verlorene Jahre waren.«

»Aber das ist keine Wahnvorstellung!« schrie ich den Doctores unbekümmert zu. »Er kann tatsächlich mit uns reden.« Natürlich war der Zwischenruf ein Reflex, ein spontaner Protestausbruch in Anbetracht der schlimmen Demütigung, die diesem bemitleidenswerten Mann widerfuhr. Ich rechnete nicht damit, daß mich einer von diesen geschniegelten Psycho-Robotern verstehen würde. Doch mein Ausruf war kaum verhallt, da wandte sich Dr. Michael, der Silberne, mit seinem Plastikantlitz und seiner Plastik-Seitenscheitel-Frisur zu mir und warf mir

159

einen vernichtenden Blick zu, der locker die Sprengkraft einer A-Bombe überbot. Ich konnte mich irren, aber in seinen mit einem Mal so schwarz wie Rohöl gewordenen Augen vermeinte ich sogar so etwas wie die hochzüngelnden Flammen eines brennenden Rohölsees zu sehen. Er hatte mich gehört und meine Worte verstanden. Es handelte sich also wirklich um ein Komplott, wie Refizul in der Villa beteuert hatte. Er hatte ja so recht gehabt, als er in dieser Sache dunkle Mächte oder von mir aus einen inkompetenten Medizinapparat verdächtigte. Gewisse Kreise wollten nicht, daß die Menschen mit den Tieren sprachen und umgekehrt.

»Es ist ganz einfach, Refizul«, fuhr Dr. Gabriel fort. Ein kaum wahrnehmbarer und sehr dubioser Seitenblick zu seinem Kollegen verriet mir, daß er den nonverbalen Austausch zwischen ihm und mir registriert hatte. »Dies ist eine Heilanstalt, sie dient dazu, Leuten wie dir zum inneren Frieden zu verhelfen. Angesichts deines besorgniserregenden Krankheitsverlaufs haben wir uns große Mühe gegeben. Schließlich wurdest du entlassen, wenn auch nicht als vollständig geheilt, so doch nach dem Urteil aller keine Gefahr für die Welt da draußen. Du durftest sogar ein von uns zur Verfügung gestelltes Haus beziehen.«

Häh? Hatte Refizul bezüglich der vermoderten Villa nicht erwähnt, daß er nach seiner Gefangenschaft zurück in das Haus seines Vaters gekehrt sei? Was redete der Kerl da überhaupt?

»Vielleicht kannst du dich nicht mehr entsinnen, weshalb du hier überhaupt eingeliefert wurdest. Oder doch?«

»Ähm, ja, schon, ja, so in etwa«, stammelte Refizul. Er

160

hätte in Erwartung der drohenden Bestrafung jetzt sogar zugegeben, daß die Erdkugel ein Würfel sei. Denn daß eine drakonische Strafe folgen würde, war so klar wie der Unterschied zwischen Kugel und Würfel.

»Siehst du, selbst dieses verhängnisvolle Vergehen haben wir dir verziehen«, sagte Dr. Gabriel. Er sah plötzlich gar nicht mehr wie eine Schaufensterpuppe aus, sondern wie ein einfühlsamer junger Mann im Dienste einer Dritte-Welt-Organisation, der Buschmenschen von dem althergebrachten Brauch des Aufessens ihrer Anverwandten abbringen will. »Du weißt, warum. Weil wir den freien Willen respektieren. Es ist ein schmaler Grat zwischen dem freien Willen und dem Wahnsinn und ein noch schmalerer zwischen dem Wahnsinn und dem Grauen. Stets muß austariert werden, welcher uns gerade umtreibt. Doch wie heißt es bisweilen vor Gericht so schön: im Zweifel für den Angeklagten. Im Zweifel geben auch wir stets dem freien Willen den Vorzug. Das ist die wichtigste Spielregel, die uns der Chef auferlegt hat. Du mußt auf das, was du anstrebst, aus freien Stücken verzichten. Nichtsdestotrotz gibt es eine Grenze, und du hast diese Grenze ...«

»Bitte, ich werde die Grenze nicht mehr übertreten«, flehte nun Refizul wie um sein Leben. »Nie mehr, das verspreche ich hoch, ähm, ja, auch heilig! Diese Sache mit der Tiersprache, sie rührt eher von einer alten Gewohnheit her. Das ist nicht so wichtig.«

»Du lügst, Refizul! Du weißt, daß es die wichtigste Sache ist. Die letzte wichtige Sache.«

Ich wurde bei dem ganzen kryptischen Gebrabbel das Gefühl nicht los, daß es dabei um weit mehr ging als darum, einem chronischen Geisteskranken seine Flausen auszutreiben. Zwischen den Zeilen vermeinte ich die Handschrift geheimer Machenschaften zu lesen. Aber was sollte dann dieses Gerede über den freien Willen? Lag es tatsächlich in Refizuls Hand, der Kommunikation mit Tieren abzuschwören und dann fürderhin ein freies Leben zu führen? Doch wie hätten sich in diesem Falle diejenigen, die ihn über dreißig Jahre lang eingesperrt und mundtot gemacht hatten, sicher sein können, daß der Kerl nach seiner Entlassung nicht zum erstbesten Fernsehsender lief, um die Wahrheit ans Tageslicht zu bringen? Weshalb hatte man den Alten nicht einfach umgebracht und somit einen Schlußstrich unter die leidige Geschichte gezogen? Und wie stand das alles in Zusammenhang mit den grausam hingemeuchelten Dudes, eine Verbindung, von der ich immer noch überzeugt war, daß sie existierte? Fragen über Fragen, die zu beantworten mir das plötzlich einsetzende Knurren meines Magens vorläufig verbat. Obgleich ich für den um Abbitte heuchelnden und sein Lebenswerk verleugnenden Refizul tiefstes Mitgefühl empfand und obwohl ich seinen Peinigern am liebsten ins Gesicht gesprungen wäre, meldeten sich nun weniger idealistische Bedürfnisse und verlangten nach Befriedigung. Da fügte es sich ideal, daß Dr. Gabriel anscheinend zum Schlußwort ansetzte.

»Es tut mir leid, mein Lieber«, sagte er. »Aber meine Kollegen und ich halten dich für zu intelligent, als daß du über die Konsequenzen deiner Bestrebungen nicht Bescheid hättest wissen können. Du bist schon einmal gefallen, Refizul, und viele Male danach. Manchmal hast du gewonnen, manchmal wir. Doch das letzte Gefecht wirst und kannst du nicht gewinnen. Denn dafür brauchst du einen Verbündeten, der stärker ist als du selbst. Deshalb wird die Therapie wieder aufgenommen – und die Heilung beginnt!«

»Nein! Nein!« schrie Refizul, und seine Stimme überschlug sich dabei wie bei einem Teenager im Stimmbruch. »Nicht die Therapie, bitte nicht die Therapie, Dr. Gabriel!« Er tobte in der Zwangsjacke, doch der Panzermann und Zack, der mich endlich zu Boden gleiten ließ, wußten ihn zu bändigen. Auch die anderen Doktoren griffen jetzt ein. Wie mit den Armen eines Oktopus wurde der Alte von allen Seiten gepackt und mit gemeinsamen Kräften in Richtung des Ausgangs am Ende des Korridors geschleift. Die um sie versammelten Verrückten bildeten erneut eine Gasse. Dabei stießen sie ängstliche Schreie aus, nahmen ihre bizarren Selbstgespräche und Aktivitäten von vorhin mit doppelter Intensität wieder auf oder gerieten in spastische Verzückung. Einige von ihnen warfen sich aus lauter Solidarität mit Refizul zu Boden, krochen neben ihm auf allen vieren und streckten ihm zitternde Hände entgegen, als sei er ein verkannter Heilsbringer.

Schließlich hatten ihn seine Peiniger aus dem Korridor geschafft, und der Panzermann baute sich mit verschränkten Armen und einem furchteinflößenden Blick vor dem Ausgang auf. Die Irrenschar heulte auf, doch da der Zugang zu ihrem Märtyrer von diesem Brocken versperrt war, blieb ihnen wohl oder übel nicht anderes übrig, als sich allmählich zu zerstreuen. Der kurzzeitige Auflauf vor dem Nadelöhr kam mir gerade recht, und da der Panzermann damit beschäftigt war, giftige Blicke zu der hyperaktiven Greisenmeute auszusenden, schlüpfte ich still und leise zwischen seinen Beinen hindurch und folgte dem Verschleppten.

Zack und die Ärzte schleiften Refizul durch endlose, katakombenartige Flure, die lediglich ab und zu von winzigen Fenstern mit einem diffusen Licht versorgt wurden. Der Alte flehte und bettelte immer noch. Gelegentlich ging es auch eine aus Gesteinsblöcken gehauene Treppe hinab, oder wir passierten düstere Kammern mit dem Interieur eines vor Äonen stillgelegten Schlachthauses, in denen vorsintflutliches medizinisches Instrumentarium lagerte. Vor allem blieb mir eine hübsche Anzahl von verrosteten, länglichen Gasflaschen im Gedächtnis haften, deren Inhalt wohl aus Gemischen für die Narkose oder für andere, undefinierbare Zwecke bestand.

Schließlich verschwanden alle in einem kleinen Eingang, der keine Tür besaß. Während ich mich vorsichtig dem Türbogen näherte, vernahm ich von drinnen ein ohrenbetäubendes Poltern und Refizuls verzweifelte Schreie. Es hörte sich an wie eine Teufelsaustreibung. Obwohl ich keine rechte Lust mehr hatte, mich als Voyeur des Grauens zu betätigen, trieb mich die verdammte Neugier schlußendlich bis zu der Schwelle, und ich lugte um die Ecke.

Es war ein Bild wie aus einem Horrorcomic. Die von einer nackten Glühbirne erleuchtete Kammer war vollgestopft mit Gerätschaften, die allem Anschein nach aus der Zeit vor dem Zweiten Weltkrieg stammten. Meßinstrumente, allesamt trübe Kästen, in deren Anzeigen es wie bei Opas Dampfradio bräunlich glühte. Weinrote Dioden schimmerten geheimnisvoll, und rote Nadeln zuckten nervös. Klobige Hebel und untertellergroße Drehknöpfe schmückten zylinderförmige Apparaturen. Geriffelte Schläuche und Kabel wanden sich wie eine Armee von gefährlichen Schlangen in den Eingeweiden des metallenen Gerümpels und verliehen ihm etwas von einem morbiden Sumpf. Der ganze Ort war von einem elektrischen Brummen erfüllt.

Die Ärzte hatten Refizul die Zwangsjacke abgenommen und ihn mit an der Stirn, am Brustkorb und an den Beinen verlaufenden Lederriemen auf einer Untersuchungsliege festgezurrt. Ein Gummiknebel war ihm in den Mund gerammt worden, so daß er außer gepreßten Uhhs! nichts herausbrachte. Dr. Gabriel und Dr. Michael tunkten gerade tennisballgroße Tupfer in eine Schüssel Wasser und befeuchteten damit die Schläfen des Zwangspatienten. Derweil trat Dr. Uriel mit einer Art Geburtszange aus dem Hintergrund. Von den kunststoffisolierten Griffen des riesigen Dings führten Kabel in eines der altersschwachen Geräte. Nachdem der Alte hinreichend leitend gemacht worden war, wurde die Zange an seine Schläfen angesetzt. Dr. Gabriel machte ein Zeichen zum Zurücktreten und drückte dann genüßlich einen hinter ihm befindlichen Hebel abwärts. Es dauerte eine Weile, bis sich die Uralt-Technologie mit genügend Elektrizität aufgeladen hatte. Dafür war das Resultat um so spektakulärer. Der durch die Zange fließende Strom bewirkte augenblicklich einen Energieabfall, und das eh an eine Funzel erinnernde Licht der Glühlampe wurde noch wesentlich schwächer. Die Geräte ringsum gaben ein Stöhnen von sich; kurzzeitig trat ein Stroboskoplicht-Effekt ein, der alle Gesichter grotesk entstellte.

Durch den Elektroschock bäumte sich Refizuls knochiger Körper wie von Dämonen malträtiert auf, zuckte unwillkürlich und erschauerte. Sein Gesicht verzerrte sich im Krampf bis zur Unkenntlichkeit, und es stiegen kleine Rauchschwaden aus seinen Nasenlöchern auf. Seine Gesichtshaut färbte sich krebsrot, und die gequälten Laute, die er von sich gab, hörten sich an wie das Stöhnen unglücklicher Seelen in der Hölle.

Ich konnte gegen dieses Unrecht nichts, aber auch rein gar nichts ausrichten. Und so ließ ich meinen Tränen freien Lauf und weinte um einen Mann, einen guten Menschen, der nichts anderes wollte, als die längst überfällige Harmonie zwischen Mensch und Tier herzustellen, und dafür nun so furchtbar bestraft wurde. Ich weinte auch um meine Freunde und meine geliebte Madam, die diese Elektroschock-Freaks bestimmt auch auf dem Gewissen hatten. Und zum ersten Mal in meinem jungen Leben ging mir auf: Tränen sind immer das Ende ...

Ich verdrängte die bitteren Tränen, die mich aus dunkelster Vergangenheit zu überwältigen drohten. Allmählich kamen Blaubart und ich in die Nähe der Gegend, in der sich der Garten mit dem Brunnen befand. Siebzehn Jahre lang hatte mich eine panische Scheu davon abgehalten, hierher zurückzukehren. Zu sehr waren die Erinnerungen mit Bildern des Entsetzens verbunden. Und nun, da das Heute auf das Gestern treffen sollte, war es wieder ein schlimmer Anlaß, der den Kreis schloß. Es sei denn, Junior pennte gegenwärtig tatsächlich in irgendeinem Keller, träumte von rolligen Sommerschönheiten und hätte sich wahrscheinlich vor Lachen selbst bespritzt, wenn er uns beiden Alten bei diesem Weltuntergangswetter auf den Dächern hätte herumturnen sehen.

Der Schneesturm tobte immer noch mit unverminderter Kraft über unseren Köpfen. Die Wanderung über die windumtosten Dächer hatte mich und Blaubart ganz schön mürbe gemacht. Ich schaute zurück und sah meinen alten Freund durch den weißen Mantel stapfen. So eingeschneit wie er inzwischen war, sah er wie ein geschrumpfter Polarbär aus. Sogar seine Schnurrhaare ähnelten in Schlagsahne getauchten Zahnstochern. Der gute Blaubart! Wenn es jemanden gab, dem ich Unsterblichkeit wünschte, dann diesem treuen Freund. Es war übrigens ein rein egoistischer Wunsch. Denn was würde ich wohl ohne ihn machen? Wem sonst könnte ich meine intimsten Sorgen anvertrauen und wen um Hilfe bitten, wenn ich in einer echten Klemme steckte so wie jetzt? Und welchem durch und durch anständigen Kumpel sonst könnte ich wohl meine Kumpelliebe schenken?

»Scheiße nein, wenn wir nicht bald bei diesem verdammten Brunnen sind, dann kann ich mich gleich in die Kühltruhe legen und darauf hoffen, daß mich jemand zum Abendessen in die Mikrowelle schiebt«, sagte er schnaufend. »Ich spüre vor Kälte schon meine Eier nicht mehr. Vielleicht sind die Dinger auch längst abgefallen. Ich hoffe, dein blöder Sohn weiß das große Opfer zu würdigen.«

»Reg dich ab, Blaubart«, entgegnete ich. »Ich hab das Gefühl, daß wir endlich da sind.« Ich machte halt und blickte vom Dach eines der höchsten bislang von uns bewältigten Gebäude hinunter. Obwohl das Schneetreiben die Sicht erschwerte und dort unten durch den Puderzuk-ker-Look selbst markanteste Einzelheiten gleichförmig wirkten, sprang mir der Brunnen sofort ins Auge. Er existierte also immer noch. Die Ziegelsteinmauern um den Garten, in dem der Brunnen stand, die einst verfallenen alten Häuser und die früher verwilderte Flora – das alles war im Lauf der Zeit proper hergerichtet und zu einem Reservat der oberen Mittelschicht geworden. Rote Kaminglut leuchtete hinter vielen Fenstern der restaurierten Häuser. Blaubart stellte sich neben mich und schaute ebenfalls in das Tal der Saturierten.

»Da unten ist es, Blaubart«, sagte ich. »Ungefähr in der Mitte dieses Setzkastens befindet sich der Brunnen. Wir müssen nur noch eine Möglichkeit finden, wie wir von diesem Dach wieder herunterkommen.«

»Scheiße nein, das glaube ich nicht, Francis. Wir müssen eher eine Möglichkeit finden, wie wir unsere jugendliche Kraft ganz schnell wieder zurückbekommen. Sonst kriegen wir nur noch einen Brunnen zu Gesicht, und zwar den Jungbrunnen – im Jenseits!«

Ich konnte seinem komischen Kommentar nichts abgewinnen, wandte mich zu ihm und sah ihm geradewegs ins deformierte Antlitz. Der Einäugige hatte sich von den Gärten unter uns abgewandt und glotzte über meine Schulter ganz woanders hin. Ich folgte seinem Blick und drehte mich schließlich um die eigene Achse. Nun ja, wie soll ich sagen, jetzt verstand ich Blaubarts Kommentar, auch wenn ich in diesem Fall gerne der Ignoranz den Vorzug gegeben hätte.

In der Ferne zwischen den mächtigen, unheilschwanger paffenden Schornsteinen und den schneckenhausförmigen

Gauben standen fünf Gestalten und starrten uns an. Das Schneetreiben verwandelte auch sie in gespensterhafte Wesen, wiewohl ich sie dem Geschlecht der Felidae zuzuordnen vermochte. Seltsamerweise waren sie überhaupt nicht eingeschneit, sondern wurden von den inflationären Schneeflocken großzügig umflogen. Samt und sonders gehörten sie der Rasse der Abessinier an, die älteste Rasse unserer Art überhaupt. Die luchsähnlichen, mit schwarzen Ohrpinseln ausgestatteten Gesellen besaßen einen langen, schlanken orientalischen Körpertyp. Aufsehenerregend war ihr sandfarbenes Fell mit schwarzen Streifen an den Beinen, der Brust und am Schwanz. Dieses einzigartige, sogenannte getickte oder gebänderte Fell ging auf ein mutiertes Gen zurück, welches dafür sorgte, daß jedes Haar zwei oder mehrere dunkle Bänder trug. Ihre Vorfahren stammen aus dem Niltal, was ihre frappierende Ähnlichkeit mit jenen Artgenossen erklärt, die von den alten Ägyptern gemalt und modelliert wurden. Mit ihren hellgrünen Augen, dem fast golden leuchtenden Wüstenkleid und den übergroßen Lauschern wirkten diese fünf, als hätte sie ein böser Fluch aus dem Traumreich der Hieroglyphen in diese unwirtliche Gegend verschlagen.

Sie standen reglos am anderen Ende des Daches und musterten uns starren Blicks. Etwas Unheimliches ging von ihnen aus, geradeso, als wären sie warnende Statuen. Daß sie wie aus dem Nichts aufgetaucht waren, machte die Sache nicht weniger unheimlich.

»Sucht ihr hier etwas Bestimmtes?« fragte der mittlere schließlich. Die Stimme hatte etwas vom Klang einer ätherischen Harfe, obwohl der Kerl der stattlichste von den fünfen war. Er trat hervor und kam langsam zu uns. Die anderen folgten ihm bedächtigen Schrittes.

»Scheiße ja, kann man wohl sagen«, erwiderte Blaubart. »Mein Freund und ich haben heute morgen beschlossen, als erste Spitzohren den Mount Everest zu besteigen. Und wie ihr seht, ist das erste Training auch ganz prima verlaufen.«

»Sehr witzig«, sagte der Abessinier im nicht so witzigen Tonfall und stoppte vor uns. Aus der Nähe potenzierte sich der erhabene Eindruck. Das sandfarbene Fell schien zu schimmern, als würde es beständig von einer unsichtbaren Leuchte angestrahlt. Das Grün der Augen befand sich in ständiger Bewegung, so daß man sich unwillkürlich an Strömungen unter der Oberfläche eines Ozeans erinnert fühlte. Die großen Ohren mit den an den Spitzen wie Dornen emporragenden, schwarzen Härchen bewegten sich in Zeitlupe, als horchten sie wie ein Radar das gesamte Universum ab. Nun stießen auch seine vier anderen Kollegen zu ihm und ließen sich auf die Hinterpfoten nieder. Wenn mich die trüben Lichtverhältnisse nicht täuschten, ging ihr Fell ins Kupferrote und hell Schokoladenbraune. »Hast du auch etwas anderes als faule Witze auf Lager, alter Mann?«

»Scheiße ja, der alte Mann kann dir mal deine geschniegelte Visage in Fetzen tranchieren. Wie wär's damit, hä? Glaub mir, Jüngelchen, diese ollen Krallen haben schon so manch Kräftigerem als dir den Arsch aufgerissen!«

Der Abessinier schüttelte leise den Kopf, stöhnte und setzte einen mitleidigen Ausdruck auf.

»Wo liegt das Problem, Freunde?« fragte ich. »So wie es aussieht, befinden wir uns auf neutralem Territorium. Oder

wollt ihr mir etwa erzählen, daß ihr regelmäßig hier hoch-
kommt, um nach läufigen Weibchen Ausschau zu halten?
Wir sind nur Reisende. Es gibt überhaupt keinen Anlaß zu
Revierstreitigkeiten. Jeder zieht seines Weges, und alles ist
in bester Ordnung.«

»Du hast mich nicht verstanden«, sagte der Abessinier,
und er schaute sehr, sehr ernst drein. Sein ganzes Gehabe
erinnerte mich an jemanden, doch mir wollte nicht einfallen, an wen. Nun hatte ich sowieso keine Muse, einer vagen
Erinnerung nachzugehen. »Ich sagte«, wiederholte er, »sucht
ihr hier etwas Bestimmtes?«

Bevor Blaubart endgültig explodierte, und es sah verdammt danach aus, als würde eine Explosion unmittelbar
bevorstehen, griff ich ein. »Ja, stell dir mal vor, Mr. Geheimnisvoll, wir suchen tatsächlich etwas Bestimmtes. Das
bestimmte Etwas heißt Junior und ist mein Sohn. Er ist
letzte Nacht verschwunden, und wir vermuten ihn in einem
ausgetrockneten Brunnen dort unten in einem der Gärten.
Du brauchst also keine Angst zu haben, daß wir auf deinem
Dach unsere Fahne einpflanzen und es zu einem neuent-
deckten Kontinent erklären. Wenn du uns jetzt freundli-
cherweise den Weg nach unten zeigen könntest.«

»Junior?« Er machte ein grüblerisches Gesicht, als krame
er in seinem Gedächtnis nach. »Ein äußerst phantasieloser
Name für einen Sohn, wenn du mich fragst. Ich glaube, ich
kenne den Burschen.«

Mir klappte der Unterkiefer herunter. »Du kennst Junior?«

»Ja, meine Freunde und ich kennen jeden, hier und an-
derswo auch. Darf ich vorstellen …« Er vollführte mit
der rechten Pfote eine ausladende Geste. »Haniel, Jafkiel,

171

Camael und Andon. Ich heiße Metathron.« Die Vorgestellten machten mit dem selbst in diesem grauen Wetter changierenden Fell und den recht abwesenden Blicken ihren wunderlichen Namen alle Ehre.

»Seltsame Namen«, sagte ich. »Sind eure Herrchen Ausländer oder so?«

»Wie man's nimmt. Aber ist dir auch der Gedanke gekommen, daß wir uns diese Namen selbst ausgesucht haben könnten? Was das Problem mit deinem Sohn betrifft, Francis ...«

»Woher weißt du denn, wie ich heiße?«

»Ich sagte schon, wir kennen alle. Und dich kennt ja wohl jeder.«

»Okay«, brummte ich, »du wolltest etwas über Junior sagen.«

»Tja, da können wir dir auch nicht weiterhelfen. Er ist verloren.«

»Wie bitte?«

»Du hast richtig gehört: Ich glaube, da ist nichts zu machen. Den Kleinen wirst du nie mehr wiedersehen, Francis.«

Blaubarts Haare richteten sich stachelgleich auf, und seine blauen Augen schienen sich auf einen Schlag lavarot zu färben. Ganz leise entstieg ein Knurren seinem deformierten Maul. »Hör zu, du Komiker, wenn du und deine Pappkameraden dem Jungen etwas angetan habt, werde ich euch jetzt eigenpfotig in die Geheimnisse der Schwerkraft einweihen! Ist mir scheißegal, ob ihr in der Überzahl seid. Wenn's drauf ankommt, nehme ich es mit euch allen gleichzeitig auf. Scheiße ja!«

»Das gleiche gilt auch für mich«, sprang ich ihm bei.

»Darauf kannst du dich verlassen, Methadon oder wie immer du heißt!«

Metathron lächelte süffisant, und auch seine geleckten Kumpane konnten sich ein blasiertes Lächeln nicht verkneifen. »Nein, nichts dergleichen, Francis. Wir würden niemandem etwas antun, weil … Nun ja, wir sind Pazifisten. Ich hatte nur plötzlich so ein Gefühl, daß dein Sohn inzwischen unrettbar verloren ist. Solcherlei Gefühle habe ich oft.«

»Ach nee, was du nicht babbelst! Bist du so eine Art Nostradamus für mittlere Lohngruppen oder was?« Ich verbarg meine Sorge um den Kleinen verbissen hinter einem höhnischen Zynismus. In Wahrheit fraß sich diese Sorge wie eine aggressive Säure durch mein Bewußtsein, wo es schreckliche Vorstellungen auslöste, die ich mir vor ein paar Minuten nicht im schlimmsten Alptraum hätte ausmalen können.

»Also, eine Zukunftsvorhersage würde ich mir ehrlich gesagt nicht zutrauen«, antwortete der Abessinier. Es war schon im schlechtesten Sinne bewundernswert, wie er mir einfach so ins Gesicht sagte, daß mein Junge tot war, und dabei gleichzeitig ein Gehabe an den Tag legte, als spreche er über das Wetter. »Es ist nur so, daß wir extrem sensibel sind für das, was im Revier gerade geschieht. Man könnte es auch als Empathie beschreiben.«

»Und wie kommst du auf die Idee, daß Junior tot ist? Hast du etwa gesehen, daß ihm etwas zugestoßen ist?«

»Ich erinnere mich nicht, über den Tod von irgend jemandem gesprochen zu haben. Aber … Da gibt es doch diesen Vertrag, den du abgeschlossen hast?«

173

»Was für einen blöden Vertrag?«

Metathron blinzelte mich schelmisch an wie ein Kaufhausdetektiv, der die Unschuldsbeteuerungen des Ladendiebs nur mit Humor zu ertragen vermag. Es war mir schleierhaft, was er meinte. Das heißt … Ich spürte etwas in mir aufglühen, so etwas wie ein Stück schweres Metall, das ich in einer eisigen Kammer meines Bewußtseins all die Jahre mit mir herumgetragen hatte und das sich nun bemerkbar machte. Allerdings hatte ich nicht die geringste Ahnung, was es damit auf sich haben könnte. Schwammige Bilder gingen mir durch den Kopf, doch weder erfaßte ich ihren Inhalt, noch vermochte ich sie zu interpretieren. Der Kerl hatte mich kalt erwischt, wie man so schön sagt.

»Was für ein blöder Vertrag?« fragte auch Blaubart und blickte abwechselnd mich und Metathron an. Er war nicht weniger verwirrt als ich.

»Ach ja, der Vertrag«, sagte ich schließlich, weil mir sonst nichts Gescheites einfiel. »Gustav, mein Dosenöffner, hat mit dem Tierarzt so eine Art Krankenversicherung abgeschlossen. Das ist in meinem Alter günstiger, als bei jedem Besuch eine Riesensumme hinzulegen. Aber was hat das mit Junior zu tun?«

»Gar nichts.« Metathron kniff die Augen zusammen. Kein Fünkchen Humor war darin mehr zu sehen. »Ich meine einen anderen Vertrag. Lange her. Du erinnerst dich nicht?«

»Nö.«

Es trat eine gespenstische Pause ein, in der niemand so recht wußte, wie weiter vorzugehen war. Sogar der stets hocherregte Blaubart brachte kein Wort mehr heraus. Der starke Wind und in seinem Schlepptau Myriaden von

Schneeflocken sausten uns um die Ohren, und angesichts des luftigen Schauplatzes hoch über dem ganzen Revier hätten wir uns auch genauso gut im Showdown eines Thrillers befinden können.

»Obwohl uns die Sache aussichtslos scheint, wollen wir euch bei der Suche nach Junior begleiten«, sagte Metathron nach einer quälend langen Weile.

»Aus reiner Barmherzigkeit?« fragte ich überrascht.

»Nein«, entgegnete er, »im Auftrag von Mr. Geheimnisvoll!«

9

MORGENROT. So stand es in korallenroten Lettern auf einer Leuchttafel über dem Glaspalast, der in Gestalt eines wie unter Hitze verbogenen, hochkant aufgestellten Rechteckes in den schneedurchtosten Himmel ragte. Ein Musterbeispiel postmoderner Architektur, das sich zweifellos ein Star seines Fachs hatte gut bezahlen lassen. Soviel zur exzellenten Finanzkraft des Bauherrn. Das Gebäude stand auf einer winzigen Insel, die sich im Sommer bestimmt als eine Augenweide für Strandspaziergänger anbot. Nun jedoch, da der See zugefroren war und der Schneeschauer wie eine Gardine wirkte, ging von dem Anblick etwas Beklemmendes aus, zumal alles rundherum von einem düsteren Tannenwald umfaßt wurde.

Ich hatte allerdings andere Probleme, als mich in ästhetischen Anschauungen zu ergehen. Die mir von Morlock beigebrachten Wunden schmerzten in noch nie zuvor empfundener Intensität, auch hatten sie meine letzten Kraftreserven aufgezehrt. Wohl oder übel gestand ich mir ein, daß aus dem Detektivspiel tödlicher Ernst geworden war. Ich hatte einen schrecklichen Fehler gemacht, den ich vermutlich kaum überleben würde. Der einzige Ort, wo ich auf Hilfe hoffen durfte, blieb der Riesenkasten am gegenüberliegenden Ufer. Es handelte sich allerdings um eine äußerst trügerische Hoffnung. Denn wie es aussah, gab es die in der Bildunterschrift erwähnte psychiatrische Privatklinik nicht mehr. Diese Anstalt war damals in einem alten Kloster untergebracht gewesen, von dem jedoch offenkundig nicht einmal mehr die Grundmauern existierten. Das Gebäude auf der Insel sah eher nach einer Konzernzentrale aus. Ein verwundetes, kleines Tier wie mich würde man dort sicher nicht einmal durch die Tür lassen. Doch es existierte zumindest der Hauch einer Hoffnung: Sowohl die damalige Klinik als auch der jetzige Repräsentationsbau hatten den Namen *Morgenrot* gemein.

Mit allerletzter Kraft und leicht schwankend schaffte ich es vom Ufer zu der Eisplatte und bewegte mich darauf schnurstracks in Richtung der Insel. Dabei versuchte ich, die sich von den Wunden ausbreitende Kälte in meinem Körper zu ignorieren. Je näher ich meinem Ziel kam, desto gespenstischer erschien es mir. Der Himmel hüllte sich in ein Basaltgrau und schaufelte tonnenweise Schnee herunter, trotzdem schillerte die Glashaut des Gebäudes wie bei Sonnenschein, und obwohl drinnen unzählige Menschen arbeiten mußten, war weit und breit keine Seele zu sehen. Und dann wurde es richtig gespenstisch!

Auf halber Strecke erblickte ich vor mir eine Silhouette. Zunächst von unscheinbarer Gestalt, erreichte sie beim Näherkommen eine recht ansehnliche Größe. Was konnte es nur sein? Vielleicht stellte es so etwas wie ein Denkmal dar. Aber mitten in einem zugefrorenen See? Ich beschleunigte meine Schritte, und als ich endlich vor dem Ding stand, war ich derart baff, daß ich kurzfristig meine Schmerzen vergaß. Es handelte sich um eine mittelalter-

177

liche Holzfähre, einen schlichten, vermoderten Kasten. Doch daß sich die vergammelte Fähre bei mindestens zehn Grad minus in eine Eisskulptur verwandelt hatte, war nicht das eigentlich Erstaunliche. Es war der Passagier darin, beziehungsweise der Fährmann. Schneeflocken umspielten ihn, von Ohren und der Nase hingen Eiszapfen herab. Der knochige, hohlwangige, runzelige Greis mit einem ergrauten Stoppelbart trug einen ledernen Schlapphut und eine bis zu den Füßen reichende Pelerine. Aus tief in den Höhlen liegenden, aufgerissenen Augen sandte er einen furchterregenden Blick aus, geradeso, als sei er eine strafende Figur. Der Fährmann stützte sich mit einem Arm auf einen Pflock, der mit dem Eismantel festgewachsen war, der andere wies mit ausgestrecktem Zeigefinger zur Insel hin.

Natürlich konnte ich darüber nur spekulieren, ob der gruselige Typ echt war und ich also tatsächlich einen erfrorenen Menschen vor mir hatte. Denn es kam wohl selten vor, daß ein Mensch aufrecht und mit ausgestrecktem Arm erfror. Vielleicht war es ein Scherz, irgendeine Schaufenster- oder Theaterdekoration, die die Werbeleute des Unternehmens *Morgenrot* als augenzwinkernde Warnung an Konkurrenten im See herumtreiben ließen. Aber der Bursche sah so verdammt real aus …

Die Schmerzen meldeten sich wieder, und obwohl die vom Fährmann angezeigte Richtung nichts Gutes verhieß, blieb mir keine andere Alternative, als mich genau dorthin zu begeben.

Beim Erreichen der Insel stellten sich die wahren Dimensionen des Hochhauses heraus. Es war ein Gigant, ach was, ein Titan von einem Bauwerk, das auf halber Höhe wie von Gottesfingern um die eigene Achse verbogen zu sein schien und sich schier monströs in den Schneehimmel bohrte. Das spiegelnde Glaskorsett machte es unmöglich, einen Einblick ins Innere zu erhaschen. Ein breiter Treppenaufgang führte zu dem ebenfalls nur aus Glas bestehenden Eingang. Ich schleppte mich die Stufen hoch, und zu meiner Überraschung schoben sich oben die automatischen Türen mit einem leisen Summen zur Seite. Warme Luft blies mir entgegen und hieß mich willkommen. Ich trat ein.

Die Türen hinter mir schlossen sich, und ich befand mich in einem riesigen Raum, den Empfangshalle zu nennen eine lachhafte Untertreibung gewesen wäre. Er bestand komplett aus strahlendweißem Marmor, der einem die Augen blendete. In die Wände waren Tausende blaue Lämpchen eingelassen, die in der Masse an ein Sternenzelt erinnerten. Am anderen Ende begrenzte eine neuerliche Glasfront den Raum, allerdings war diese von milchiger Beschaffenheit, so daß das, was sich dahinter verbarg, ein Geheimnis blieb. Rechterpfote lag die sich wie ein mittelgroßes Schiff ausnehmende, ovale Portiersloge, selbstverständlich ebenfalls aus kostbarstem Marmor gehauen. Davor stand ein Hinkelstein von einem Portier in edelster Uniform, die aus einem bis zu den Lackschuhen reichenden, scharlachroten Mantel mit goldfarbenen Stickereien und Knöpfen und einer ebenso intensiv rot leuchtenden Mütze auf dem kantigen Schädel bestand. Und nicht zu vergessen die weißen Samthandschuhe. Er wirkte irgendwie panzerartig, und das aufgedunsene Gesicht war übersät von Pockennarben. So einen Winzling wie mich hätte er mit einem Finger wegkicken können.

Langsam trippelte ich durch die Empfangshalle, wobei ich den Panzermann aus den Augenwinkeln unter Beobachtung behielt. Dieser gebärdete sich jedoch trotz der von mir hinterlassenen roten Spur aus Blutstropfen auf dem blanken Marmor nicht im mindesten erbost. Im Gegenteil, er winkte mich mit einem freundlichen Lächeln durch und wies noch mit der anderen Hand zu der Milchglasfront. Also schleppte ich mich, der Ohnmacht nahe, dorthin. Allmählich forderte der Blutverlust seinen Tribut. Wieder gingen automatische Schiebetüren auf, und der Anblick, den sie freilegten, überstieg in solch einem Ausmaß meine Aufnahmefähigkeit, daß ich den Zeitpunkt für gekommen hielt, der drängenden Ohnmacht endlich nachzugeben ...

Als ich wieder zu mir kam, leuchtete mir mildes Licht ins Gesicht. Ich lag auf einem Operationstisch und schaute geradewegs in eine dreiäugige OP-Lampe. Um mich herum standen zwei grün bekittelte Mediziner mit Mundschutz. Sie zurrten gerade mit Pinzetten die Knoten der letzten Nähte an meinen Wunden fest. Ich ließ schwach den Kopf kreisen und stellte fest, daß ich mich in einem chirurgischen Saal der Extraklasse befand. Die Narkose- und Dauerbeatmungsapparate, die EKG-Schreiber, die Herzüberwachungssysteme und andere undefinierbare medizinische Geräte schienen allesamt auf dem modernsten Stand der Technik zu sein. Überall funkelte Chrom und blinkten bunte Diagramme auf Monitoren.

Als ich den Kopf etwas hob, sah ich vor mir ein Panoramafenster. Der Ausblick war atemberaubend. Offensichtlich hatte man mich in eines der oberen Stockwerke verfrachtet. Ich schaute aus mindestens hundert Metern Höhe auf den See und den umliegenden verschneiten Wald herab. Die mörderischen Schneeschauer hatten sich inzwischen verzogen. Dafür hatte die kalte Wintersonne das Ruder übernommen und ließ die ganze Umgebung in ihrem grellen Licht erstrahlen. Der zugefrorene See war eine funkelnde Platte und der Tannenwald ringsumher eine mit Wattebäuschen ausstaffierte Weihnachtsdekoration. Nur ein Dekorationselement hatte sich anscheinend in Luft aufgelöst: Den vereisten Fährmann in seiner vereisten Fähre konnte ich nirgends erblicken.

Die zurückliegenden Stunden kamen mir wie ein bizarrer Traum vor. Insbesondere der unglaubliche Anblick, der sich mir hinter den Milchglastüren geboten hatte, schien mir wie ein Trugbild meines von den Verletzungen umnebelten Verstandes. Oder konnte es tatsächlich wahr sein? Vielleicht spielte mir aber auch mein Gedächtnis einen Streich, weil … weil so, wie ich mich momentan fühlte, stand ich ganz offenkundig unter irgendwelchen Drogen, starken Schmerzmitteln vielleicht oder den Nachwirkungen der Narkose. Wahrscheinlich waren diese surrealen Erinnerungen Echos von einem besonders plastischen Traum, der sich mir während meiner Ohnmacht aufgedrängt hatte.

Eine schattenhafte Gestalt schwenkte die OP-Lampe beiseite und glotzte mir mit dem Lächeln eines Engels ins Gesicht. Der Mann gehörte nicht zum Ärztepersonal; dieses war nach der Erledigung seiner Arbeit verschwunden.

Nein, derjenige, der mir da so freundlich in die Augen blickte, war ein alter Bekannter. Zuerst führte ich das Wiedererkennen auf das komische Zeug zurück, das gegenwärtig durch meine Adern floß. Doch dann, als die Realität nicht mehr zu leugnen war, mußte ich es mir eingestehen: Ich schaute einem Gespenst ins Angesicht!

Eduard von Refizul, der silberhaarige Greis auf dem Zeitungsfoto in vertrauter Pose mit Eloi, war wiedergeboren worden. Es konnte keine andere Erklärung geben. Das Knittergesicht mit der eindrucksvollen Matte hatte schon auf dem Bild so ausgesehen, als stünde der Greis mit einem Bein im Grab. Inzwischen waren aber siebzehn Jahre vergangen, so daß es einem Wunder gleichgekommen wäre, hätte der Alte noch nicht das Zeitliche gesegnet. Und in Anbetracht des Knaben vor mir wurde diese Rechnung endgültig zur Farce. Diese Refizul-Kopie sah bei weitem jünger, vitaler und irgendwie schelmischer aus als das Original auf dem Foto. Von einem Knittergesicht keine Spur. Die langen, dunklen Haare waren mit einer Goldklammer zu einem Pferdeschwanz gebunden, und ein Ring in Form eines fratzenschneidenden Dämons hing am rechten Ohrläppchen. Er wirkte eher wie ein hipper Modezar, was vor allem auf seine Kleidung zutraf. Er trug einen elegant geschnittenen, schwarzen Zweiteiler, und auch Hemd und Krawatte waren rabenschwarz, allerdings aus feinster Seide, so daß sie sich von dem Anzug durch ihren Glanz abhoben. Kurzum, ich hatte es hier mit einem modernen Dandy zu tun.

»Refizul?« brachte ich ungläubig hervor.

Sein mitfühlendes Lächeln entwickelte sich zu einem

herzhaften Lachen. »Richtig geraten, mein Freund!« erwiderte er, nachdem er sich wieder eingekriegt hatte. »Woher kennst du meinen Namen?«

Ich erklärte es ihm, wobei ich die Dinge nur andeutete. Aber selbst dieses wenige dauerte eine Weile, denn ich mußte ja erst bei Paps' Jugenderinnerungen anfangen und dann noch erzählen, was mir nach meinem Weggang alles zugestoßen war. Am Ende meiner Erzählung gab er sich recht erschüttert, nahm mich sanft in die Hände und spazierte aus dem Operationssaal. Von meinen vielfältigen Verwundungen spürte ich nicht einmal mehr ein Zwicken. Vom ersten Moment an fühlte ich mich in den Händen dieses Mannes geborgen. Mehr noch, ich fühlte mich wie eingelullt in eine magische Stimmung.

»Das ist ja eine verrückte Geschichte, Junior«, sagte er, während wir durch Gänge spazierten, welche in ihrer Ausstattung dem Marmorinterieur der Empfangshalle in nichts nachstanden. »Da muß ich dir wohl im Gegenzug meine Geschichte erzählen …«

»Moment mal«, unterbrach ich ihn. »Wie kommt es eigentlich, daß wir uns miteinander so locker vom Hocker unterhalten können, Kumpel? Normalerweise ist ein Gespräch zwischen Mensch und Tier ein Ding der Unmöglichkeit. Oder träume ich das alles wieder nur?«

»Du hast wohl recht, daß es sich um einen in Erfüllung gegangenen Traum handelt. Aber du greifst meiner Erzählung voraus, denn eigentlich ist das der Gag der Geschichte. Ich heiße zwar Refizul, bin aber nicht der Refizul, den du auf dem Foto gesehen hast. Ich bin sein Sohn, Vito.«

Schon wieder ein Sohn? Die Söhne schienen in diesem

verzwickten Fall allmählich inflationäre Ausmaße anzunehmen. Seltsamerweise tauchten sie auch stets an passender Stelle auf. Wenn man diesen Gedanken weiterspann, befand ich mich am Ende vermutlich doch in einem Traum, nämlich in dem unserer Väter. Denn allen Söhnen, einschließlich mir, war bis jetzt eines gemeinsam: Sie hatten mit der Vergangenheit ihrer Väter nicht abgeschlossen. Aber welch ungeheuerliches Geheimnis verbarg sich in dieser Vergangenheit, daß sie noch so lange und folgenschwer nachwirkte?

»Mein Vater, ein Sprachforscher, hatte die Vision, daß ein direkter sprachlicher Austausch zwischen Mensch und Tier möglich sei«, fuhr Refizul fort, während wir einen Aufzug ansteuerten, der von einem prächtig verzierten Messingrahmen eingefaßt war. »Man hat ihn deswegen für verrückt erklärt. Am Ende seines Lebens im wörtlichen Sinne. Aber davor hat er alles mögliche unternommen, um seine Theorie zu beweisen. Was natürlich bestimmten Kreisen wenig gefiel. Der Nahrungsmittelindustrie nicht, weil sie Tiere als hübsch zerhackte Lekkereien an die Konsumenten verkauft und ein gewaltiges Problem bekommen würde, wenn die Leckereien plötzlich ein ernstes Wörtchen mit den Konsumenten reden. Den Forschern für Tierversuche nicht, weil sie wohl auf der Stelle arbeitslos wären, wenn herauskäme, daß diejenigen, die sie täglich foltern und töten, sie in ihrer Sprache um Erbarmen bitten. Den christlichen Kirchen und den Vertreter des Islams nicht, weil sie dann anerkennen müßten, daß Tiere ebenso eine Seele haben wie Menschen. Und so weiter und so fort. Deshalb beschloß mein Vater, die Sache im geheimen zu verfolgen, und hat sich mit einigen Mitstreitern auf diese Insel zurückgezogen. Hier stand einst ein verlassenes Kloster. Unter dem Deckmäntelchen einer psychiatrischen Anstalt und einer neuartigen Therapie, bei welcher Tiere in der Behandlung von psychischen Krankheiten zum Einsatz kommen, arbeitete er dann unauffällig weiter an seinen Experimenten. In Wahrheit jedoch wurde in der Anstalt fieberhaft an der universellen Kommunikation geforscht. Aber das Versteckspiel sollte leider von kurzer Dauer sein.«

Die Aufzugstüren öffneten sich, und wir bestiegen eine geräumige Kabine, die sich wie ein Königsgemach ausnahm. Ein, wenn mich nicht alles täuschte, massivgoldener Handlauf, ebenfalls geprägt mit fratzenschneidenden Dämonengesichtern, führte übers Eck. Die Wände waren mit rotem Samt ausgeschlagen, und über der Tür prunkte ein Dämonenhaupt, das den Fahrstuhlgästen die Zunge entgegenstreckte. Refizul drückte den Knopf zum Erdgeschoß. Dort glaubte ich, jene Szenerie gesehen zu haben, die wohl selbst die abgedrehteste Phantasie nicht heraufzubeschwören vermocht hätte. Jetzt ging es abwärts.

»Schnell bekam die Gegenseite Wind von der Sache und wurde aktiv«, sagte Refizul. In seiner Stimme schwang jetzt tiefste Bitternis. »Mit Hilfe diverser Ärztevereinigungen und Gesundheitspolitiker, die selbstverständlich von den besagten Interessengruppen gekauft waren, wurde die Institution Morgenrot – nein, nicht geschlossen. Im Gegenteil, man fällte ein viel schlimmeres Urteil über die Forschungseinrichtung und deklarierte sie über Nacht zu einem richtigen Irrenhaus. Vater und seine

Mitstreiter wurden ohne einen medizinischen Befund und ohne ein juristisches Verfahren zu gemeingefährlichen Geisteskranken erklärt. Man hatte sie auf einen Schlag mundtot gemacht und damit ihr Schicksal besiegelt. Sie mußten unter erbärmlichsten Umständen bis an ihr Lebensende in ihrer eigenen Anstalt dahinvegetieren. Einige von ihnen wurden irgendwann tatsächlich verrückt. Es gab viele Selbstmorde damals. Leider hatte ich zu jener Zeit eine Professur im Ausland inne und konnte mich um den Alten nicht kümmern. Und später, tja später, da war es wirklich zu spät.«

»Hast du nicht eine wichtige Episode in deinem Bericht vergessen, Refizul?« warf ich ein. Er kraulte mich mit dem Zeigefinger seitlich am Nacken, dort, wo wir es besonders mögen. Der Kerl beherrschte diese Kunst in der Tat meisterlich. Ich hätte vor Wohlbehagen Schlager singen können.

»Welche Episode meinst du?«

»Zufällig weiß ich von Paps, daß dein Paps nach dreißig Jahren aus der Klapse entlassen wurde.«

»Ach das …«

Der Zeigefinger am Nacken hielt mit einem Mal inne, und es kam mir so vor, als hätte sich auch die Geschwindigkeit des Fahrstuhls schlagartig bis an die Grenze des Stillstands verlangsamt. Sicherlich war dieser Eindruck unter der Rubrik Sinnestäuschungen zu verbuchen, ausgelöst durch den Rest der Betäubungssubstanzen in meinen Adern.

»Ja, da hast du wohl recht. Als sie irgendwann meinten, daß er endgültig gebrochen war und keinen Schaden mehr anrichten konnte, hat man ihn entlassen. Doch da hatten sie sich geschnitten. Kaum draußen, nahm Vater seine Forschungen an dem Punkt wieder auf, wo er vor langer Zeit zwangsweise hatte aufhören müssen. Die Gegenseite hat ihn ziemlich schnell wieder einkassiert. Ich habe erst Jahre später von seinem Tod erfahren.«

»So ist es, Refizul«, sagte ich. »Mal verliert man, mal gewinnen die anderen.« Der Fahrstuhl schien nun wieder in normaler Geschwindigkeit zu sinken, und auch der Zeigefinger hatte seine Massagearbeit in meinem Nacken wieder aufgenommen. »Paps hat aber noch von dieser abgewirtschafteten Villa erzählt, in der der alte Refizul nach seiner kurzfristigen Entlassung unterkam. Ich habe den Kasten besichtigt. Also, wenn du mich fragst, würde ich meinen Bausparvertrag dafür nicht gerade verpfänden. Da hat sich in all den Jahren nichts getan. Wem gehört die Ruine überhaupt?«

Der Finger an meinem Nacken zuckte nervös. »Keine Ahnung.«

»Morlock hat vor seinem Tod von einem Lichtbringer gesprochen, wogegen er seinen eigenen Erzeuger als einen Fänger bezeichnete. Kannst du mit diesen beiden Begriffen etwas anfangen?«

»Du scheinst ja deinem Detektivvater geradezu aus der Schablone geschlüpft zu sein, Junior. Eben noch haben wir um dein Leben gebangt, jetzt strapazierst du schon die Nerven eines alten Herrn bis zur Schmerzgrenze. Wenn ich es nicht besser wüßte, würde ich sagen, du bist der Teufel. Aber bei einer Sache kann ich dir wirklich weiterhelfen, wenn mich meine humanistische Bildung nicht im Stich läßt. Der Begriff Lichtbringer ist nichtjüdischen Ursprungs. In der Antike war Lichtbringer der Name für den Planeten Venus. Im antiken Babylon wurde die Venus als Tagesstern, Sohn der Morgendämmerung oder auch Morgenstern bezeichnet. Die römische Mythologie kennt den Lichtbringer als Sohn von Aurora, der Göttin der Morgenröte. Und in der griechischen Mythologie hatte diese Göttin einen Sohn, welcher Phosphoros, also Lichtbringer hieß. Ich erinnere mich an die ersten Zeilen eines Gedichts: Wie bist du vom Himmel gefallen, du Glanzstern, Sohn der Morgenröte! Wie bist du zu Boden geschmettert, Überwältiger der Nationen!«

»Na toll«, sagte ich. »Jetzt weiß ich genauso viel wie vorher. Heißt der Laden hier nicht auch Morgenröte?«

»Morgenrot! Ja, das war der Name des zerstörten Klosters. Wir haben den Namen wegen seines zuversichtlichen Klangs beibehalten. Was es mit dem Fänger auf sich hat, da kann ich dir leider auch nicht weiterhelfen. Sicher hat Morlock im Angesicht des Todes einiges durcheinandergebracht und wirr geredet. Aber willst du nicht lieber erfahren, wie aus dem einstigen Gefängnis Morgenrot ein Heilsbringer für deinesgleichen wurde?«

»Ich weiß nicht, Refizul. Bevor ich in Ohnmacht fiel, habe ich schon so einiges gesehen. Noch mehr solcher Einblicke, und ich falle in meine letzte Ohnmacht und bin mausetot.«

Er brach wieder in ein herzhaftes Lachen aus und streichelte zum Abschluß meinen Kopf. »Das glaube ich nicht. Niemand stirbt hier ohne meine ausdrückliche Erlaubnis!«

Der Fahrstuhl kam zum Stehen, und die silbernen Türen öffneten sich mit einem fast unhörbaren Pfff ... Heiliger Bimbam! Da war ich vor ein paar Stunden doch nicht das Opfer irgendwelcher Synapsenverdrehungen in meinem von Schmerzen ausgelaugten Hirn geworden. Es war alles wahr, was ich hinter den Milchglastüren gesehen hatte – und ich konnte es immer noch kaum glauben! Refizul und ich betraten eine Galerie mit Laufgitter, die über ihre Brüstung hinweg eine fabelhafte Sicht auf das fußballfeldgroße Erdgeschoß erlaubte. Das darin befindliche Mobiliar bestand ausschließlich aus Designer-Prachtstükken. Da reihte sich der klassische Thonet-Stuhl an eine Le-Corbusier-Liege in Löffelchen-Form und ein wie aus Quadern bestehendes Original-Charles-Eames-Sofa an einen Achille-und-Pier-Giacomo-Castiglioni-Hocker, der einem Fahrradsattel ähnelte. Tische sonder Zahl von Børge Mogensen, Ettore Sottsass und Philippe Starck standen wie kleine einladende Inseln im Raum, und schnittige Apple-Computer der neuesten Generation strahlten um die Wette. Allein um dieses Interieur finanzieren zu können, mußte man eine Geldbörse vom Volumen einer mittelgroßen Sparkasse besitzen. Dies bezeugten auch eine Armee kräftiger Kerle in schwarzen Anzügen und mit dunklen Brillen auf der Nase, die im Abstand von etwa zehn Metern die hohen Wände säumten. Offenkundig Sicherheitsleute, welche bei einem Zwischenfall sofort eingreifen würden.

Doch weniger der Prunk denn das, was sich in dieser Kombination aus Club und Edelbüro abspielte, versetzte mich in grenzenloses Erstaunen. Männer und Frauen in den elegantesten Klamotten und Artgenossen, die selber

189

wie von einer Nobelboutique geliefert zu sein schienen, debattierten miteinander. Das ganze Szenario weckte Assoziationen an das alte Griechenland, wo jeweils ein hochgebildeter Lehrer einen Schüler unterrichtet hatte. Natürlich war nicht alles Sonnenschein. Auf einem der mittleren Tische wurde ich mit dem grausigsten Anblick meines Lebens konfrontiert. Es war so schlimm, daß mir vor Abscheu sogar für einen Moment richtiggehend schlecht wurde: Eine Perser-Dame mit zerzaustem rotem Fell stand vor einem Notenständer auf den Hinterbeinen und sang tatsächlich »Memory« von Andrew Lloyd Webber!

»Wer sind all diese Irren, Refizul?« wollte ich wissen, nachdem ich meine Verblüffung wieder unter Kontrolle hatte.

»Botschafter!« antwortete er und schritt zu der Treppe, die von der Galerie nach unten führte. »Sowohl Mensch als auch Tier werden hier mit den von meinem Vater entwickelten Methoden unterrichtet und dann in die weite Welt geschickt, um das Erlernte weiterzuverbreiten. Morgenrot Inc. hat es sich zur Mission gemacht, die Sprache zwischen unterschiedlichen Spezies mit der gleichen Selbstverständlichkeit unter die Leute zu bringen wie andere Fremdsprachen.«

Wir stiegen die Stufen hinunter und näherten uns einem Tisch, an dem eine junge Blondine in einem schwarzen Geschäftskostüm saß. Ihr gegenüber kauerte eine Birma mit dem säuerlichen Ausdruck eines Oberstudienrats vor aufgeschlagenen Büchern. Dem Griesgram fehlte nur noch eine Nickelbrille vor seinem wie mit Zigarettenasche getupften Gesicht. Bis auf die Ohren, Beine und den extrem buschigen Schwanz war er seidenweiß. Die saphirblauen Augen funkelten giftig.

»Nein, nein, nein!« schrie er die junge Frau an. »Man kann Søren Kierkegaard nicht ausschließlich als einen religiösen Philosophen klassifizieren. Zwar begreifen wir uns nach seiner Lehre als ein Selbst, dem nur von Gott Unendliche Existenz zukommt. Daher ist das Ziel des religiösen Wesens, in ein existentielles Verhältnis zu Gott zu treten. Dies kann allein im Glauben geschehen. Gott als das Absolute ist nicht der Kausalität der Welt unterworfen und entzieht sich daher als der Unbekannte unserem Verstand, er ist rational nicht erkennbar. Das heißt aber nicht, daß wir uns ohne Gott nicht als ein sowohl immanentes als auch transzendentes Wesen erkennen würden.«

»Wovon redest du, Kasimir?« erwiderte die Blondine genervt und fächelte sich mit einer Hand Luft zu. »Ich rede doch nur von Søren, dem Kantinenkoch, und daß er sich als Fünf-Sterne-Maître gefälligst etwas mehr einfallen lassen sollte als den ewigen Rehrücken, wenn er schon für eine halbe Mio im Jahr aus L. A. abgeworben wurde.«

»Ach so«, sagte Kasimir und sackte in sich zusammen.

Refizul jr. schmunzelte. »Solche Auseinandersetzungen haben wir hier öfters. Mensch und Tier tauchen durch die Aufhebung der Sprachbarriere ungehindert in die Geisteswelt des jeweils anderen ein und lernen sich dadurch besser kennen. Glaube mir, mein Freund, so wie es heutzutage verpönt ist, Menschen wegen ihrer Rasse, ihres Geschlechts oder ihrer Religionszugehörigkeit zu diskriminieren, so wird es in naher Zukunft unmöglich sein, Kreaturen jedweder Art unterschiedlich zu behandeln.«

»Super!« sagte ich. »Könnten wir vielleicht diese sonnige Zukunft zumindest im kulinarischen Bereich nicht etwas vorziehen? Obwohl man nach der Narkose nicht sofort etwas zu sich nehmen sollte, hörte sich die Sache mit dem Rehrücken für mich echt klasse an.«

»Nein«, entgegnete Refizul scharf. »Das Zeug würde ja doch wieder gleich aus dir herauskommen.«

Ich seufzte. Wir streiften an einer Couch vorbei, auf der sich ein verlaust wirkender Typ mit filzigen Dreadlocks lümmelte. Er hatte sich einen speckigen Anorak unbestimmbarer Farbe übergestülpt und trug eine auch nicht gerade wie frisch gewaschen wirkende Hose, die ihm so weit war, daß er sie locker mit drei anderen Jungpennern hätte teilen können. Auf seinem Schoß saß eine merkwürdigerweise völlig saubere Japanese Bobtail mit der klassischen, rot-schwarz-weiß gefleckten Mi-Ke-Färbung. Das schlanke, im seidenweichen Fell verpackte Bürschchen mit dem buschigen, aber extrem kurzen Schwanz, der dem eines Kaninchens ähnelte, schien einiges mit dem Verlausten zu teilen. Und zwar im buchstäblichen Sinne. In den Lauschern der beiden steckten winzige Ohrhörer, die über Kabelstränge mit einem weißen i-Pod verbunden waren. Sie schwangen ihre Köpfe zum Rhythmus des Sounds. Der Musikgenuß hinderte sie jedoch nicht daran, sich genau deswegen in Brüllautstärke gegenseitig zu attackieren.

»Das ist doch kein Detroit Techno, Alter!« schrie der Freak von einem Japanese Bobtail den menschlichen Freak an, ohne das wilde Kopfschwingen zu unterbrechen. »Die Jungs kommen aus Liverpool, die haben den Style einfach nicht drauf. Hört sich für mich eher wie Trance-Progressive Industrial Metal an. Und das geht ja wohl gar nicht. Zieh dir das mal rein!« Sprachs und fummelte mit den Vorderpfoten an dem Player herum.

Der Dreadlock hörte sich den neuen Sound zwei geschlagene Sekunden an, bis er seinerseits in ein Gebelle losbrach, allerdings ebenso, ohne das Kopfschwingen auszusetzen. »Das soll Trance-Progressive Industrial Metal sein? Blödsinn, Alter, das ist Dark Ambient! Kommt irgendwie uncool. Nein, wenn du dir echt geiles Gothic Metal antun willst, hau dir das mal in die Löffel.«

So ging es die ganze Zeit hin und her. Kaum hatten die beiden Freaks einem Song für Augenblicke eine Chance gegeben, da fuchtelte einer von ihnen sofort wieder an dem Player und ließ etwas anderes erklingen. Dabei bewarfen sie sich gegenseitig lautstark mit diesem Etiketten-Arabisch, als ginge es um ihr Leben.

»Nun ja, echte Harmonie wird es wohl auch in der künftigen Welt so schnell nicht geben«, sagte Refizul und zog mit mir weiter durch den babylonischen Zirkus. »Aber niemand wird mehr der Sklave des anderen sein. Nach und nach werden unsere Botschafter die Welt infiltrieren, sich in Schlüsselpositionen festsetzen und dafür sorgen, daß jede Kreatur der anderen erst einmal zuhört. Eine Gleichheit unter allen Lebewesen wird so Zugang in die Welt finden, und außer der liebevollen Unterscheidung zwischen Brüdern und Schwestern wird es keine andere mehr geben.«

»Gut gesprochen, Refizul«, pflichtete ich ihm bei. Der Kerl hatte zwar eine Meise von der Größe einer Doppelhaushälfte, aber wenn bei diesem Größenwahn etwas für uns heraussprang, warum nicht? Paps hätte sich sicher gefreut. »Und bevor wir uns alle ganz lieb an den Pfoten fassen, möchte ich noch einmal auf diese Sache mit dem Rehrücken zurückkommen ...«

Ein Glastisch, auf dem Stapel von Filmmagazinen lagen, zwang uns zum Ausweichen. Inmitten des ganzen Durcheinanders machte es sich quer ausgestreckt eine unglaublich fette American-Shorthair-Dame bequem. Ihre Fellzeichnung war schon außergewöhnlich genug: Die typischen Silber-Tabby-Flecken machten sie zu einem Zebra in Felidae-Gestalt. In Verbindung mit ihren kanariengelben Augen und den stämmigen Beinen hätte es sich bei ihr auch um ein sündhaft teures Stück aus einem Accessoires-Laden handeln können. Doch das rosafarbene Bluetooth-Headset an ihrem rechten Ohr setzte der Dekadenz noch die Krone auf.

»Tom-Darling, mach dir mal keinen großen Kopf«, hörte ich sie trällern, während wir an ihr vorbeigingen. »Quentin Tarantino ist ganz hingerissen von dem Stoff. Und John hat auch schon zugesagt ... Welcher John? Na, der Travolta John natürlich ... Was heißt, Mann von gestern? Der Mann von gestern verlangt immerhin zwanzig Millionen Eier und eine zwölfprozentige Gewinnbeteiligung! Wir reden hier von einem Produktionsvolumen von hundertachtzig Millionen Dollar. Deine Credibility ist nach deinen letzten Ausfällen ziemlich im Keller, Darling. Deshalb will das Studio Scarlett als deine Partnerin haben. Wegen der Fuckablity. Tom Cruise, Scarlett Johansson und John Travolta als Mr. Martini in *Einer flog über das Kuckucksnest 2*. Na, wie klingt das?«

Am Ende des Rundgangs drehte sich Refizul um, und wir ließen die Blicke über die emsig schnatternden Sprachbotschafter in spe schweifen. Das Ganze war immer noch ein unglaublicher Anblick für mich. Eine Art Großraumbüro mit Möbeln der Edelklasse, in der recht exzentrische Mitarbeiter herumsaßen und mit recht exzentrischen Artgenossen plapperten, alles beschienen von der kalten, grellen Wintersonne, die durch die gigantische Glasfassade strahlte.

»Wie kommen denn die vielen Botschafter zu den strategischen Orten in aller Welt, Refizul?« fragte ich. Der Mann in Schwarz verwöhnte meinen Kopf mit raffinierter Streichelakrobatik. Eins mußte man dem komischen Kauz ja lassen: Er hatte in der Tat ein Händchen dafür, was unsereins glücklich macht.

»Die Menschen bleiben hier und unterrichten die neue Generation von Tieren«, erwiderte er. »Deine Kollegen werden bei Ebay versteigert.«

»Wie bitte?« Schlagartig richteten sich meine Rückenhaare auf wie kleine Nadeln. Trotz meiner frischen Nähte bewegte ich mich so ungestüm in seinen Händen, daß er sanften Druck ausüben mußte, um mich nicht fallen zu lassen.

»Nicht so voreilig, Junior.« Refizul lachte wieder. »Das sind keine normalen Ebay-Angebote. Der Startpreis liegt bei dreihunderttausend Euro pro Tier.«

»Na, das beruhigt mich ja einigermaßen«, sagte ich. »Das heißt, so beruhigend klingt die ganze Sache vielleicht doch nicht, wenn ich es mir genau überlege. Wer soll bei dieser Startsumme überhaupt mitbieten? Falls überhaupt jemand zu bieten anfängt. Jedenfalls habe ich irgendwo gelesen, daß sogar Ingvar Kamprad sein Regal bei IKEA kauft. Ich kann mir kaum vorstellen, daß so einer für meinesgleichen mehr ausgibt als – null Cent?«

»Die Auktion ist doch nur Tarnung, Junior. Und die hohe Summe nur ein Schutz, damit nicht jeder Depp mitbieten kann. Unsere Sympathisanten sitzen rund um den Globus verteilt und sind eingeweiht. Und sie werden zuschlagen, wenn die Versteigerung beginnt.«

»Also wird in Wahrheit gar keine Kohle rüberwachsen. Das Ganze ist ein abgekartetes Spiel.«

»Im Gegenteil, es werden Millionen zusammenkommen. Denn diejenigen, die in unser Projekt eingeweiht sind, sind gleichzeitig die reichsten Leute dieses Planeten. Was meinst du denn, wer all die Pracht, in der du dich befindest, finanziert hat? Das wird eine Versteigerung der ultimativen Art, und die ganze Welt wird mit heruntergeklapptem Unterkiefer daran teilnehmen, ohne auch nur zu ahnen, um was es überhaupt geht. Ich sage nur IKEA!«

»Wann steigt denn die Auktion?« fragte ich.

»Sobald mein Partner eingetroffen ist.«

»Du hast einen Partner? Ich dachte immer, daß Leute vom Schlage ›Herrscher der Finsternis‹ eher solitär agieren. Mußt du bei der Vorstellung nicht in dein Kissen weinen, daß es eines Tages heißen könnte, der ganze Erfolg sei nicht allein auf deinem Mist gewachsen?«

Ich spürte, wie er tief einatmete. »Nun ja, in gewisser Hinsicht wurmt es mich schon. Aber es gibt diesen Vertrag. Damals, als ich nach Vaters Tod wieder bei null anfangen mußte, konnte ich ein Projekt von solchen Ausmaßen nicht alleine stemmen. Ich brauchte einen starken Verbündeten, jemanden, der bereit war, mit mir einen unkündbaren Pakt zu schließen. Ich mußte einen Kompromiß eingehen, schließlich hatte ich einen mächtigen Gegner.«

»So? Wen denn?«

»Das verrät dir am besten mein Partner.«

Ich ließ es auf sich beruhen, weil mich die Fülle der auf mich niederprasselnden Informationen allmählich erschöpfte. Obwohl alles ziemlich clever ausgedacht klang, flüsterte mir eine innere Stimme, daß wie jede großartige Sache auch diese einen gewaltigen Haken haben müsse. Doch was kümmerte es mich, wenn irgendwelche Weltverbesserer alle Jahre wieder das Gute unter die Teufel zu bringen trachteten? Wichtig war, daß sie es versuchten. Meine Gedanken schweiften zu der mir näherliegenden Frage ab, weshalb ich überhaupt hier gelandet war. Beinahe hätte ich die Triebfeder meiner abenteuerlichen Reise vergessen. Jetzt fragte ich mich, in welchem Zusammenhang dieser bizarre Zoo mit dem Massaker der Dudes vor siebzehn Jahren stehen könnte. Und vielleicht hätte Paps ja noch von weiteren Morden berichtet, wenn ich diese verdammte Nacht einfach zu Hause geblieben wäre. Vielleicht. Nein, nicht vielleicht, sondern mit absoluter Sicherheit hatte ich alles falsch gemacht, was es falsch zu machen gab! So wollte ich als Wiedergutmachung wenigstens den Faden dort wieder aufnehmen, wo ich ihn verloren hatte.

Refizul bewegte sich auf eine Treppe zu, die hoffentlich den Weg zur Kantine verhieß.

»Eine Frage noch, verehrter Meister«, sagte ich. »Was ist

197

eigentlich mit dem alten Kloster passiert, das einmal auf der Insel gestanden hat?«

In Refizuls Gesicht erschien ein seltsames Lächeln. »Hm… Also, soweit mir bekannt, hat sich damals Folgendes abgespielt …«

10

Der Tag im Kreise der Irren und ihrer animalischen See-lentröster war ziemlich trostlos verlaufen. Ich hatte mich aus den Tiefen der Anstalt in den Korridor zurückgezogen, weil ich die von den fünf Ärzten betriebene Folter an dem alten Refizul nicht mehr mit ansehen konnte. Hin- und hergerissen zwischen Wut und Verzweiflung, trieb ich mich bei den Nonstop-Psychotikern herum, doch selbst ihr bizarres Treiben ließ mich völlig kalt. Mir wollte ein-fach nicht in den Kopf, daß heutzutage solch vorsintflut-liche Einrichtungen ohne irgendeine staatliche Kontrolle überhaupt existieren konnten. Denn wenn man den all-gegenwärtigen Schmutz und unbehandelten Wahnsinn ringsherum so betrachtete, wähnte man sich leicht im Mittelalter. Und hier wurden nachweislich Menschen mißhandelt, ohne daß von ihnen eine Gefahr für die Allge-meinheit ausging. Mehr und mehr, um nicht zu sagen, im-mer radikaler, machte ich mir Refizuls Ansicht zu eigen, daß es sich bei dieser Institution um eine gut abgeschirmte Müllhalde handelte, in der böse Mächte ihnen Mißliebige klammheimlich entsorgten. Wenn schon einer wie Refizul, der nichts anderes verbrochen hatte, als mit Tieren zu re-den, einkassiert und so schlimm gequält wurde, welchen bedeutenden Interessen hatten wohl die anderen Irren im

Wege gestanden? Nein, die isolierte Lage der Anstalt und die in ihr herrschenden Behandlungsmethoden sprachen eine eindeutige Sprache: Hier ging etwas Ungeheuerliches vor, hier wurden Patienten ihrer elementarsten Rechte beraubt und in Raten vernichtet.

Während ich völlig apathisch in einer Ecke des wie von verwirrten Gespenstern heimgesuchten Zellentrakts den Dösenden gab, kam Efendi zu mir. Der rabenschwarze Artgenosse, der in seinem ganzen Wesen einem hyperaktiven Kind glich und sowohl für seine menschliche als auch für seine animalische Klientel immer einen aufmunternden Spruch auf den Lippen hatte, rieb seinen Kopf tröstend gegen meinen.

»Du wirst mir doch wohl nicht schon am ersten Tag in diesem Puff schlappmachen, Alder«, sagte er. Seine dunklen Schnurrhaare zuckten wie Kabel einer Überlandleitung bei starkem Wind. Das keilförmige Gesicht mit den wie von innen beleuchtet wirkenden, goldfarbenen Augen schien einen beständig zu scannen.

»Laß mich zufrieden, Efendi. Ich muß mich zunächst einmal an das ganze Elend gewöhnen. Wenn ich überhaupt in der Lage dazu bin.«

»Ach, so schlimm ist es auch wieder nicht, Alder. Wir haben manchmal total lustige Tage hier. Letztens haben sich gleich drei Julius Cäsar in die Haare gekriegt und Anspruch auf Germanien erhoben. Bis zwei Napoleons ein Machtwort sprachen.«

»Es will mir nicht in den Kopf, wieso ihr nichts gegen die barbarische Unterdrückung unternehmt. Ich meine, was die Menschen betrifft, sind die ja offenkundig sehr krank

200

und leben in einer Wahnwelt. Aber zumindest unseresgleichen scheint doch noch völlig bei Verstand zu sein.«

»Was sollen wir schon unternehmen? Wir sind alle freiwillig hier. Auch die Patienten.«

Ich glaubte, meinen Ohren nicht zu trauen. Wer in dieser Hölle auch nur drei Minuten freiwillig verbrachte, war in der Tat nicht bei klarem Verstand.

»Ihr seid freiwillig hier? Heißt das, ich kann jeden Moment hinausspazieren und werde nicht sofort von einem dieser Gorillas gegen die Wand geklatscht?«

»Na klar doch, Alder.« Efendi ließ sich vor mir nieder und warf ein aufwendiges Putzprogramm an. Obwohl die Bekloppten sowie ihre Seelenverwandten im Fellkleid um uns herwuselten und ein nie abebbendes Stimmengewirr zu vernehmen war, zog der Schwarze die Putzerei so locker durch, als befände er sich gerade am Rande eines Swimmingpools unter rauschenden Palmen auf den Bahamas. Zunächst nahm er sich die Hinterpfoten vor, harkte mit den Zähnen die Krallen gründlich durch und brachte anschließend mit der Zunge die Haare an den Unterschenkeln in Fasson. Es wirkte ansteckend, und da ich mich nicht mehr entsinnen konnte, wann ich mich zum letzten Mal der Körperpflege gewidmet hatte, tat ich es ihm gleich.

»Fragt sich nur, wo du hinwillst, nachdem du hier rausspaziert bist«, fuhr Efendi fort. Jetzt kam der Bauch dran. In einer Kombination aus Lecken und Kämmen mit den Zähnen schaffte er es in kürzester Zeit, diesen Bereich samtig strahlen zu lassen. »Wir alle haben ein hartes Schicksal und zumeist eine blutige Vergangenheit hinter uns. Du vermutlich auch. Ich zum Beispiel bin einem echten Massaker entronnen.«

»Moment mal«, sagte ich und unterbrach das Putzen. »Du bist auch einem Massaker unter Artgenossen entkommen?«

»So sieht's aus, Alder. Jeder hier wird dir eine ähnliche Story verklickern. Wir alle haben einmal in Gemeinschaften gelebt, bis diese plötzlich ausgerottet wurden. Ich selbst habe nur mit knapper Not ein Gemetzel in einem Tierheim überlebt, als mich Refizul gerettet hat.«

»Wer verübte das Gemetzel?«

»Keine Ahnung. Es war in der Nacht, und als ich aufgewacht bin, waren alle tot. Ich werde nie den metallischen Geruch von Blut in meiner Nase vergessen, das aus all den aufgerissenen Wunden geströmt ist. Und nie werde ich den Anblick der reglosen Körper in den Gehegen überwinden. Es sah aus wie ein Teppich des Grauens.«

»Wieso wurdest du verschont, Efendi?«

»Refizul ist plötzlich aufgetaucht. Ich war verwirrt und geschockt und kann mich an den Ablauf der Geschehnisse nur dunkel erinnern. Er war wohl wegen seiner Studien unterwegs.«

»Er hat mit dir gesprochen.«

»Ja … Das heißt, ich will dir mal unter uns Pfarrerstöchtern ein Geheimnis anvertrauen, Alder.« Er rückte ganz nah an mich heran und blickte sich konspirativ um, als fürchtete er, daß man ihn belauschen könne. Dann senkte er die Stimme auf Flüsterton-Level. »Also, wenn du mich fragst, sprechen wir gar nicht miteinander. Dieses ganze Gequatsche zwischen Mensch und Tier ist eine ziemlich einseitige Angelegenheit, weißt du.«

»Wie meinst du das?«

»Die Menschen können gar nicht mit uns sprechen. Wir sprechen mit ihnen. Das ist ein großer Unterschied, Alder. Sie verstehen uns bloß, mehr nicht. Und aus dem, was sie mitkriegen, reimen sie sich einen Sinn zusammen. Aber ich hab schon ein paar Mal gemerkt, daß sie nicht fähig sind, jedes Tier zu verstehen. Wir hier drinnen scheinen wohl die Ausnahme zu sein, etwas Besonderes, wenn du so willst.«

Das klang ziemlich verrückt. Doch schließlich befand ich mich in einem Irrenhaus, wo der Wahnsinn sich ungehindert entfalten konnte. Die Annahme lag nahe, daß er einer Infektion gleich vom Mensch aufs Tier übergesprungen war. Denn wenn sich Efendi auf gar keinen Fall in eine bestimmte Schublade stecken ließ, dann nicht in die, auf der das Etikett »normal« klebte. Allerdings … Auch mir war aufgefallen, daß sich Refizuls Lippen, aber ebenso die der anderen Zweibeiner im Plausch mit meinesgleichen kaum bewegten. Es handelte sich eher um einen Vorgang zwischen lautem Denken und mühseligem Artikulieren. So etwas wie Gedankenübertragung war mir in diesem Zusammenhang ebenfalls in den Sinn gekommen. Das allerdings irgendwie logisch erklären zu wollen entbehrte selbst einer Logik, war doch die ganze Sache an sich reichlich widersinnig, oder, um beim Thema zu bleiben, total irre. Aber es wurde noch irrer.

Efendi rückte noch dichter an mich heran, so daß sich unsere Nasenspitzen beinahe berührten. »Und soll ich dir noch etwas verraten, Alder?« flüsterte er und warf wieder seine blitzschnellen Kontrollblicke um sich. »Ich habe das komische Gefühl, daß diese Bekloppten auch nicht ganz echt sind.«

»Verstehe ich nicht.«

»Tja, wie soll ich das beschreiben, manchmal kommt es mir so vor, als wären sie gar keine richtigen Menschen. Sie sind sehr nett zu uns und so, geradezu zärtlich, und was das Futter angeht, also, wirklich immer nur erste Sahne. Doch ob du es glaubst oder nicht, sie selbst habe ich nie etwas fressen sehen. Ich weiß gar nicht einmal, ob es hier eine Kantine gibt. Manchmal kommen sie mir wie Zombies vor, Zombies mit geisteskrankem Getue. Allein in Refizul steckt noch Feuer. Aber sonst … na ja, sonst geht es recht lustig zu in diesem Puff.«

Efendi beendete seine rigorose Putzaktion und verschwand zwischen den wirre Selbstgespräche führenden Greisen und den Spitzohren, welche wie Zierfische in einem besonders gruselig geschmückten Aquarium umherflitzten. Ich verfiel erneut in Apathie. Der schwarze Flüsterer hatte das Rätsel eher verkompliziert als zu einer Lösung beigetragen. Es wollte alles keinen Sinn ergeben. Die Morde im Brunnenbecken nicht, dieses mittelalterliche Anstaltsleben nicht, die Kommunikation zwischen den Arten nicht und schon gar nicht Efendis verschwörungstheoretische Andeutungen. Nichts, aber auch gar nichts paßte zusammen. Zwar redete ich mir weiterhin irgendwelche pseudoschlüssigen Erklärungen ein, doch offen gesagt glaubte ich selbst nicht dran.

Irgendwann am späten Abend schleppten Zack und der Panzermann Refizul von seiner Therapie zu uns in den Zellentrakt zurück und warfen ihn auf eine Pritsche in einer der kärglichen Zellen. Er schien bewußtlos zu sein und lag da wie ein Bündel schmutziger Wäsche. Es wunderte mich, daß die Irrenschar, die ihn anfangs so enthusiastisch begrüßt hatte, davon nun überhaupt keine Notiz nahm. Im Gegenteil, der arme Mann schien für sie plötzlich unsichtbar geworden zu sein. Das Verhalten erinnerte mich an das von besonders verrohten Kreaturen, die dem Starken blind die Führung bescheinigen, wohingegen sie den Schwachen bedenkenlos aus ihrer Mitte verbannen.

Ich lief schnell in die Zelle, in der sich außer der Pritsche noch ein winziges Tischlein befand, und sprang auf den Bauch des wie schlafend wirkenden Alten. Mittlerweile waren überall von der Decke baumelnde, nackte Glühlampen angegangen, die jedoch mehr schummrige Düsternis als wirkliche Helligkeit in den Ort brachten. Durch das Fenster mit dem wuchtigen Kreuzgitter sah man den silbrig strahlenden Vollmond. Refizul sah wirklich schlimm aus. Sein runzeliges Gesicht zuckte manchmal, als erhielte er immer noch Stromstöße, und er machte irgendwie einen geschrumpften Eindruck. An seinen Schläfen, wo man die Elektrozange angesetzt hatte, zeichneten sich graue Flekken ab. Zumindest hatten sie ihn jetzt in eins der offenkundig hier so beliebten langen Nachthemden gesteckt, wenn auch in ein stark verdrecktes. Seine langen grauen Haare sahen aus wie faulig gewordenes Stroh. Wir beide mußten schon ein trauriges Bild abgeben zwischen den kahlen Mauern. Ich hätte wieder in Tränen ausbrechen mögen, doch etwas sagte in mir, daß in dieser Situation Verzweiflung und Selbstmitleid die denkbar schlechtesten Ratgeber wären. Obwohl mich Efendis Mutmaßungen ziemlich verwirrt hatten, wischte ich in einem Anfall von Aufbegehren alle Zweifel beiseite. Ich stupste mit beiden Vorderpfoten gegen Refizuls Gesicht, damit er aufwachte und etwas unternahm, egal was. Hauptsache, er überließ sich und mich nicht diesem trostlosen Schicksal.

Langsam kam er zu sich, doch er war von der Folter derart erschöpft, daß er gerade mal die Augen aufbrachte und die Lippen bewegen konnte. Vermutlich besaß er lediglich eine ungefähre Ahnung davon, wo er sich befand. »Dude?« stieß er schließlich mit gebrochener Stimme hervor.

»Ja, ich bin es, Dude«, antwortete ich aufmunternd. »Mann, dich haben sie ja mächtig in die Mangel genommen.«

»Kann man wohl sagen, lieber Freund. Wie ist es dir denn in der Zwischenzeit so ergangen?« Er schaffte es, sich ein wenig aufzurichten, und schaute sich desorientiert um.

»Ganz prima«, sagte ich. »Efendi hat mir einige Sachen erzählt, während du, nun ja, beschäftigt warst. Hört sich alles ziemlich schräg an. Wie dem auch sei, ich habe mit angesehen, was diese perversen Ärzte mit dir angestellt haben. Du hattest recht, die Gegenseite benutzt diesen entsetzlichen Ort als Endlager für ihre besiegten Feinde. Aber Lamentieren ist Zeitverschwendung. So wie es aussieht, bin ich der einzige hier, dessen Hirn noch nicht zu Pudding geworden ist. Und dieses Hirn hat soeben beschlossen, daß wir einen Ausbruch wagen werden. Noch heute nacht!«

Zunächst dachte ich, daß Refizul von einem Hustenanfall geschüttelt wurde. Er prustete im abgehackten Rhythmus los, wobei die Brust ruckweise auf- und abfuhr. Ein kratziges Geräusch entrang sich seiner Kehle, welches sich sukzessive zu einem rauhen Bellen steigerte. Schließlich kulminierte das Ganze in einem brüllenden Gelächter.

Verständlicherweise zog ich ein beleidigtes Gesicht. »Was gibt es da zu lachen?« fragte ich. Am liebsten hätte ich kehrtgemacht und ihn und seine bekloppte Gefolgschaft sich selbst überlassen. »Glaubst du, es ist gottgegeben, daß du, diese kranken, alten Leute und meine Artgenossen für immer und ewig in dieser Hölle schmoren müssen?«

»Ja, irgendwie schon«, sagte Refizul. Er lachte jetzt nicht mehr. Statt dessen bemächtigte sich eine tiefe Niedergeschlagenheit seines eh schon abgewirtschafteten Gesichts, wie ich sie noch bei keinem Menschen gesehen hatte. Trotzdem schaffte er es, den Oberkörper vollständig aufzurichten, so daß er auf der Pritsche eine sitzende Stellung einnahm. »Wie eine Strafe Gottes kommt es mir jedenfalls vor.«

»Nein, nein und nochmals nein! Damit kann ich mich nicht abfinden. Efendi sagte, daß alle freiwillig hier sind.«

»Efendi pflegt sich bisweilen mißverständlich auszudrücken. Liegt wahrscheinlich daran, daß er hier schon zu lange vor sich hinvegetiert. Es gibt einen fundamentalen Unterschied zwischen freiwillig und freiwillig, mein lieber Freund. Kennst du die Geschichte von dem Sklaven, der so lange ein Sklave war, daß er vor lauter Furcht vor der Freiheit seinem Herrn weiterhin als Sklave dienen wollte, obwohl dieser ihm die Freiheit schenken wollte? Sowohl die Menschen als auch die Tiere in diesem Kerker sind über so viele Jahre mißhandelt, eingeschüchtert und ihres Willens beraubt worden, daß sie sich ein Leben draußen nicht mehr vorstellen können. Allein der Gedanke an eine Auflehnung gegen ihre Peiniger grenzt schon an ein Sakrileg.«

»Aber dich hat man doch sogar zwischenzeitlich entlassen.«

»Und was hat es mir genützt? Irgendeinen Grund, der den Patienten vor sich selber schützen soll, finden diese Ärzte doch immer.«

Ich sprang von dem Bett und begann, auf dem aus abgewetzten Steinquadern bestehenden Boden auf und ab zu gehen. Im Silberlicht des Vollmondes warf mein Körper überlange Schatten. »Niemals!« sagte ich voller Pathos. »Ich weigere mich, zu akzeptieren, daß die Tyrannei triumphiert. Sklaverei ist längst abgeschafft, und wer sich mit ihr arrangiert, verdient nichts anderes, als ewig Sklave zu bleiben. Aber wir können versuchen, die Augen der Sklaven zu öffnen. Es muß verdammt noch mal eine Möglichkeit geben, wie wir dieser Jauchegrube entfliehen können.«

»Die gibt es auch«, sagte Refizul. Ich war so in meine Spartakus-Phantasien vertieft, daß ich ihn während meiner nervösen Wanderung fast völlig ausgeblendet hatte. Der überraschende Zwischenruf ließ mich zu ihm aufschauen. Refizul, der eben noch wie ein Häufchen Elend auf der Pritsche gelegen hatte, stand runderneuert vor mir. Ich war baff und fühlte mich wie in einem Film, den man um ein gutes Stück vorgespult hat. Der Alte schien jäh von einer mysteriösen Frische ergriffen worden zu sein. Die Falten in seinem Gesicht hatten sich weitestgehend geglättet, die schulterlangen grauen Haare sahen aus, als hätten sie eine spektakuläre Begegnung mit den Künsten eines erstklassigen Coiffeurs hinter sich, und statt der deprimierenden

208

Trübe von vorhin glühte wieder das stechende Blau in seinen Augen. Sogar die grauen Abdrücke der Elektroschockzange an den Schläfen waren verschwunden. Das einzige, was sich nicht verändert hatte, war das lächerliche Nachthemd, in dem er steckte.

»Es gibt da tatsächlich einen Weg, die Freiheit zu erlangen, mein Freund«, sagte Refizul, während ich noch damit beschäftigt war, aus dem Staunen herauszukommen. Doch vielleicht bildete ich mir diese Turbo-Genesung auch nur ein. Wahrscheinlich war er von meinem revolutionären Elan so angesteckt worden, daß sein Körper auf psychosomatischem Wege eine positive Metamorphose durchlaufen hatte. »Wir besitzen gegenüber der feindlichen Seite einen Trumpf.«

»Aha. Und welchen?«

»Wir müssen einen Pakt schließen. Einen unkündbaren. Denn wir beide sind die einzigen, die noch den Willen besitzen, das Joch abzuschütteln.«

»Wir brauchen gar nichts zu schließen. Wir können es einfach tun.«

Refizul lächelte milde, als hätte er einen Schwachsinnigen vor sich, dem man erst umständlich erklären muß, daß auf den Tag die Nacht folgt. »Es hat keinen Sinn, Dude, etwas zu wollen, ohne daran mit ganzem Herzen zu glauben und es mutig kundzutun. Genausowenig kann man einen Sklaven einfach in die Freiheit entlassen, wenn dieser sich nicht als ein freies Individuum begreift. Er mag sich nach seiner Freilassung zwar durchaus als frei empfinden, aber schon bei der ersten Versuchung verwandelt er sich zurück in einen Sklaven. Was ich damit meine, ist folgendes: Sollten wir wirklich einen Ausbruch wagen – und diese Tat wird der Gegenseite einen Schlag ins Gesicht versetzen, von dem sie sich nicht mehr so leicht erholen wird –, dann müssen wir beide mit ganzem Herzen davon überzeugt sein.«

»Noch mal aha! Worauf willst du hinaus?«

»Wir müssen Zeugnis von unserer Vision ablegen. Dieser Kontrakt ist sozusagen ein symbolischer Akt. Dadurch dokumentieren wir unsere Verzweiflung, aber auch unsere Unbeugsamkeit für die Nachwelt. Ein Boxer steigt ja auch nicht in den Ring, bevor nicht ein anständiger Vertrag aufgesetzt wurde. Es soll so etwas wie unsere Unabhängigkeitserklärung sein.«

»Und was soll in diesem Kontrakt drinstehen?«

»An erster Stelle natürlich, daß wir als Verbündete unterschiedlicher Arten die Verständigung zwischen allen Arten fordern. Die direkte Kommunikation zwischen Mensch und Tier ist nachgewiesenermaßen möglich. Die Aufdeckung dieser Tatsache wird ungeheure Konsequenzen für die Menschheit nach sich ziehen – doch das soll uns nicht daran hindern!«

»Toll! Ich höre schon, wie die Sklaven ganz laut mit ihren Ketten rasseln, wenn sie von diesem Paragraphen Wind bekommen.«

»Genauso ist es. Dann kommst du ins Spiel.«

»Ich, Majestät?«

»Ja, du, Dude. Stellvertretend für alle Tiere auf diesem Planeten belegst du mit deiner Unterschrift deinen Willen, diesen Kampf bis zum bitteren Ende auszufechten. Du bist das Gesicht der Befreiungsbewegung und das Siegel. Warum? Weil du auserwählt bist. Ich habe im Laufe meiner

Mission viele von deinesgleichen getroffen, die intelligent und smart genug waren, sich auf die Sache einzulassen. Doch entweder aus Teilnahmslosigkeit oder aus reiner Furcht haben sie sich stets davor gedrückt, den letzten Schritt zu tun und mit mir gemeinsam eine Revolution von solcher Tragweite zu starten. Sieh dir Efendi an. Du jedoch bist anders, willst gleich Nägel mit Köpfen machen. Du bist ein sehr starker Verbündeter.«

»Apropos Unterschrift«, unterbrach ich ihn. Ehrlich gesagt hatte ich nicht den blassesten Schimmer, warum der Kerl plötzlich von diesem Vertragsfimmel geritten wurde. Aber es war ja kein großes Geheimnis, daß Akademiker selbst ihre abstrusesten Ideen gern schwarz auf weiß sehen wollen. »Da gibt es doch diese Enthüllungen, wo Leute mal locker ihren Kaiser-Wilhelm auf ein Stück Papier gegen den Angelhaken-Mißbrauch von Regenwürmern verewigt haben, und dann wurde ihnen auf einmal eine Waschmaschine, ein Toupet aus Plastikhaaren, eine Gummipuppe im Afro-Design und eine saftige Rechnung geliefert.«

»Du hast Humor, Dude«, sagte Refizul und sah für einen Augenblick wirklich so aus, als hätte auch er Humor. Allerdings wirkte sein Lächeln so aufgesetzt wie bei einem Gebrauchtwagenhändler, der die röchelnde Rostlaube zum funkelnagelneuen Ferrari schönredet. »Humor ist ein Zeichen von Intelligenz. Und so hochintelligent, wie du bist, fragst du dich bestimmt, weshalb diese Unterschrift so wichtig sein soll. Sie ist es nicht. Und doch bedeutet sie in unserem Fall alles. Die Schrift, insbesondere jedoch die Beurkundung des eigenen Namens besitzt einen direkten Bezug zur Sprache. Jegliche Sprache mündet irgendwann in

211

einer schriftlichen Form. Da aber nun gerade die Sprache der Gegenstand unseres Aufstands ist, kann auf die beiderseitige Unterschrift nicht verzichtet werden.«

»Zum dritten Mal aha!«

»Ein Vertrag wäre natürlich kein Vertrag, wenn nicht auch das Finanzielle darin geregelt wäre.«

»Wo du es gerade ansprichst, Refizul, also, es ist mir echt peinlich – aber bei mir ist nix zu holen.«

»Aber bei mir!« Er präsentierte diesmal ein ehrliches Lächeln. Seine Augen blitzten verheißungsvoll, als wären wir gerade auf einen Goldschatz gestoßen. »Auch wenn ich in diesem drolligen Nachthemd tatsächlich wie ein armer Irrer wirke, so bin ich mitnichten arm. Ganz im Gegenteil, ich verfüge über ein immenses Vermögen. Geerbt von den Ausbeutern, die sich meine Vorfahren nennen. Samt und sonders skrupellose Finsterlinge, die über Jahrhunderte hinweg nichts anderes getan haben, als zu raffen und ihre Mitmenschen zu übervorteilen. Ich bin Alleinerbe. Das viele Geld nützt mir natürlich in dieser Situation so viel wie Nasenbluten. Allerdings bedeutet es mir auch nichts. Ich müßte jahrelang mein Hirn darüber zermartern, wofür ich auch nur einen kleinen Bruchteil dieser Summe ausgeben könnte. Ich bin Asket. Deshalb sollst du, Dude, bei Vertragsunterschrift den ganzen Mammon erhalten.«

»Wieso?«

»Nun, als Ansporn, als Dank, als Wiedergutmachung für all das Leid, das wir Zweibeiner euch Tieren seit Ewigkeiten zugefügt haben. Such' dir irgendeinen Grund aus.«

»Aber wie stellst du dir das denn vor, Refizul? Glaubst du im Ernst, daß ich morgen zum Notar marschiere und die ganze Kohle einfordere? Mal abgesehen davon, daß der Anspruch eines Tiers auf ein Vermögen juristisch sicher einen einzigartigen Präzedenzfall darstellt. Freuen tut sich darüber höchstens eine Armee von Anwälten.«

»Stimmt. Aber es ist alles auf das einfachste geregelt. Das viele Geld schlummert auf einem Konto bei der Schweizerischen Nationalbank. Wer auch immer dort anruft und eine bestimmte Zahlen-Buchstaben-Kombination sagt, kann ohne Formalitäten und uneingeschränkt darüber verfügen.«

»Okay, ich opfere mich«, sagte ich. Langsam ging mir diese kuriose Vertragsverhandlung wirklich auf den Senkel. Daß der olle Refizul ein solcher Paragraphenreiter sein konnte, erstaunte mich doch sehr. Ich dagegen war im Geiste mit einer ganz anderen Sache beschäftigt. Allmählich spürte ich nämlich, wie eine Aufbruchsstimmung, jenes euphorische Hochgefühl kurz vor dem Zuschlagen, von jeder einzelnen meiner Körperzellen Besitz nahm. Es war unglaublich, welche Kräfte man entwickeln konnte, wenn man sich im Unrecht fühlte. Diese despotischen Herren Doktoren würden schon sehen, was es hieß, im Auftrage von sich unberührbar wähnenden Kreisen Jahr um Jahr Unschuldige zu malträtieren!

»Allerdings muß ich gestehen, daß ich mit Geld auch nicht viel mehr als du anzufangen weiß. Heißt es nicht: Geld verdirbt den Charakter? Solange es nicht meinen Magen verdirbt, nehme ich es gern, aber sonst habe …«

»Ach, noch etwas«, unterbrach mich Refizul. Er gab sich mittlerweile das Gehabe eines mit allen Wassern gewaschenen Winkeladvokaten, der um Gottes willen bloß keinen

213

Passus unerwähnt lassen will, weil auch nur ein einziger Flüchtigkeitsfehler später eventuell eine gigantische Schadenersatzforderung nach sich ziehen könnte. Mir waren all die Vertragsklauseln herzlich egal. Ich wollte endlich die »Aktion Spartakus« in die Tat umsetzen.

»Wenn du für die gute Sache tatsächlich einen unverbrüchlichen Bund mit meiner Wenigkeit eingehst, könnte es noch andere Vergünstigungen für dich geben.«

»Du meinst, zusätzlich zu der 100-Meter-Yacht mit Hubschrauberlandeplatz und den Mäusen am Spieß, bis der Arzt kommt?«

»Ja. Wie wäre es noch mit einem langen Leben?«

Jetzt schien der Typ echt abzuheben. Vermutlich verursachte die adrenalingeschwängerte Vorfreude auf den bevorstehenden Ausbruch einen gehörigen Sauerstoffmangel in seinem Gehirn.

»Warum nicht«, sagte ich wie nebenbei.

»Und wie wäre es mit Unsterblichkeit?«

»Klar, her damit! Und pack' noch ein saftiges Rumpsteak drauf. Können wir jetzt endlich loslegen, Refi?«

»Nein, noch nicht. Wir müssen erst den Vertrag unterzeichnen.«

Ich schaute zu ihm auf und erwartete, daß er ob des blühenden Unsinns, den er gerade von sich gegeben hatte, wieder in ein grölendes Gelächter ausbrechen würde. Pustekuchen! Refizul beachtete mich gar nicht und fixierte das offenstehende Zellengitter. Ich folgte seinem Blick und sah über meine Schulter. Dort an der Schwelle stand einer, an den ich mich noch allzu gut erinnerte. Es handelte sich um die schillerndste Figur des Irrentrios, das uns bei unserer Einlieferung so freudig in Empfang genommen hatte. Der Beinahe-Glatzkopf mit dem hauchdünnen Haarkranz und der gebrochenen und wieder schief zusammengewachsenen Nase machte den Eindruck eines herbeibeorderten Dieners. Alles Meschuggene schien inzwischen von ihm abgefallen. Obwohl auch er als Anstaltsuniform das lange Nachthemd trug und wie bei unserer ersten Begegnung bestialische Stinkwolken absonderte, wirke er nun wie die personifizierte Seriosität. Er hielt in der linken Hand eine derart abgewetzte braune Aktentasche, daß schon die hellen Fasern des Leders zum Vorschein kamen.

Refizul bedeutete ihm mit einem Kopfnicken näherzukommen. Der Glatzkopf begab sich zum Meister, zog aus der Tasche einen Stoß Papiere hervor, legte diesen auf ein in der Ecke stehendes Tischlein und trat dann zurück.

»Zeit für die Zeitenwende!« frohlockte Refizul und strich sich wohlig über die schulterlange Silbermatte. Ich sprang auf den Tisch und begutachtete im trüben Schein der Glühlampe das zuoberst liegende Papier. Ohne überheblich klingen zu wollen, kann ich mit Fug und Recht behaupten, daß ich ein ausgezeichneter Schriftkenner bin. Es gibt wohl keine noch so stilisierte Schreibe oder noch so erbärmliche Sauklaue, welche ihren Inhalt vor meinem fachkundigen Blick zu verbergen vermochte. Doch was mir jetzt vor die Glubscher kam, stellte selbst für mich eine unlösbare Herausforderung dar. Zwar sah der handgeschriebene Text auf dem stark ausgeblichenen, fleckigen Papier zunächst nach reiner Routine aus. Aber trotz angestrengter Entzifferungsversuche wollte sich partout keine Lesbarkeit einstellen. Die mit pechschwarzer Tinte aufgetragenen

215

Buchstaben besaßen etwas seltsam Zackiges, als wären sie das Gekritzel einer nervös ausgeschlagenen Schreibnadel, und die einzelnen Wörter schienen wie ineinander verklumpt. Wenn ich es recht betrachtete, sah das Ganze wie rückwärts geschrieben aus. Wann hatte Refizul dieses Zeug verfaßt? Er hatte doch nicht wissen können, daß ich wirklich auf die abstruse Idee eines Kontraktes eingehen würde. Oder trug er das Schriftstück immer mit sich herum?

»Also wirklich, Refi, wer das lesen kann, ist ein Genie oder ein Telepath. Ich jedenfalls kann es nicht«, sagte ich.

»Das Lesen übernehme ich, wenn du es möchtest.« Er nahm die Papiere in die Hand und machte eine solch angestrengte Miene, als müsse er den furchtbar komplizierten Letzten Willen eines Korinthenkackers verkünden.

»Keine Zeit«, sagte ich knapp. »Zeig mir, wo ich mein Autogramm verewigen soll.«

»Erst bin ich dran!« Er zauberte einen Stift aus den Falten seines Hemdes hervor. Aber eigentlich war es gar kein richtiger Stift, sondern so etwas wie eine Kombination aus Stift, Brieföffner und Schaber. Das merkwürdige Ding funkelte golden und besaß ein schmales Design, das sich an einem Ende zu einer Art Füllfeder verjüngte und am anderen in ein zu kurz geratenes Rasiermesser auslief. Ohne mit der Wimper zu zucken, stieß Refizul sich das Schreibutensil mit der Spitze in den Arm, entnahm mit der Feder etwas Blut und setzte dann seine Unterschrift unter die letzte Seite des Vertrags. Wäre mir die menschliche Motorik zu eigen gewesen, hätte ich mir angesichts dieses unfaßbaren Vorgangs die Augen gerieben. Mir fehlten einfach die Worte.

216

»Übertreibst du es nicht ein wenig, Refi?« fragte ich, als ich die Sprache wiedergefunden hatte. »Ich meine, das Ganze sollte doch eher so etwas wie ein Motivationsritual sein und kein Blutbrüderschafts-Schabernack für Winnetou-Fans.«

»Im Gegenteil, in dieser Angelegenheit kann man nicht genug übertreiben, mein Lieber.« Seine Strahleaugen funkelten wieder feurig, und das Habichtgesicht mit der mediterranen Bräune wurde von unwillkürlichen Zuckungen heimgesucht. Der Raum war mit einem Male von einem unbeschreiblichen Geruch erfüllt, dem etwas Scharfes anhaftete. Fast kam es mir so vor, als ob sogar die schwache Glühlampe flackerte. Oder hatte sich eine schwarze Wolke vor den Vollmond geschoben, so daß das Silberlicht aus dem Kerker entwich wie ein Blatt weißes Papier, das durch den Spalt unter der Tür weggezogen wird? Wahrscheinlich war das alles nur pure Einbildung, verursacht durch die buchstäblichen irren Umstände. Wie aus weiter Ferne vermeinte ich eine hallende Stimme zu vernehmen, deren Wortlaut ich zwar nicht verstand, der jedoch etwas seltsam Warnendes innewohnte.

Unvermittelt wurde ich von der Seite gepackt und in den Klammergriff genommen, und da Refizul immer noch voll fickeriger Leidenschaft vor mir stand, konnte es sich bei meinem Bezwinger nur um den Beinahe-Glatzkopf handeln.

»Hey, das ist kein Spaß mehr, Refi!« rief ich.

»Ist es auch nicht, Dude. Halt still, es wird dir nichts passieren.«

Er beugte sich blitzschnell über mich. Danach spürte ich

an der rechten Flanke meines Hinterns ein Kratzen und Ziehen und vernahm gleichzeitig ein schabendes Geräusch. Schnell war klar, daß er mich dort mit dem Rasierklingenende seines komischen Instruments barbierte. Die ganze Aktion tat seltsamerweise überhaupt nicht weh – bis es plötzlich doch höllisch weh tat. Ich schrie auf und warf ihm sämtliche Flüche an den Kopf, die mir in dieser unmöglichen Situation einfielen. Schließlich begann ich zu winseln und wollte wissen, was er da verdammt noch mal trieb.

»Ich mache dich gerade zum reichsten Tier der Welt, mein Freund!« erwiderte er gutgelaunt.

»Vielen Dank! Aber muß sich das unbedingt so anfühlen, als küsse mein Arsch gerade ein glühendes Bügeleisen?«

»Leider ja. Ich ritze die Zahlen-Buchstaben-Kombination in deinen Hintern. Die Wunden werden bald verheilen und dann markant vernarben, und binnen kurzer Zeit wird wieder dein hübsches Fell darüber wachsen. Doch falls du irgendwann etwas Kleingeld brauchen solltest, mußt du nur diese Stelle freilegen, anhand eines Spiegels den Code ablesen und übers Telefon die Summe einfordern.«

»Vielleicht sind diese Elektroschocks ja doch zu etwas nutze, Refi. Du machst ein Aufheben um die Sache, daß es in der Tat an Wahnsinn grenzt.«

Mit einem Mal hörte der große Schmerz auf, wobei der kleine Schmerz, ein leichtes Nachbrennen, weiterhin nachwirkte. Von völliger Schmerzfreiheit konnte also keine Rede sein, aber auch nicht davon, daß der alte Mann mit dieser schrulligen Maßnahme beabsichtigt hatte, mir wirklich weh zu tun. Sein glatzköpfiger Helfer setzte mich wieder auf dem Tisch ab. Aus den Augenwinkeln registrierte ich, daß er mit seinem seelenlosen Ausdruck und den eckigen Bewegungen einer ferngesteuerten Puppe ähnelte. Seine gnadenlose Einsilbigkeit und die wie unter Schock aufgerissenen Augen ließen mich frösteln.

Durch die Arschritzerei hatte sich neben dem Vertrag auf dem Tisch nun eine kleine Lache meines Blutes gebildet. Refizul ließ sein Stift-Ding in den Falten seines Nachthemdes verschwinden, wohlwissend, mit welcher Technik meinesgleichen seine Signatur aufzusetzen pflegt.

»Darf ich bitten«, sagte er und breitete vor mir das von ihm schon unterschriebene letzte Blatt aus. »Vergiß bitte nicht, die richtige Tinte zu benutzen.«

Obwohl mich ein mulmiges Gefühl plagte und mir schwante, daß jegliche schriftliche Manifestation des eigenen Ichs früher oder später Konsequenzen nach sich ziehen würde, klinkte ich eine Kralle der rechten Pfote aus und tunkte sie in die Blutlache. Über dem Papier hielt ich jedoch kurz inne. »Eigentlich sollte man ja keinen Vertrag unterschreiben, den man nicht gelesen hat. Aber ich vertraue dir, Refizul.«

»Das kannst du auch, mein Freund. Und weißt du, warum? Weil ich inzwischen fertig mit den Menschen bin. Die letzte Schlacht dreht sich nur noch um euch – die Tiere.«

Das ergab genausowenig Sinn wie dieser blöde Vertrag. Aber da ich den Ausbruch nicht mehr abwarten konnte und Refizul wirklich etwas von einem Geschäftsmann hatte, der einen so lange mürbe labert, bis man gar nicht mehr anders kann, als auf sein Angebot einzugehen, schritt ich zur Tat. Neben seiner Unterschrift kritzelte ich mit der Kralle das Wort »Dude« und zog noch eine abenteuerliche Schleife darunter. Ich glaubte, daß ich den liebenswürdigen Geschöpfen, die mir das Leben gerettet hatten und jetzt allesamt tot waren, damit ein Denkmal gesetzt hätte. Und doch spürte ich bei diesem Akt einen Stich im Herzen, geradeso, als hätte ich hinter mir eine Tür zugeschlagen, die sich niemals mehr würde öffnen lassen.

Ein Radau brandete hinter meinem Rücken auf, und für einen Augenblick kam es mir tatsächlich so vor, als hätte ich mit meiner Unterschrift eine Bombe entzündet. Ich fuhr erschrocken herum und wurde mit einer bizarren Szene konfrontiert. Die Anstaltsinsassen und ihre spitzohrigen Betreuer vor dem Zellengitter spendeten uns Beifall. Die einen durch Klatschen und Bravo-Rufe aus ihren fast zahnlosen Mündern, die anderen durch ohrenbetäubendes Miauen. Seltsam war nur, daß ihnen auf einmal nicht die Spur von Verrücktheit anhaftete, im Gegenteil, sie vermittelten alle den Eindruck von Erlösten. Wenn man sich die Umstände und diese albernen Nachthemden wegdachte, hätte das Ganze auch ein hübsches Foto aus der Werbebroschüre eines Fünf-Sterne-Altersheims abgeben können. Allein der rabenschwarze Efendi, der in der vordersten Reihe stand und das Spektakel unaufgeregt über sich ergehen ließ, stimmte in den Jubel nicht ein. Er suchte gezielt den Augenkontakt zu mir, und als ich seinen Blick erwiderte, war seine Botschaft eindeutig: *Was hast du nur getan?!*

Ich fühlte mich nun bemüßigt, eine kleine Rede zu hal-

220

ten, eine von der Sorte, welche den Geknechteten die Revolution schmackhaft machen und sie zum Guillotinieren des Adels anstiften sollte. Deshalb wandte ich mich zum Publikum, nahm auf dem Tischchen eine dramatische Pose ein und gestikulierte kämpferisch mit den Vorderpfoten.

»Liebe Freunde, geschätzte Kollegen«, begann ich. »Niemand wird zum Sklaven geboren, und noch der wirrste Geistesgestörte verdient es nicht, in dieser Jauchegrube wie die letzte Bazille zu leben. Ich weiß, daß ihr einst honorige Leute wart, die für eine edle Sache gekämpft haben. Und was euch betrifft, Artgenossen, so ist euer Bemühen, durch eure Anwesenheit das Leiden dieser Bemitleidenswerten zu lindern, sicher lobenswert. Aber wer sich freiwillig als Arznei eines bösen Arztes einsetzen läßt, der macht letzten Endes gemeinsame Sache mit ihm. Ich denke, es ist nun an der Zeit, diesen jämmerlichen Zustand zu beenden. Er hat schon zu lange gedauert. Deshalb werden wir gleich einen Ausbruchversuch wagen. Werft eure Lethargie und eure Ängste über Bord und freut euch auf die Freiheit. Glaubt mir, selbst der Tod für sie ist lohnender als ein Leben ohne sie!«

Kein tosender Beifall brandete auf, kein euphorisches Miauen erschallte, und auch sonst deutete bei den vor der Tür Versammelten nichts darauf hin, daß sie inzwischen das revolutionäre Rot zu ihrer Lieblingsfarbe erklärt hätten. Sie glotzten mich alle an, als hätte ich einen Witz erzählt, dessen Pointe nicht gezündet hat. In einigen Gesichtern vermeinte ich sogar Ansätze von Mißbilligung zu erkennen.

Bis plötzlich doch ein einsames Klatschen erklang. Sehr heftig sogar. Ich drehte mich um und sah, wie Refizul mir voller Begeisterung Beifall zollte. Dabei lachte er schallend auf, so daß sein nikotinbraunes Gebiß zu sehen war, und vollführte auch sonst solch ekstatische Verrenkungen, als hätte soeben John F. Kennedy aus dem Grab heraus seine berühmte Berlin-Rede noch einmal zum besten gegeben. Zeitverzögert stieg der Beinahe-Glatzkopf neben ihm in das Geklatsche ein, was allerdings etwa so aussah, als würde eine Marionette mit ihren Gliedern klappern. Jetzt auf einmal zog das niedere Volk mit. Lauter Applaus ergoß sich abermals in den Trakt, Arme reckten sich verzückt in die Höhe, Fäuste und Pfoten wurden wütend geballt, und Kampfrufe wie »Nieder mit der Sklaverei!« und »Freiheit! Freiheit!« wurden gebrüllt. Ich heizte die Stimmung zusätzlich an, indem ich mich auf die Hinterbeine stellte, gleich einem Dirigenten in äußerster Aufwallung wild die Vorderpfoten schwang und freiheitliche Parolen grölte.

Als die Welle endlich abgeebbt war, trat Efendi ein paar Schritte vor die anderen und schaute mir mit coolem Ausdruck geradewegs ins Gesicht. »Und jetzt, Alder?«

Ich mußte gestehen, daß ich über das weitere Vorgehen keinen ausgefeilten Plan in der Schublade hatte. Besser gesagt, ich besaß überhaupt keinen Plan. Doch hielt ich mich nicht von ungefähr für den König der Improvisation. »Nun, wir brechen einfach aus!« verkündete ich im aufpeitschenden Tonfall des Anführers.

Efendi lächelte müde. »Geniale Idee, Alder. Wenn du nur noch die Freundlichkeit hättest, uns zu verklickern,

222

wie wir das genau anstellen sollen. Die Fenster sind vergittert und alle Türen mit Eisenriegeln und Monsterschlössern abgesperrt, und zwar mehrfach. Die Mauern sind so dick wie bei einem Weltkrieg-Zwo-Bunker, und last not least wäre da auch noch das bißchen Wasser da draußen, das nach allen wissenschaftlichen Erkenntnissen ziemlich naß sein dürfte.«

Mann, der Kerl konnte auch wirklich ein Spielverderber sein! Ich überlegte angestrengt, was zugegebenermaßen vor der versammelten Mannschaft nicht gerade einen eleganten Eindruck machte. Es mußte mir schnell etwas einfallen, wenn ich mich jetzt nicht bis auf die Knochen blamieren wollte. Schließlich spürte ich im Nacken Refizuls fordernden Blick. Der Alte hatte allen Grund zur Ungeduld, hatte er sich doch erst wegen meiner großen Schnauze zum »Projekt Spartakus« hinreißen lassen.

Endlich keimte eine Erinnerung in mir auf, der Groschen fiel, und ich wähnte mich im Besitz der einzig möglichen Lösung. »Wenn Mauern und Schlösser nicht nachgeben wollen«, rief ich in die Menge, »dann müssen wir sie eben zum Verschwinden bringen! Folgt mir!« Mit diesen Worten sprang ich vom Tisch und rannte wie der Blitz zwischen den Beinen der Greise und an den verdutzt dreinschauenden Artgenossen vielfältiger Rassen und Fellfarben vorbei auf den Korridor. Das Getrampel von sandalenbestückten Füßen, erregtes Miauen und ein kurzer Blick zurück bestätigten mir, daß die ganze Bande mir dicht auf den Fersen blieb. Von Zack und dem Panzermann war nirgends etwas zu sehen, und da die Tür zum Rest des Gebäudes offenstand, schlüpfte ich mit einem Satz in die labyrinthischen Gänge. Schnell hatte mich die Entourage aus schmutzigen Nachthemden und phosphoreszierenden Augen eingeholt, und gemeinsam verloren wir uns in den Eingeweiden der Anstalt. Allein der Vollmond, der sein silbriges Licht hier und da durch schießschartenkleine Fenster warf, sorgte für ein wenig Aufhellung. Ich vergegenwärtigte mir die Strecke, die ich zurückgelegt hatte, als ich Refizul zu seiner Elektroschock-Folter gefolgt war. Obwohl ein düsterer Flur auf den nächsten folgte und miefige Räume voll vorsintflutlichem Gerümpel in Serie unseren Weg kreuzten, tat mein inneres Navigationssystem seinen Dienst.

Dann endlich kamen wir zu den schlachthausartigen Kammern mit vierteiligen Kreuzrippengewölben, welche an schwarzweiße Horrorfilmszenarien gemahnten. Dort lagerten medizinische Geräte und Utensilien, die wohl noch aus der Zeit von Professor Sauerbruch stammten. Von Spinnweben und Mäuseschiß überzogene Narkose-Apparaturen mit brüchigen Schläuchen, riesige, grau emaillierte OP-Lampen, gleich mehrere zylinderförmige, offensichtlich defekte Geräte für die Elektroschock-Therapie, sonderbar verbogene und völlig stumpf gewordene chirurgische Instrumente, zu kleinen Hügeln gestapelte Zwangsjacken und Patientenliegen mit aufgeplatzter Polsterung füllten die Kammern. Daneben wurde aber auch keine geringe Anzahl von länglichen, längst verrosteten Gasflaschen aufbewahrt, die vermutlich Lachgas, Narkose- und andere Gemische beinhalteten. Sie sahen aus wie vergessener Raketenschrott einer längst aufgegebenen Waffenfabrik. Bereits bei meinem ersten Erkundungsgang waren mir die Dinger aufgefallen.

»Schraubt die Ventile aller Gasflaschen auf!« rief ich, während ich der Befreiungsarmee vorauseilte. Von geradezu beispielloser Befehlshörigkeit taten die zahnlosen Alten, wie ihnen geheißen, machten sich sofort über die Gasflaschen her und drehten die Verschlüsse auf. Was sich infolge von Oxydation und Zersetzung nicht mehr öffnen ließ, wurde mittels eines aus dem Gerümpel gefischten, gewaltigen Schraubenschlüssels oder Hammers kurzerhand von der jeweiligen Flasche abgeschlagen. Ich rannte weiter, und in jedem Raum, in dem Gasflaschen standen, gab ich brüllend immer die gleiche Parole aus: »Laßt das Gas heraus!« Es wunderte mich zwar, daß die Kopfgestörten, welche ein paar Stunden zuvor noch mit toten Angehörigen oder einfach mit der kahlen Wand Zwiegespräche geführt hatten, nun plötzlich zu Werke gingen wie findige Ingenieure, doch maß ich dieser Beobachtung in der Hitze des Gefechts keine besondere Bedeutung zu.

Schließlich erreichten wir den Raum, wo Refizul die Folter hatte über sich ergehen lassen müssen. Das Verlies beherbergte altmodische Gerätschaften, die eher dem Arsenal eines Geheimdienstes aus den Fünfzigern zuzuordnen waren als der modernen Medizin. Bei meinem ersten Besuch waren mir die trüben, tresorähnlichen Kästen mit klobigen Schaltern und tischtennisballgroßen Dioden und Drehknöpfen, die von einer ganzen Hand umfaßt werden konnten, gar nicht aufgefallen. Harte Untersuchungsliegen, an deren Seiten an Schraubstöcke erinnernde Lederfesseln für Hand- und Fußgelenke angebracht waren, rundeten das düstere Bild mit dem Charme eines Alptraums ab. Auf einer der Liegen befand sich die Elektroschock-

225

Zange. Auf dem Boden stand immer noch der volle Eimer mit Wasser, das zum Leitendmachen des Patienten benutzt worden war. Auch hier lehnten zwei Gasflaschen an der Wand.

Mein penibler Vertragspartner tauchte plötzlich neben mir auf, und sein seelenwunder Gesichtsausdruck verriet, daß vor seinem geistigen Auge gerade ein Film ablief, der nur sinnlose Qualen und ein verschwendetes Leben zum Inhalt hatte.

»Kennst du dich mit dem Ding aus?« wollte ich wissen. Ich deutete mit der Schnauze zu der Grauensapparatur, die mit der Zange verbunden war.

»Was für eine Frage! Das hier ist mein Wohnzimmer und das Ding meine alte Geliebte, die leider ziemlich sadistisch veranlagt ist.«

»Kannst du es so umfunktionieren, daß es erst, sagen wir mal, in einer Minute anspringt?«

»Wozu? Die Technologie stammt aus der Bronzezeit. Der Kasten muß sich erst aufladen und erreicht die höchste Stromkapazität ohnehin erst nach einer Minute.«

»Perfekt! Dann besorg dir schnell irgendwelche Stoffetzen. Die rollst du zu einem Bündel, tunkst das dort ins Wasser, legst es auf die Liege und klammerst die Elektrozange dran.«

Er stutzte. »Ein kaum nachvollziehbarer Befehl, General. Aber was soll's, als kleiner Soldat hat man eh nichts zu melden.«

Ich hatte gedacht, daß sich die Sache mit den Stoffetzen besonders kompliziert gestalten würde. Weit gefehlt, denn der kleine Soldat schien mit weit mehr Phantasie gesegnet als der General. Ohne große Umstände griff Refizul zum Rock seines Nachthemdes und riß ihn in Streifen. Dabei blinzelte er mir mit einem ironischen Lächeln zu, als wüßte er ganz genau, was ich vorhatte. Am Ende hatte er so viele Stoffstreifen abgerissen, daß das Nachthemd wie ein Fransenrock aussah. Refizul schnürte die Streifen zu einem Ballen, der eine täuschende Ähnlichkeit mit einem bandagierten Kopf besaß, tauchte das Gebilde in den Eimer mit Wasser, stellte es auf eine Liege und stülpte die Elektrozange darüber. Das Resultat wirkte etwa so, als würde sich eine Mumie über Kopfhörer den aktuellen Ramses-Hit reinziehen.

»Gut gemacht!« sagte ich. »Jetzt schraubst du die Verschlüsse der Gasflaschen auf, schaltest das Gerät ein und fängst an zu beten, daß wir hier herauskommen, bevor wir uns selbst zu Gas transformieren.«

»Aus Gründen, die zu erklären zu lange dauern würde, habe ich eine Aversion gegen das Beten!« Er ließ das Gas aus den Flaschen entweichen, betätigte den Hauptschalter der Schock-Maschine und legte den großen Hebel um. Lichter fingen an zu blinken, und sofort erfüllte ein enervierendes Brummen den Raum. Wir traten gemeinsam nach draußen vor die anderen Aufständischen, die uns mit vielen Fragezeichen in den Gesichtern anglotzten.

»Na los, worauf wartet ihr noch!« rief ich. »Bringt euch auf dem Hauptkorridor in Sicherheit, bevor uns hier alles um die Ohren fliegt!« Sofort setzte eine panikartige Flucht ein, diesmal in umgekehrter Richtung. Wieder durchquerten wir die mit medizinischem Schrott vollgestopften Kammern und düsteren Gänge, jetzt allerdings im Schweinsga-

227

lopp. Die aus den Flaschen ausgetretenen Gase hatten sich inzwischen zu einem teuflischen Gemisch vereinigt und bis in den kleinsten Winkel dieses Teils der Anstalt ausgebreitet. Die Luft roch verdammt schlecht, sie war verdammt explosiv und verursachte Würgreflexe. Es glich einem Wunder, daß wir selbst beim zeitrafferartigen Passieren der Räumlichkeiten nicht einer Vergiftung zum Opfer fielen. Sicherlich hatten es meinesgleichen, die knapp am Boden Fersengeld gaben, etwas angenehmer als die Zweibeiner oben, wo sich das Gas wie eine Todeswolke am dichtesten zusammengebraut hatte. Doch wenn man diese ungesunde Tatsache für einen Augenblick vergaß, konnte man dem Anblick der um die Wette flitzenden Greisenolympioniken und den Fellknäueln mit Glasmurmelaugen auch etwas Komödiantisches abgewinnen.

Dann jedoch hörte der Spaß auf. Ein Donnern, das wie das Feuerbrüllen eines Drachen klang, ertönte auf halber Strecke aus dem Teil des Gebäudes, in dem sich die Folterkammer befand. Ich wußte Bescheid: Wie geplant hatte die finale elektrische Entladung aus der Zange am nassen Stoffbündel Funken geschlagen und dadurch das Gas entzündet. Gleich drauf war ein weiteres beängstigendes Geräusch zu vernehmen. Man hätte annehmen können, daß der Feuerdrache nun kreischte. Vermutlich hatte die Explosion die oberen Stockwerke und schließlich das Dachsegment zum Einsturz gebracht. Dann ging es Schlag auf Schlag. In einer Kettenreaktion flog in schneller Folge ein gasumwölkter Raum nach dem anderen mit monströsem Getöse in die Luft. Unter unseren Pfoten und Füßen begann es stark zu beben, und um uns taten sich tiefe Risse im Mauerwerk auf. Nun rannten wir um unser Leben, denn eine Explosion zog die nächste nach sich. Eine Feuerwalze unglaublichen Ausmaßes rollte auf uns zu.

Kurz riskierte ich einen Blick zurück, ohne innezuhalten. Wäre mein Selbsterhaltungstrieb auch nur eine Spur schwächer gewesen, hätte mir das, was ich in diesem flüchtigen Moment sah, leicht den Verstand rauben können. Hinter mir tobte ein Inferno biblischer Dimension. In gar nicht so weiter Ferne verschlang ein riesiger Feuerball alles, was in seiner Nähe lag. Hinter uns krachten Mauern, ganze Stockwerke und das Dach zusammen, bis sich der silbrige Vollmondhimmel auftat.

Doch selbst dieses üble Katastrophenszenario war noch steigerbar. Plötzlich schoß aus der Feuersbrunst mit einem lauten Schwirren eine Feuerwerksrakete gen Firmament. Nein, bei genauerem Hinsehen handelte es sich bei dem Flugobjekt nicht um eine Feuerwerksrakete, sondern um einen am ganzen Leib brennenden und dabei wild mit den Armen rudernden und fürchterliche Schreie ausstoßenden Menschen. Ich wußte sofort, daß diese menschliche Fackel einer der jungen Ärzte sein mußte, die Refizul noch vor wenigen Stunden so zugesetzt hatten. Dr. Gabriel vielleicht oder Dr. Michael oder Dr. Raphael oder einer der anderen beiden. Ich kämpfte gerade mit dem moralischen Dilemma, ob solch grausamer Tyrannentod gerechtfertigt war, da stieg aus der Feuersbrunst die nächste lodernde Gestalt himmelwärts. Sie zappelte mit brennenden Gliedern, kreischte und krähte und plumpste dann wie ihr Vorgänger aus einer Höhe von etwa fünfzig Metern in einem weiten Bogen in den schwarzen See. Im Anschluß daran folgten die anderen drei. Wie von einer Kanone abgefeuerte Geschosse tauchten sie aus dem Explosionsherd auf, wurden mit unglaublicher Geschwindigkeit in den Sternenhimmel katapultiert, um dann in ebenso rasender Geschwindigkeit ins Wasser zu stürzen.

Langsam wurde mir klar, welche Hölle ich heraufbeschworen hatte. Es war offensichtlich, daß wir in wenigen Sekunden allesamt in Flammen aufgehen würden. In der Absicht, dem Tyrannen zu entkommen, drohte uns jetzt das eigene Leben abhanden zu kommen. Mit letzter Not erreichten wir den Zellentrakt, als hinter uns die bislang stärkste Detonation erfolgte. Das Gedröhne war so laut, daß meine Trommelfelle kurzzeitig ihren Dienst versagten. Ein gewaltiger Ruck ging durch den noch stehenden Teil des Gebäudes, und plötzlich brach wie durch ein Wunder die komplette linke Mauer in sich zusammen. Ein Schauer aus kleinen Steinen ging auf uns nieder, und augenblicklich war der Ort von einem Staubnebel eingehüllt. Derweil rollte die Feuerwalze von hinten immer näher an uns heran.

»Los, raus hier!« schrie ich. »Springt ins Wasser und versucht, ans andere Ufer zu schwimmen!«

Das ließen sich die Alten und ihre vierbeinigen Freunde nicht zweimal sagen. Wir stürzten über die weggebrochenen Mauerreste und eilten in Richtung Wasser. Mit einem Seitenblick sah ich, wie Refizul sich Efendi auf die Schulter setzte und über das kurze Stück Gras zum See lief. Ich selbst war dort schon angekommen und machte ohne große Umschweife sofort die Bekanntschaft mit dem nassen Element.^{3} Mit allen vieren trat ich wild das Wasser und bemühte mich, so etwas Ähnliches wie Schwimmbewegungen zu vollführen. Aber trotz der brenzligen Lage nagte immer noch die Neugier in mir, und ich drehte den Kopf, um einen letzten Eindruck von dem Inferno zu erhaschen. Dort, wo die seltsame Irrenanstalt einmal gestanden hatte, war nur noch ein Feuermeer zu sehen, aus dem die gesprengten Gebäudefundamente wie dämonische Zähne ragten. Am beeindruckendsten war dabei das Portal, durch das wir bei unserer Ankunft gegangen waren. Es stand ohne jegliche seitliche Abstützung einfach da und brannte lichterloh. Die ungeheure Hitze schien die gemeißelten Köpfe, Fratzen, Torsos, Tiergestalten und gruseligen Mythenwesen in der Einfassung zum Leben erweckt zu haben. Nach ihrem gequälten Aussehen zu urteilen, waren sie immerwährend von Schmerzen durchdrungen. Doch nun kam es mir so vor, als wanden sie sich in dem Höllenfeuer, schrien und wehklagten, und als würden sie uns anflehen, sie mitzunehmen.

Mein Blick streifte weiter und wurde zum Finale mit dem Allergrausigsten konfrontiert. Zack und der Panzermann standen am Ufer und starrten uns reglos nach. Das heißt, ich nahm an, daß sie es waren, denn die beiden Gestalten brannten lichterloh am ganzen Körper, als hätten sie vor Ausbruch des Feuers eine Kerosindusche genommen. Nichtsdestotrotz hielten sie still, fixierten uns mit flammenden Augen, in denen es rubinrot glühte. Ihr Blick brannte sich im wahrsten Sinne des Wortes unauslöschlich in mein Gedächtnis ein. Irgendwann kippten sie schließlich um. Gleich darauf erfolgte die stärkste Explosion. Das Kloster oder was von ihm noch übrig war löste sich mit einem gigantischen Knall endgültig in tausend umherfliegende Gesteinsbrocken auf, wobei aus der Mitte der Insel grelle Leuchtstreifen in Form eines Blumenbuketts in den Himmel schossen. Ich hatte vielleicht eine fragwürdige, aber zweifellos ganze Arbeit geleistet!

Mein Blick glitt nach vorne, und mit einem Mal bemerkte ich einen markanten Kontrast zwischen der Lage des Anführers der Befreiungsaktion und der der Befreiten. Letztere hatten sich jeweils einen ihrer spitzohrigen Lieblinge auf die Schulter gepackt und schwammen in aller Seelenruhe zum gegenüberliegenden Ufer. Der Mond beschien ihre kahlen Köpfe und schlohweißen Haare mit seinem hellen Licht, und wenn man das kleine Feuerwerk von eben ausblendete, hätte man sich der Illusion hingeben können, einem Haufen rüstiger Senioren beim Nachtschwimmen zuzuschauen. Ich dagegen hatte plötzlich ein riesiges Problem. Und es war echt schwer, dieses Problem all den gutgelaunten Nachtschwimmern zu vermitteln, weil der Abstand zwischen uns schon eine gute Strecke betrug und sekündlich größer wurde. Ich konnte nicht schwimmen!^{2}

Bisher hatte ich zwar mit der heftigen Pfotentreterei so getan, als könne ich mich über Wasser halten, und irgendwie war mir das auch tatsächlich gelungen. Allerdings merkte ich nun, daß es sich dabei um nichts weiter als um eine Kombination aus Selbsttäuschung und einem Überschuß an Adrenalin handelte. Da half mir auch das Wissen wenig, daß meine Art eben nicht zum Schwimmen geboren war. Es gab keinen Zweifel, trotz der erträglichen Wassertemperatur tauchte mein Kopf immer öfter unter, die

Beine machten schlapp, und meine Kräfte ließen merklich nach. Ich begann schwer zu atmen und blickte mich nach Refizul um. Kein Refizul weit und breit! Noch schlimmer, die übrigen knöchrigen Nachtschwimmer hatten sich inzwischen so weit von mir entfernt, daß ich sie allein am Schimmer ihrer ergrauten Haare in der Ferne ausmachen konnte.

Ich wollte einen Hilferuf ausstoßen, als mir jäh ein Schwall Wasser ins Maul schwappte. Die letzten Reserven neigten sich dem Ende zu, und das Wasser in meiner Luftröhre verursachte ein heftiges Husten. Daraufhin rutschte mein offenes Maul erneut unter Wasser, so daß ich noch mehr vom selbigen schluckte. Ich wollte mich umdrehen, um abzuschätzen, ob der Weg zurück zur Insel vielleicht eine größere Überlebenschance bot. Doch dazu kam es nicht mehr. Mit einem Mal war mein Kopf ganz unter der Wasseroberfläche, der aussichtslose Versuch, durch Husten das Wasser aus der Luftröhre zu bekommen, bewirkte das Gegenteil, und ehe ich mich versah, bekam ich keine Luft mehr. Der See durchspülte Nase, Rachen, Lunge, mein gesamtes Inneres, und ich ertrank.

Langsam sank ich nieder, während ich dumpf spürte, wie immer mehr grünlich schimmerndes Naß in mich flutete. Über mir verwandelte sich der Silbermond durch die sanfte Bewegung der Wellen zu einem unförmigen, hellen Fleck, der immer wieder für Sekundenbruchteile seine perfekte Kreisgestalt zurückerlangte. Entwurzelte Schlingpflanzen, abgestorbene Blätter und Abermilliarden von winzigsten Schmutzpartikeln schwebten an mir vorbei. Ich war mir nicht sicher, ob ich das Bewußtsein verloren

233

hatte oder ob mich schon erste Trugbilder eines Nahtoderlebnisses heimsuchten. Jedenfalls kehrte plötzlich eine merkwürdige Ruhe in mich ein – vermutlich wie bei jedem Sterbenden. Ich richtete den Blick nach unten. Ach, wie schön! Grüne Hügel und Täler wurden von Fischschwärmen umspielt, die ich zu meinen lebendigen Zeiten mit Wonne verschlungen hätte. Nun genoß ich die Aussicht. Lichtspiegelungen huschten wellenartig über Unterwasserdünen, eine sich romantisch im Strom wiegende Flora lud mich zum Verweilen ein, und da und dort erinnerte mich ein bis zur Unkenntlichkeit verrostetes Fahrrad an mein eigenes jüngstes Schicksal. Allmählich erreichte ich den Grund des Sees, und ich blickte in einen beeindruckenden Miniatur-Canyon aus emporragenden Felsen. Und sah die sich mir entgegenstreckenden Menschenarme dazwischen!

Obwohl ich vielleicht tot, halbtot oder schon ganz tot war, wurde ich von einem Schauer durchschüttelt und begann wieder wild zu strampeln. Hatte sich das Jenseits anfangs recht einlullend gegeben, so zeigte es jetzt sein wahres Gesicht. Darauf konnte ich herzlich verzichten. Doch ein unheimlicher Sog riß mich kontinuierlich abwärts, so daß ich immer mehr in das Schattenreich der Felsen geriet. Langsam wurden die zu den Armen gehörenden menschlichen Leiber sichtbar. Es war unfaßbar: Auf dem tiefsten Grunde des Sees und wie bei einer Ballettchoreographie in einer Reihe aufgestellt, blickten mich die Doktoren Gabriel, Michael, Raphael, Uriel und Raguel vorwurfsvoll an. Die Feuerwerksnummer von eben schien sie keinen einzigen Kratzer gekostet zu haben, und von irgendwelchen

234

Verbrennungen konnte nicht einmal ansatzweise die Rede sein. Sie steckten in ihren weißen Kitteln, die jedoch wegen der Düsternis hier unten moosgrün flimmerten. Ihre einst akkurat gescheitelten Frisuren waren unter Wasser völlig aus der Fasson geraten. Die einzelnen Haare standen ihnen zu Berge und schwankten wie in Zeitlupe hin und her. Die Gesichter zeugten allerdings von einer tatsächlichen Totenblässe, und die aufgerissenen Augen hätten ebenfalls die von Leichen sein können. Offenkundig hatte ich es mit Unterwasser-Zombies zu tun.

»Glaubst du wirklich, ein wertvolles Werk vollbracht zu haben, Francis?« fragte Gabriel mit hallender Stimme, während ich über ihm schwebte. Ich bemerkte, daß nicht eine einzige Luftblase seinem Mund entwich. Er und seine Kollegen mit ihren wie zum Gebet hochgestreckten Armen hätten glatt bei Madame Tussauds als Vorgruppe auftreten können.

»Francis? Wer ist Francis? Ich heiße Dude«, erwiderte ich. Offenkundig war auch ich inzwischen mit der Gabe gesegnet, unter Wasser sprechen zu können. »Und ja, ich glaube durchaus, daß ich das Richtige getan habe. Irgendwer mußte euch Leuteschindern Einhalt gebieten. Jetzt seid ihr tot, und ich bin tot. Aber der Gerechtigkeit ist Genüge getan. Endlich werden sich Tiere und Menschen durch eine gemeinsame Sprache verstehen und in Harmonie zueinanderfinden.«

Dr. Gabriel versuchte ein mechanisches Lächeln. Es sah aus, als würde man einer Eisstatue Elastizität beibringen. »Interessante Theorie. Das war es also, was das Tier bisher vom Menschen trennte, die Sprache. Ich sage dir, mein

Freund, keine Sprache des Universums wird Mensch und Tier je zusammenbringen. Weil es da nämlich einen weit bedeutenderen Unterschied zwischen ihnen gibt. Aber das wirst du im Laufe deines langen Lebens noch ganz von selbst herausfinden, Francis. Vorerst jedoch solltest du dir ein paar Gedanken darüber machen, mit wem du dich überhaupt eingelassen hast.«

»Mit einem armen Irren, der einen großartigen Traum träumt«, sagte ich trotzig.

»Träum weiter!« sagte Dr. Gabriel und schoß plötzlich gemeinsam mit seinen Zombie-Kollegen delphinartig zwischen den Felsen zu mir hoch. Ehe ich mich versah, packten mich zehn Hände von allen Seiten und beförderten mich nach oben. Man hätte an eine Baywatch-Rettungsaktion von grotesken, weiß bekittelten Nixen denken können. »Wenn du aus dem Traum aufwachst, mach dir mal ein paar Gedanken darüber, was du da vorhin unterschrieben hast. Ich gebe zu, wir hatten nicht mehr damit gerechnet, daß der Alte noch einen so starken Verbündeten an Land zieht. Daß er einen Auserwählten findet. Und würden wir deinen glorreichen Lebenslauf nicht kennen und den freien Willen nicht so sehr respektieren, hätten wir gleich kurzen Prozeß mit dir gemacht. Wie dem auch sei, den Schlamassel, den du angerichtet hast, mußt du ganz allein wieder bereinigen, mein Freund. Denn wenn du es nicht tust, wird er dir irgendwann auf den Kopf fallen. Du wirst dafür bezahlen müssen, mit deinem eigen Fleisch und Blut!«

Ich sah den Silbermond auf der Wasseroberfläche allmählich größer und größer werden. Er leuchtete in seiner ganzen Pracht und strahlte wie eh und je Hoffnung auf bessere Tage aus. Und doch dämmerte es mir allmählich, daß dieser Mond nun nicht mehr der gewohnten, alten Welt angehörte, sondern einer vollends veränderten.

11

Die fünf Abessinier Haniel, Jafkiel, Camael, Andon und ihr Anführer oder Sprecher Metathron wiesen Blaubart und mir den Weg. Hoch oben auf den aneinandergereihten Dächern mit Vogelperspektiven-Blick auf die zugeschneiten Gärten war dies kein schlechter Dienst. Der Sturm dachte nicht daran, Feierabend zu machen, und deckte uns mit seinem Schneeflockenbombardement immer noch ordentlich ein. Von der unerträglichen Kälte ganz zu schweigen. Da kam es wirklich nicht ungelegen, daß diese zwar ziemlich blasiert wirkenden, aber offenkundig hilfsbereiten Typen die nächstgelegene Feuertreppe kannten.

In vielerlei Hinsicht hatten mich die sonderbaren fünf zum Nachdenken gebracht, um nicht zu sagen, in Verwirrung gestürzt. Zum einen lag es an ihrer Rasse, der ältesten unserer Art, wie es heißt. Gewiß, Abessinier sah man nicht alle Tage, und deshalb ging unweigerlich etwas Geheimnisvolles von ihnen aus. Sie waren mit ihrem eher dem Wildkaninchen ähnelnden, sandfarbenen Fell, ihren zwischen Zinkgelb und Blaßgrün changierenden Augen, vor allem jedoch ihren dornengleich aufragenden Härchen an den Ohrspitzen, den sogenannten Ohrpinseln, quasi die Howard Hughes' unter uns Normalsterblichen. Doch das erklärte nicht wirklich mein Befremden. Es war das Auftreten der fünf. Sie schienen irgendwie nicht von dieser Welt zu sein. Ihr nachsichtiges und philosophisches Gehabe erinnerte mich an Gestalten, denen ich vor Urzeiten schon einmal begegnet war. Man wollte kein Freund von ihnen sein, und doch faszinierten sie einen.

Dann waren da Metathrons Andeutungen um den vermeintlich unrettbar verlorenen Junior. Er wollte sich nicht darauf festlegen, daß der Junge tot war. Aber was war dann mit ihm geschehen? Und woher wollte dieser aufgeblasene, wie aus dem Nichts aufgetauchte Typ überhaupt wissen, was in der Nacht mit Junior geschehen war, wenn er doch selber zugab, kein Hellseher zu sein? Und schließlich war da die wirklich knifflige Angelegenheit mit diesem blöden Kontrakt, den ich vor langer Zeit unterschrieben haben sollte. Metathron hatte darauf angespielt, daß Juniors Verschwinden irgendwie damit zusammenhinge. Ohne genau zu wissen, wovon er überhaupt sprach, hatten mich seine sibyllinischen Worte getroffen wie ein Keulenschlag. Es war, als wäre nach siebzehn Jahren herausgekommen, daß ich als jugendlicher Adonis in einem Spitzohr-Porno mitgewirkt hatte, der nun im Internet kursierte. Aber es handelte sich nicht um einen Porno, sondern um … ja, langsam begann ich mich an diesen albernen Vertrag zu erinnern. Und an alles, was er beinhaltete. Auch entsann ich mich mit einem Mal an die Narben an meinem Hintern, über die längst dichtes Fell gewachsen war. Doch es war wie verflixt, die längst vergilbten Bilder in meinem Hirnarchiv fanden nur quälend langsam Zugang in mein Bewußtsein. Und als der unerbittliche Zensor sie endlich zur Betrachtung freigab, wollten sie keinen rechten Sinn ergeben.

Nach einem nicht ungefährlichen Abstieg auf den vereisten Stufen der Feuertreppe stapfte unser Konvoi über die Mauern zum besagten Garten, in dessen Mitte der Brunnen stand. Es war der falsche Zeitpunkt für melancholische Rückerinnerungen an die vielen verstrichenen Jahre, seitdem ich diesen Ort zum ersten Mal betreten hatte. Dennoch löste der Anblick des Brunnens genau dieses Gefühl in mir aus, und für einen Moment hatte ich einen Kloß im Hals. Natürlich hatte sich die Kulisse mittlerweile komplett verändert. Waren die alten Gründerzeitgebäude damals halbe Ruinen gewesen, die nicht einmal die raffgierige Brut hätte erben wollen, so sahen sie nach den Renovierungen *de luxe* wie kleine Paläste aus. Und hatten die verfallenen Ziegelsteinmauern und verwilderten Gärten ehemals Ähnlichkeit mit Rudimenten einer längst untergegangenen Kultur besessen, hätten sie heute selbst Ludwig XIV. zum Lustwandeln eingeladen. Heimelig dämmerte es aus den original rekonstruierten Fenstern der Rückfassaden.

Wir alle sprangen auf den runden Brunnenrand und richteten den Blick in den Schacht. Aus einiger Entfernung mochte unser Anblick wohl so wirken, als steckte das Hexengetier über dem Schornstein des Hades die Köpfe zusammen, um den Leibhaftigen heraufzubeschwören. Wie befürchtet präsentierte der Brunnenschacht nichts als unergründliche Schwärze, in der der Wind einen Dauerhall erzeugte. Das Ende des Schachts war jedenfalls nicht zu erkennen.

»Herrje, man müßte ja fliegen können, um da unten hinzugelangen«, sagte Metathron mit einem aufgesetzten Lächeln.

»Keineswegs«, erwiderte ich und erklärte, wie ich es damals angestellt hatte, völlig unversehrt den Brunnengrund zu erreichen.

»Scheiße nein!« schaltete sich Blaubart ein. »Denkst du auch, was ich gerade denke, Francis?« Über sein halb eingefallenes Gesicht mit der einen schrumpeligen Augenhöhle legte sich tiefste Besorgnis.

»Leider ja, Kumpel. Aufgeputscht durch die Jugendabenteuer von Papa Tausendsassa ist dieser dämliche Kerl in der Nacht losgezogen, hat den Brunnen gefunden und sich dann wie das väterliche Vorbild einfach in die Röhre fallen lassen. Im Gegensatz zu seinem Alten erwartete ihn jedoch am Ende der Flugreise kein bequemes Bett, sondern der nackte Steinboden. Vermutlich liegt er jetzt dort unten mit gebrochenem Genick mausetot herum.«

Die Abessinier wechselten untereinander vieldeutige Blicke. Doch obercool, wie sie nun einmal waren, schienen sie von meiner Horrormutmaßung nicht besonders beeindruckt zu sein. Es sei allerdings erwähnt, daß ich das befürchtete Szenario deshalb in so dramatischen Farben ausgemalt hatte, weil ich die komischen Burschen unbedingt zu einer Reaktion provozieren wollte. Sie wußten mehr, als sie vorgaben, davon war ich überzeugt. Aber nichts geschah. Nachdem die geheimnisvollen Blicke ausgetauscht waren, schauten sie wieder so interessiert drein, als ginge es hier um die Frage, ob das Schnappen nach Mücken nach der Hauptspeise den delikaten Nachgeschmack im Maul neutralisiert. Dafür merkte ich Blaubart an, wie er geradezu in sich zusammenfiel. Nach dem mühseligen Marsch durch den Schneesturm schien für meinen in vieler Hinsicht deformierten Partner ohnehin das Ende der Fahnenstange erreicht. Aber der Gedanke, daß Junior tot sein könnte, kam für ihn einem Stoß gleich, der ihn endgültig niederwarf. Er hatte den Bengel genauso lieb wie ich.

»Uff!« machte mein mitgenommener Freund und sank auf die Knie. »Scheiße nein, Francis, also, wenn das wirklich wahr ist, dann hättest du letzte Nacht besser die Klappe halten sollen. Du weißt doch, wie sehr der Junge dir nacheifert.«

»'tschuldigung, wenn ich eure Vertraulichkeiten unterbreche«, sagte Metathron. »Aber wie geht es nun weiter?«

»Hast du auch was zu vermelden, du Knilch?« blaffte Blaubart. »Niemand hat euch Sogar-der-Pharao-hat-sich-unsere-blöde-Visage-auf-seinen-Sarkophag-gravieren-lassen-Typen gebeten mitzukommen!«

»Ruhig Blut, Blaubart.« Ich wandte mich an Metathron. »Du hast recht, Kumpel, wir dürfen keine Zeit verlieren. Das einfachste ist, ich springe jetzt da hinein, um meine Vermutung zu überprüfen.«

Sofort war Blaubart wieder auf den Beinen, und ich bemerkte, daß er jetzt leicht zitterte. »Bist du jetzt endgültig übergeschnappt, Francis? Du hast doch eben gesagt, daß Junior vielleicht so ums Leben gekommen sein könnte.«

Ich lächelte milde. »Eben drum, Blaubart. Du glaubst doch nicht im Ernst, daß ich noch weiterleben möchte, wenn mein geliebter Sohn nicht mehr unter den Lebenden weilt«, sagte ich und ließ mich dann in den Brunnenschacht fallen.

Zum zweiten Mal in meinem Leben vollführte ich nun also einen Flug durch die Finsternis, ohne zu wissen, welche weitere Existenzform mich am Ziel der Reise erwartete. Entlang der aus dem Mauerwerk herauswachsenden, kahlen Äste und durch den Luftzug leise schwingenden Spinnennetze ging es im rasanten Tempo abwärts. Um es kurz zu machen, es kam unten nicht zu einem Zusammentreffen zwischen meiner weichen Birne und dem harten Stein, sondern ich landete wie erhofft im gemachten Bett. Rasch befreite ich mich aus dem Haufen aus vertrockneten Blättern und Gestrüpp, in den ich mich regelrecht hineingebohrt hatte, ging zur Seite und schüttelte mich kräftig.

»Francis, geht's dir gut?« hörte ich Blaubarts hallende Stimme von oben durch die Röhre brüllen.

»Und wie!« rief ich zurück. »Hätte ich gewußt, daß es im Jenseits so toll ist, hätte ich vorher noch mein Premiere-Abo abbestellt.«

Gleich darauf vernahm ich ein lautes Rauschen im Schacht und sah schon im nächsten Moment, wie Blaubart gleich einem durch die Serviceklappe geschmissenen Wäschesack herabsauste. Nur noch sein Kopf lugte aus dem natürlichen Komposthaufen hervor. »Scheiße nein, ganz schön schummerig hier!« war sein erster Eindruck.

Es brauchte einige Sekunden, bis sich unsere Augen auf Nachtsicht-Modus umgeschaltet hatten. Die gute Nachricht: Von Junior war weit und breit nichts zu sehen, obwohl ich riechen konnte, daß er diesen von Spinnweben, schwachsinnigem Mäuse-Proletariat, abgebrannten Ker-

243

zen und inzwischen zu unförmigen Klumpen verpappten Büchertürmen beheimateten Ort tatsächlich aufgesucht hatte.[3] Die schlechte Nachricht war keine Nachricht, sondern das Gefühl tiefster Schwermut in Anbetracht der zahllosen Gerippe um uns herum. Gleich einer von Archäologen freigeschaufelten, uralten Totenstätte gewahrten wir nichts als Knochen über Knochen. Für den Wissenschaftler ein Fund von unschätzbarem Wert, war der Anblick für mich ein gnadenloses Skalpell, das die längst verheilt geglaubten Wunden wieder offenlegte. Während ich den Blick über die Gebeine und teilweise vollständig erhaltenen Skelette der Dudes schweifen ließ, traten mir Tränen in die Augen. Gleichzeitig sagte mir die Vernunft, daß es keinen Sinn hatte, längst beweinte Tote noch einmal zu beweinen.

»Wie sieht's aus, Francis? Bist du der Wahrheit inzwischen ein Stück nähergekommen?« Metathrons Stimme klang in der Dunkelheit wie die eines Geistes.

Blaubart und ich fuhren herum und starrten ungläubig auf die Fünferbande direkt hinter uns. Weder hatten wir das leiseste Geräusch gehört, als die Abessinier in den Pflanzenhaufen hineingepurzelt waren, noch irgendwelche Raschellaute vernommen, die unweigerlich damit einhergingen.

»Noch so ein Trick, und ich melde euch zur Strafe bei David Copperfield zum Putzdienst an«, sagte ich.

»Scheiße ja«, ergänzte Blaubart. »Ihr werdet mir langsam unheimlich.«

»Was gedenkst du also zu tun, Francis?« Metathron ließ sich nicht beirren und fixierte mich mit eisigem Blick.

»'ne weitere Runde Eisschlecken, du Schmock!«

Zirka eine halbe Stunde später standen wir vor der abgewirtschafteten Villa. Ich hatte die anderen durch das stillgelegte Wasserrohr ins Freie gelotst und war mit ihnen auf das unbebaute Terrain geklettert. Nichts schien sich hier seit den unseligen Tagen verändert zu haben. Und das war ungewöhnlich genug in einem Altbaugebiet, in dem inzwischen jeder Quadratzentimeter mit Gold aufgewogen wurde. Weshalb ließ man ein solches Filetstück an Bauland brachliegen? Wem gehörte es? Refizuls Erben oder, wie Dr. Gabriel einmal beiläufig erwähnt hatte, der Anstalt *Morgenrot*? Doch *Morgenrot* war abgebrannt.

Es gab doch eine Veränderung, wenn auch keine wesentliche. Die Villa war nun vollends verrottet. Sogar ganze Mauern waren über dem Fundament zu Schutthaufen zusammengefallen. Dem Dach war es stellenweise genauso ergangen. Wir sprangen auf die völlig demolierte Veranda und spazierten durch den nicht mehr vorhandenen Haupteingang in den Salon. Der aus den Löchern beständig hereinrieselnde Schnee spielte den gnädigen Visagisten, der aufzuhübschen versuchte, was schon längst unrettbar verloren war. Das Mobiliar und das audiovisuelle Equipment hatten sich inzwischen entweder in seine Bestandteile aufgelöst oder waren zu verschrumpelten Mumien ihrer selbst geworden. Der Schnee überzog jeden Gegenstand mit einer dicken Schicht und hatte selbst den großen Kamin und die spiegelverkehrt angelegten, zur Galerie führenden Treppenaufgänge unter sich begraben.

»Er war hier«, sagte ich, nachdem wir ins Zentrum des saalartigen Raumes gelangt waren, der ein wenig dem Schloßvestibül der Eiskönigin ähnelte.

»Wie kommst du darauf?« wollte Metathron wissen.

»Blut ist dicker als Wasser.« Ich deutete mit der Schnauze auf den Boden. Obwohl durch den Schneefall die weiße Schicht in den letzten Stunden wieder um einige Zentimeter angewachsen sein mußte, blitzte unter unseren Pfoten eine gesprenkelte Blutspur auf. Sie war inzwischen gefroren und sah schon bräunlich aus. Sofort fing mein Herz an zu rasen und zu hämmern, als hätte ich soeben einen Marathonlauf absolviert. Meine schlimmsten Befürchtungen drohten Wirklichkeit zu werden. Dennoch nahm ich allen Mut zusammen und folgte den Blutstropfen. Der ebenfalls vollkommen aufgelöste Blaubart und die Abessinier blieben dicht hinter mir.

Die Spur schien zunächst überall hinzuführen, da sie sich verzweigte, verwirrende neue Richtungen einschlug oder sich großflächig an einer Stelle konzentrierte. Dennoch gab es so etwas wie eine Hauptlinie, die unerbittlich zu einer aufgetürmten Ansammlung von Elektronikschrott führte. Als wir dort ankamen, machte die Spur einen Schlenker um die Ecke. Ich atmete tief ein, bog ebenfalls um die Ecke und –

Drei völlig unterschiedliche und sich widersprechende Gefühlsregungen nahmen gleichzeitig von mir Besitz: Entsetzen, Erleichterung und Wiedererkennen. Hinter dem Elektroschrotturm stand eine Kommode mit stilvollen Intarsien und aufgerissenen Schubladen. Davor standen zwei Kerzenständer, die sehr lang und jeweils mit einem Spieß zum Aufstecken der Kerze ausgestattet waren. Einer dieser Spieße hatte … *Eloi* vom Bauch aus durchbohrt und war aus dem Rücken wieder herausgetreten.

Trotz der vielen vergangenen Jahre und der ihn entstellenden Pose erkannte ich ihn sofort. Dem Siamesen, der bäuchlings wie eine erschlaffte Riesenwurst an dem Ding hing, war aus der Stichwunde, aber auch aus Nase und Maul jede Menge Blut geflossen, das inzwischen schon geronnen war und sich schwarz gefärbt hatte.

Gewiß war ich erleichtert, weil ich nicht Junior vor mir hatte. Trotzdem sagte mir eine innere Stimme, daß er mit dieser Sache etwas zu tun haben mußte. Und natürlich wußte ich auch, daß es sich bei dem Aufgespießten in Wahrheit nicht um Eloi handelte, sondern, na ja, vielleicht um einen Doppelgänger, um seinen Bruder oder gar um seinen Sohn. Etwas Furchtbares mußte sich hier abgespielt haben. Doch wieso zog ein Blutbad, das sich vor siebzehn Jahren ereignet hatte, immer noch einen Blutstrom nach sich?

Um meine Gedanken zu ordnen, legte ich den anderen kurz den Sachverhalt dar. Unterdessen sprang Blaubart in die aufgezogenen Schubladen und inspizierte schnüffelnd eine nach der anderen. Als ich zu Ende gesprochen hatte, steckte er bereits in der untersten Schublade und versuchte mit der Schnauze, etwas Schweres hochzustemmen. Schließlich gelang es ihm, das Ding mit einem Kopfstoß über die Vorderwand der Schublade zu kicken. Es schlug auf dem Boden auf und zersplitterte.

»Schau mal, Francis, der Kerl hier auf dem Bild sieht wie eine Kopie von der Blutwurst da aus.«

Wir alle blickten auf eine gerahmte Schwarzweißfotografie hinter zersprungenem Glas, das fast bis zur Unkenntlichkeit verschmutzt war. Es handelte sich um einen

247

alten Zeitungsausschnitt, der Refizul und Eloi zeigte. Allerdings einen recht aufgeräumten Refizul im schicken Tweedanzug, wie ich ihn noch nie zuvor gesehen hatte, und einen Eloi, der zu seinem einstigen Dude-Look solcherweise in Kontrast stand wie eine Glitterhose mit Pailletten zu einer abgetragenen, löchrigen Jeans. Der Alte hatte seine linke Hand auf meinen einstigen Mentor gelegt. Die beiden schienen ein richtiges Paar zu sein, mehr noch gute Geschäftspartner, die einander die Bälle zuspielen. In der Bildunterschrift darunter wurde die Anstalt *Morgenrot* erwähnt und die darin praktizierte, ausgefallene Therapie mit unseresgleichen, die sich in der Pilotphase befände. Und daß Refizul der Direktor der Anstalt sei!

»Hast du nicht erzählt, daß man diesen Typen damals als armen Irren in der Klapse eingekerkert hat?« wollte Blaubart wissen.

»Ähm … ja.«

»Und hast du nicht gesagt, daß dieser Siam so was wie der Häuptling der Brunnenhippies war, der sich den lieben langen Tag einen Minzestengel nach dem anderen reingezogen hat?«

Ich öffnete den Mund, um erneutes Gestammel von mir zu geben, als Metathron zwischen uns trat und mich mit seinem grünäugigen Hypnoseblick gefangennahm. Seine zwischen Kupferrot und Sandfarben schwankenden Fellhaare hatten sich alle einzeln aufgerichtet, und so desolat, wie ich mich nun fühlte, vermeinte ich sogar eine goldene Aura um ihn zu sehen.

»Ich glaube, Francis ist momentan ziemlich geschockt und hat deshalb mit gewissen Erinnerungslücken zu kämpfen«, sagte er und präsentierte abermals sein wissendes Lächeln. »Alles wird bestimmt einen Sinn ergeben, wenn wir Junior finden.«

»Nur wie?« fragte ich resigniert. Ein bißchen schämte ich mich dafür, daß ich nicht gleich mit der Wahrheit herausgerückt war. Ich kam mir wie ein kleiner Junge vor, der sich nach dem Abschluß der Windelphase noch in die Hose gemacht hat. Allerdings war es auch ein Ding der Unmöglichkeit, sich in diesem Verwirrspiel zwischen Erinnerung und Einbildung zurechtzufinden. Eine düstere Wolke legte sich auf meinen Geist und ließ die graue Vorzeit noch etwas grauer erscheinen. »Ich würde alles dafür tun, um den Kleinen wieder zurückzubekommen!«

»Wirklich alles?« Das Lächeln verschwand so gänzlich aus Metathrons Gesicht, als hätte er sich eine Eisenmaske aufgesetzt. »Bist du auch dafür bereit, der Wahrheit schonungslos ins Gesicht zu sehen? Es kann gefährlich werden.«

»Ja«, sagte ich. »Dafür würde ich sogar durch die Hölle gehen!«

»Das ist das gleiche«, entgegnete der Abessinier. »Gehen wir noch 'ne Runde Eis schlecken!«

Während wir die vom Puderzucker-Design heimgesuchten Gärten allmählich hinter uns ließen, kam es mir so vor, als sei der mit solcher Beharrlichkeit wütende Schneesturm gar kein Naturphänomen, sondern eine Art Symphonie oder besser gesagt, der Soundtrack für meinen chaotischen Geisteszustand. Die Gründerzeithäuser, hinter deren erleuchteten Fenstern chronisch das Glück zu wohnen schien, verschwanden aus unserem Blickwinkel und wichen einer immer ländlicher werdenden Landschaft. Romantisch verschneite Felder, hier und dort vereinzelte Baumgruppen und ein einsames Gehöft mit rauchendem Schornstein lagen in weiter Ferne. Unsere Beine sanken bisweilen fast bis zum Bauch in den Schnee, und oft mußten wir eine kleine Pause einlegen, um wieder zu Atem zu kommen. Wir waren ein Treck der Erschöpften, dennoch mit klarem Ziel, das jedoch allein Metathron zu kennen schien. Nach einer kleinen Wanderung durch einen völlig lautlosen Miniaturwald standen wir endlich vor der Kulisse, die ich insgeheim schon herbeigesehnt hatte.

Wir standen am Ufer des zugefrorenen Sees und ließen unsere Blicke durch den Schneeflockenvorhang zur Insel schweifen. Nun stutzte ich doch, jedoch nicht, weil Dr. Alzheimer auch bei mir langsam an die Hirnschale klopfte und ich dort drüben immer noch die gute alte Anstalt erwartet hätte. Nein, die war ja damals mit einem großen Puff! in die Luft geflogen. Was mich erstaunte, war das neue Gebäude auf dem Eiland. Dort stand ein kolossales Hochhaus, das sich wohl einer jener postmodernen Architekten ausgedacht hatte, der während des Studiums beim Wir-ziehen-einen-geraden-Strich-Seminar gefehlt hatte. Der rechteckige Glaskasten verbog sich auf halber Höhe um neunzig Grad, so daß einem schon bei der Vorstellung schwindelig wurde, sich darin aufzuhalten. Auf dem Dach glühte eine riesige Leuchttafel mit der korallenroten Inschrift MORGENROT. Die Buchstaben mußten mehr als mannshoch sein. Dieses Bauwerk eine Anstalt zu nennen und dann auch noch mit dem Zusatz »psychiatrische« zu versehen war mehr als gewagt. So luxuriös waren die Irrenhäuser nicht einmal heutzutage. Das Gebäude mußte einem anderen Zweck dienen, wiewohl es da eine Verbindung zwischen dem Alten und dem Neuen gab. Das spürte ich.

»Und da drin befindet sich Junior?« Ich wandte mich an Metathron. Wir alle sahen inzwischen so aus, als hätte uns ein irrwitziger Koch im Mehl gerollt. Von unserer eigentlichen Fellfarbe war fast nichts mehr zu sehen, und unser Atem dampfte in der eisigen Luft, als wären wir Lokomotiven en miniature. Um uns herum befand sich nur der ebenfalls lückenlos verschneite Wald, auf dem eine gespenstische Stille lastete. Seltsamerweise wirkte gerade der verkrüppelte Blaubart am fittesten von uns allen, ein harter Knochen von der Fremdenlegion, der am Ende der Schlacht erst so richtig zu Hochform aufläuft.

»Das liegt in deiner Pfote, Francis«, erwiderte der Sprecher der magischen fünf. Seine von Schneeflocken besetzten Schnurrhaare schwangen majestätisch im Wind.

»Noch eine Frage«, sagte ich. »Sind wir uns früher schon einmal begegnet?«

»Das kann durchaus sein. Vielleicht nicht in dieser Gestalt. Aber Begegnungen haben es so an sich, daß sie vielgestaltig sind.«

Ich nickte, dann wandte ich mich an meinen Partner. »Komm, Blaubart, wir schnappen uns den Kleinen und bringen ihn heim!«

Wir staksten den kleinen Abhang zum See hinunter und begaben uns auf das Eis. Plötzlich merkte ich, daß die Abessinier uns nicht folgten. Ich drehte mich um und sah sie nebeneinander in einer Reihe auf ihren Hinterbeinen sitzen wie von einem Künstler geformte Schneemänner.

»Was ist, kommt ihr nicht mit?« fragte ich.

251

»Leider nein, Francis«, antwortete Metathron. »Du und Blaubart müßt die Prüfung alleine durchstehen. Aber vor allem kommt es auf dich an, lieber Freund. Doch keine Sorge, im Geiste sind wir stets bei euch.«

»Von welcher Prüfung redest du überhaupt?«

Eine heftige Schneeverwehung schob sich mit einem Mal zwischen uns, und Eure Merkwürdigkeiten waren nicht mehr zu sehen. Was Merkwürdigkeiten betraf, hatte ich davon gleichgültig in welcher Erscheinungsform inzwischen ohnehin die Nase gestrichen voll. Alles, was ich wollte, war meinen Sohn wieder in die Pfoten schließen und danach meinen Hintern respektive den süßen von Sancta an Gustavs warmen Kamin schieben, bis wir am Ende vor Gemütlichkeit platzten. Kurz, ich träumte den Traum aller alten Säcke.

Blaubart und ich trippelten auf dem Eis in Richtung der Insel. Bald war das zurückliegende Ufer nicht mehr zu sehen. Mir ging auf, daß ich quasi über meine eigene Vergangenheit spazierte. Beinahe wäre ich damals in dem Wasser ungekommen, das sich jetzt unter dieser Eisschicht verbarg. Persönlich hatte ich sogar den Eindruck, daß ich tatsächlich ertrunken war. Doch irgendwer hatte mich schlußendlich gerettet. Und dann? Was war dann passiert? Es schien einen gewaltigen Riegel zu geben, welcher mit aller Macht verhinderte, daß sich eine bestimmte Kammer in meinem Gedächtnis öffnete. Hätte Junior mich nicht aufgefordert, von meinen Anfängen zu erzählen, dann ahnte ich heute noch nichts von der Existenz dieser Kammer. Vielleicht, so dachte ich nun, sollte man nicht allzuoft nach den Leichen im Keller sehen.

»Schau, Francis!« rief Blaubart aus und blieb abrupt stehen. »Scheiße nein, da scheint jemand echt ein großes Problem mit der Kälte gehabt zu haben.«

Etwa auf halber Strecke ragte Charon in seiner vermoderten Fähre wie eine bizarre Freiheitsstatue aus dem Eis hervor. Der knochige, hohlwangige Runzelgreis mit ledernem Schlapphut und der überlangen Pelerine stützte sich auf seinen Holzpflock und hatte einen ausgestreckten Zeigefinger auf die Insel gerichtet. Die krumme Körperhaltung, die tief in den Höhlen liegenden, aufgerissenen Augen, der bösartige Blick – alles war eigentlich wie früher. Nur war der Fährmann samt seinem Vehikel diesmal so vergletschert, als hätte er ein Bad in flüssigem Stickstoff genommen.

»Normalerweise verlangt er einen Goldtaler«, sagte ich. »Das bedeutet nichts Gutes.«

Wir erreichten die Insel und eilten einen pompösen Treppenaufgang hinauf. Die gläsernen Schiebetüren öffneten sich automatisch, und wir huschten in das Mammutgebäude. Ich muß zugeben, daß es im Leben Schlimmeres gibt, als von minus zehn Grad in wohlige plus zweiundzwanzig einzutauchen. Trotzdem hatte ich vom ersten Moment an das Gefühl, als hätte ich im Heißhunger eine Ratte verschlungen, obwohl deutlich zu erkennen gewesen war, daß das Biest ziemlich krank war. Unser neuer Aufenthaltsort indes hätte erlesener nicht sein können. Gleich mehrere Steinbrüche in Italien hatten für diesen Luxus ihre Reserven an Bianco-Carrara-Statuario-Marmor bis auf die letzte Schicht hergeben müssen. Die Empfangshalle, die eher die Größe einer Sportarena für internationale Wettkämpfe besaß, war gepflastert mit dem Zeug. Tausende von winzigen Lämpchen, die in den Stein eingelassen waren, leuchteten wie eine Invasion von Glühwürmchen.

An der linken Flanke befand sich der einzige Fahrstuhl, und wie es aussah, war er nicht besonders geräumig. Seltsam. Wenn man davon ausging, daß in dem Gebäude locker tausend Leute beschäftigt waren, mußten sich wohl vor dieser Tür stets lange Schlangen bilden. Interessant jedoch war der Rahmen der Fahrstuhltür. Diesmal funktionierte mein Gedächtnis reibungslos, und ich wußte sofort, wo ich so etwas schon einmal gesehen hatte. Wie das Portal der ehemaligen Anstalt *Morgenrot* hatte auch dieser Rahmen Fratzen, Torsos, Tiergestalten und Mythenwesen zum Motiv. Die teils reliefartigen, teils statuesken Figuren schienen im Moment intensivsten Jammers und Schmerzes porträtiert. Der einzige Unterschied zum alten Kloster war, daß sie hier augenscheinlich aus Massivgold bestanden.

Die Hauptüberraschung kam aber, als ich den Blick nach rechts wandte. Der Panzermann war wieder von den Toten auferstanden! Und wie stilvoll. Der Kerl mit dem pockennarbigen Gesicht und der Statur eines Elefanten, eine gefährliche Mischung aus Muskeln und Fett, steckte in einer mit Goldknöpfen bestückten, scharlachroten Livree eines Portiers. Er trug sogar eine feine Mütze und Samthandschuhe. Um ihn herum verlief eine ovale Portiersloge, in die locker ein Reihenhaus gepaßt hätte. Doch im Gegensatz zu seinem früheren rüpelhaften Verhalten grinste er mich nur an und deutete mit der Rechten zum Aufzug.

»Ich hätte mich darauf nie einlassen sollen«, ist die gängige Floskel, wenn von selbstverschuldeten Katastrophen die Rede ist. Nur verhielt es sich bei mir anders. Ich hatte keine Wahl! Und Gott allein wußte wirklich und wahrhaftig warum. Blaubart und ich begaben uns zum Fahrstuhl und stiegen ein. Die Türen schlossen sich hinter uns, und es wurde ziemlich dunkel. Einzig ein fahler Strahler an der Decke beleuchtete die Kabine. Trotzdem kam der Luxus voll zur Geltung. Roter Samt schmückte die Wände, und über der Tür war ein Dämonenhaupt angebracht. Ein goldener Handlauf führte übers Eck.

Da Unerklärlichkeiten in diesem Gebäude offenbar zum Alltag gehörten, wunderte es uns auch kaum, als der Aufzug sofort aufwärts fuhr, ohne daß einer von uns auch nur überlegt hatte, wie überhaupt und welche Taste er an der Steuerungskonsole hätte drücken sollen. Unsere Blicke hingen an dem Display neben der Tür. Zunächst zählte das Ding brav die passierten Stockwerke ab. Doch nach dem dreißigsten Stock gab es den Geist auf und präsentierte nur noch ein unkontrolliertes Blinken. Zwischendurch schaute mich Blaubart immer wieder fragend an, als würde ich das Reiseziel kennen. Wie soll ich sagen, ich tat es und doch wieder nicht. Zwar konnte ich mir ungefähr denken, wem wir gleich gegenüberstehen würden, aber gleichzeitig …

Plötzlich vernahmen wir ein Geräusch, als kreuzten zwei Musketiere krachend die Klingen. Unter unseren Pfoten schien etwas vorzugehen. Furchtsam schauten wir hinunter. Exakt in der Mitte des quadratischen Marmorbodens wurde jäh eine dunkle Linie sichtbar, die von einem Ende zum anderen reichte. Daran spaltete sich der Boden, und die jeweiligen Teile bewegten sich seitwärts. Geistesgegenwärtig machte ich einen Satz auf den Handlauf und drückte mich gegen die Kabinenwand. Blaubart wollte es mir gleichtun und sprang ebenfalls nach oben. Doch seine Pfoten rutschten an der goldenen Stange ab, und er stürzte auf eins der noch knapp verbliebenen Bodenteile.

Die immer größer werdende Öffnung in der Mitte enthüllte im Fahrstuhlschacht ein wahres Inferno. Es brannte darin lichterloh. Haushohe Flammen schlugen entlang der Zugseile empor, die ein enervierendes Kreischen von sich gaben. Das Feuer schnappte mit rot-, grün- und blauglühenden Zungen nach dem nach oben rasenden Aufzug und drohte schließlich ins Kabineninnere überzugreifen. Explodierende Feuerbälle, gigantische Flammensäulen und ein Niederschlag aus Funken und Gluttropfen verwandelten die Höhlung in einen kochenden Vulkan. Es war nur noch eine Frage von Sekunden, bis die Stahlseile unter der gewaltigen Hitzeeinwirkung auseinanderbarsten und den Fahrstuhl zum Absturz brachten. Wer wollte uns bloß an den Kragen? Die Feuermelder hätten schon längst Alarm schlagen und die Sicherheitsleute mitkriegen müssen, daß das Gebäude an der Grenze zu einem Großbrand stand.

»Los, Blaubart!« rief ich. »Versuch's noch mal!«

Blaubart hechtete zum zweiten Mal zu mir hoch, rutschte jedoch erneut an der blankpolierten Stange ab. Als er niederstürzte, gab es keinen Boden mehr unter seinen Pfoten. Der zweigeteilte Marmor war gänzlich verschwunden und hatte dem quadratischen Loch in das Höllenfeuer Platz gemacht.

»Francis! ... Francis!« schrie der treue Freund erbärmlich,

während er entsetzter Miene und mit allen vieren zappelnd in den Feuerschlund sauste. Eine Flammenwelle erwischte ihn, hüllte ihn vollständig ein, und Blaubart war einmal. Einen Wimpernschlag lang bildete geisterhafter Rauch in einer grausigen Momentaufnahme seine Konturen ab, bis der Glutofen auch diese letzte Spur vernichtete. Gleich darauf schloß sich der Boden wieder. Von beiden Seiten bewegten sich die Marmorteile aufeinander zu, bis sich am Ende sogar der dunkle Strich in der Mitte in Luft auflöste. In der Kabine sah es so aus, als wäre nichts passiert.

Hin- und hergerissen zwischen Furcht, Verzweiflung und unendlicher Trauer über den verlorengegangenen Gefährten, versuchte ich einen klaren Gedanken zu fassen. Auf welch perfides und nun nachgewiesenermaßen tödliches Spiel hatte ich mich da eingelassen? Wohin führte das alles? Und welcher Teufel hatte mich geritten, daß ich Junior von dieser fatalen Vergangenheit berichtet hatte? Da kam der Fahrstuhl plötzlich zum Stehen, und die Schiebetüren öffneten sich.

Das blasse Licht in der Kabine erlosch. Ich sah in einen finsteren Flur … Nein, das war reines Wunschdenken. Es gab vor mir weder einen Flur noch sonst etwas, sondern nur ein schwarzes Nichts. Allerdings glimmte etwas Helles in der Ferne. Offenkundig wies es mir den Weg. Ich hatte keine Alternative, als diesem schwachen Leitstern zu folgen, hatte mich doch die zurückliegende Minute gelehrt, was es hieß, sich in einem Fahrstuhl mit eingebauter Falltür aufzuhalten. Also lief ich los. Ich spürte zwar festen Boden unter meinen Pfoten, das hieß aber nicht, daß diese taktile Empfindung wirklich etwas mit der Realität zu tun

257

hatte. Raum und Zeit waren hier aufgehoben, das wußte ich. Eigentlich hätte das Ganze auch ein Traum sein können. Und wer weiß, vielleicht war es das auch, wäre da nicht die schmerzhafte Realität von Juniors Verschwinden und Blaubarts bizarrem Tod. Die Helligkeit rückte immer näher, und allmählich erkannte ich, daß sie die Bruchstelle zu einer anderen Welt war, deren Rahmen die typischen zerfaserten Umrisse aufwies. Nun befand ich mich nur noch wenige Meter von der magischen Grenze entfernt und erhielt einen ersten Blick auf das Dahinter. Es handelte sich um einen dämmerig erleuchteten Raum, um einen vertrauten Ort, wie mir schien. Ja, alles, was mir lieb und teuer war, kam aus dem heimeligen Licht langsam zum Vorschein: Der von uns als Kratzbaum benutzte, zerfurchte, alte Ledersessel, in dem Gustav gewöhnlich einnickte, das Schaffell, auf dem meine Lieben und ich gewöhnlich ebenfalls dem kleinen Tod zu frönen pflegten, und der an Wintertagen stets glühende Kamin. Ich betrat unser gutes altes Wohnzimmer.

Es war nachts. Gustav war wie üblich im Sessel eingenickt; ich sah den schattenhaften Ansatz seines Hinterkopfes über der Kopflehne. Draußen hinter dem Fenster flogen die Schneeflocken vorüber. Der Flammenschein der Holzscheite aus dem Kamin erfüllte jeden Winkel mit seinem lauschigen Licht. Allein diejenigen, die mein Leben ausmachten und ohne die ich inzwischen nichts Lebenswertes mehr empfand, glänzten durch Abwesenheit. Grenzenloser Trübsinn erfüllte mich jäh, und der Raum, den ich stets als mein Refugium betrachtet hatte, verwandelte sich in einen seelenlosen, frostigen Ort.

Ich schlurfte gesenkten Hauptes bis zur Mitte des Zimmers und schaute dann zu dem Ledersessel auf. Darin saß nicht Gustav!

»Sag jetzt nicht, daß du überrascht bist, Francis.«

Anstatt im Lauf der Jahre älter und gebrechlicher zu werden, hatte Refizul sozusagen den umgekehrten gerontologischen Prozeß vollzogen und saß nun in verjüngter Version im Sessel. Aber vielleicht war dies die falsche Betrachtungsweise auf jemanden, der seit Menschen- und Tiergedenken immer derselbe blieb. Er hatte die hüftlangen Silberhaare Strähne für Strähne über seinem Oberkörper ausgebreitet wie der Medizinmann eines primitiven Stammes. Die leuchtenden blauen Augen, die markante Nase mit dem eleganten Höcker, die purpurroten Lippen, das spitze Kinn, sie waren eingebettet in eine Gesichtshaut, die wohltemperiert unter mediterraner Sonne gebräunt zu sein schien. Er steckte in einem leicht schimmernden, rabenschwarzen Anzug von Dolce & Gabbana mit einem roten Kruzifix auf dem Jackenrevers. Das allerdings verkehrt herum eingesteckt war.

Kurz, der Kerl sah aus wie ein Idol aller sich im gesetzten Alter befindlichen Kerle. Er hätte für sie Werbung machen und irgendwelche Vitamine vor der Kamera schlucken oder mit seinen blitzenden Zähnen in einen knackigen Apfel beißen können. Auf seinem Schoß lag ein aufgeklapptes Notebook.

»Ich habe mir schon so etwas gedacht, Refi.« Ich versuchte, so weit es ging, mir mein blutendes Herz nicht anmerken zu lassen.

»Ach wirklich?« Er lächelte maliziös, und die milden

259

Fältchen um seine Augen bekamen ganz kurz etwas Scharf-kantiges. Anscheinend hatte er mich vom ersten Moment an durchschaut. »Nun ja, an deiner überragenden Intelligenz habe ich nie gezweifelt. Nur an deiner Loyalität. Warum hast du dich so lange nicht bei mir gemeldet, lieber Freund? Immerhin sind wir Vertragspartner. Du weißt schon, das ganze Leid der Tiere, das nur ein Ende finden kann, wenn beide Arten zünftig miteinander schwafeln können und so.«

»Wo ist Junior? Und was ist mit Blaubart passiert? Glaub bloß nicht, daß du mich mit diesem Budenzauber beeindrucken kannst.«

Er grinste in sich hinein wie ein verschlagener Waldwicht, der auf einer geheimnisvollen Knolle sitzt. »Schwache Show, was? Tss, tss, tss«, machte er und schüttelte dabei den Kopf. »Die Erinnerung, Francis, allein die Erinnerung kann uns beide erlösen. Und diejenigen, die du so liebst. Es könnte für dich alles wieder so schön wie früher sein, wie in den vielen erfolgreichen Jahren, als du es vorgezogen hast, lieber nicht an unser einstiges Tête-à-tête zu denken. Du könntest glücklich sein. Du müßtest dich nur erinnern – an unsere Abmachung. Aber so wie es aussieht, weigerst du dich selbst unter diesen mißlichen Umständen. Denn freilich müßtest du dann auch den Preis zahlen und deinen im Vertrag vermerkten Beitrag leisten. Ich gehe mal blind davon aus, daß meine Wenigkeit der letzte Mensch war, mit dem du dich seitdem verbal verständigt hast. Stimmt's?«

»Du? Ein Mensch? Daß ich nicht lache. Wenn du ein Mensch bist, dann heiße ich Tante Gerda!«

Sein Grinsen wuchs sich zu einem herzhaften Lachen aus. »Deinen Humor hast du jedenfalls nicht verloren, soviel ist klar.« Immer noch lachend hob er den Zeigefinger der rechten Hand, krümmte ihn und hämmerte damit auf eine Taste des Notebooks ein. Ich hatte das untrügliche Gefühl, daß diese Geste nichts Gutes bedeutete.

»Was machst du da?« wollte ich wissen.

»Ach, nichts weiter. Ich habe nur den Startschuß zu einer Auktion im Internet gegeben. Was habe ich bloß früher ohne Ebay gemacht?«

»Hat die Sache irgendwie mit mir zu tun?«

»Alles hat mit allem zu tun, lieber Freund. Das müßtest du doch wissen. Was deinen deformierten Freund angeht, so ist Verhandlungsspielraum vorhanden. In Sachen Junior sehe ich allerdings keine so einfache Lösung am Horizont auftauchen. Da müssen wir uns schon streng an den Vertrag halten. Und zwar bis aufs Komma genau! Wo wir gerade bei der lieben Familie sind: Weißt du eigentlich, was deine geliebte Sancta gerade so treibt? Oder wo Gustav sich befindet? Nur mal so als ein kleiner Denkanstoß. Nichts für ungut. Wenn du jetzt die Freundlichkeit besäßest, in das Feuer zu schauen.«

Ich folgte der Aufforderung und sah ins Kaminfeuer. Mein Blick fuhr geradewegs in die Flammen hinein wie ein Schnellzug in einen Tunnel, und der Vergleich war gar nicht einmal weit hergeholt. Denn meine Pupillen verengten sich nicht durch das grelle Licht, sondern weiteten sich bis zum Anschlag. Zunächst nahm ich ausschließlich Dunkelheit wahr. Ganz allmählich hellte sie sich jedoch auf. Mein inneres Auge schwebte über eine düstere Halle, in der Tausende von Kunststoffkörben für unseresgleichen wie zum Abtransport bereitgestellte Frachtguteinheiten nebeneinanderstanden. Aber obwohl die Drahtgitterklappen mit kleinen Vorhängeschlössern abgesperrt waren, steckten in den Kästen keine vor Angst und Schrecken erstarrte Kreaturen, sondern Artgenossen mannigfaltiger Rassen mit recht enthusiastischem Ausdruck. Wie mir schien, freuten sie sich auf die Dinge, die da ihrer harrten. Es war nicht schwer zu erraten, daß es sich bei diesem Ort um das Magazin des Riesengebäudes handelte, vermutlich irgendwo tief unten, von wo aus die *Ware* in alle Welt versandt wurde. Zwischen den Körben bewegten sich Männer in sauberen grauen Overalls mit einem eingestickten MORGENROT-Emblem auf der Brusttasche, einem Käppi auf dem Kopf und einem Touchscreen-Block für die Logistik in den Händen.

Mein inneres Auge schwebte weiter, näherte sich diesem und jenem Artgenossen, dessen Spitzgesicht hinter dem jeweiligen Drahtgitter zu erkennen war. Der erste Eindruck, den ich von den *Gefangenen* erhalten hatte, behielt auch jetzt seine Gültigkeit. Diese waren ganz eindeutig keine bemitleidenswerten Felidae, die ohne Rücksicht auf ihre Bedürfnisse auf dem Altar der menschlichen Geldgier verschachert werden sollten. Dafür machten sie einen viel zu gepflegten, um nicht zu sagen, einen saturierten Eindruck. In ihren Glasperlenaugen glühte zu offensichtlich Zuversicht, geradezu Euphorie und Vorfreude auf ihre Bestimmung. Es war nur ein Gefühl, aber mit einem Male wußte ich mit unerschütterlicher Gewißheit, daß sie allesamt eine ganz spezielle Gabe besaßen. So wie ich! Die Menschen können gar nicht mit uns sprechen, hatte damals Efendi gesagt. Wir sprechen mit ihnen. Das ist ein großer Unterschied, Alder. Sie verstehen uns bloß, mehr nicht. Und aus dem, was sie mitkriegen, reimen sie sich einen Sinn zusammen. Aber ich hab schon ein paar Mal gemerkt, daß sie nicht fähig sind, jedes Tier zu verstehen. Wir hier drinnen scheinen wohl die Ausnahme zu sein, etwas Besonderes, wenn du so willst, hatte er zu mir gesagt. Refizul hatte also sein Projekt trotz der damaligen Widrigkeiten weiterverfolgt, verfeinert, vor allem jedoch zu einem erfolgreichen Ende gebracht. Das heißt, der Erfolg stand kurz bevor. Bald würde der große Meister die Ernte einfahren!

Dann erblickte ich endlich denjenigen, den ich gesucht hatte: Junior. Der Gesichtsausdruck meines Sohnes war jedoch von dem der restlichen Reisenden in spe weit entfernt. Er ließ die Ohren deprimiert herunterhängen, und auch die schwarzweißen Schnurrhaare wiesen abwärts. Der stets klare Blick war trübe geworden. Ganz offensichtlich hatte Junior jede Hoffnung fahrenlassen. Wie war er bloß in diese klägliche Situation hineingeraten? Ich gab mir selbst die Antwort: Mit seiner überragenden Intelligenz – tolle Gene! – hatte er seit gestern nacht fix den Zusammenhang zwischen der verfallenen Villa und der Insel hergestellt, und ehe er sich versah, war er zwecks Nachforschungen hier gelandet. Aber Refizul hatte ihn wegen eines ganz anderen Details dabehalten, nämlich wegen seines Talents, mit Menschen zu sprechen – leider waren auch daran die tollen Gene schuld! Eine Rettung schien unmöglich. Er würde zu einem weit entfernten Ort verfrachtet werden, und ich würde ihn nie mehr wiedersehen.

»Die Ebay-Auktion dauert nur eine Stunde«, hörte ich Refizul wie hinter Wolken zu mir sprechen. »Und vier Minuten sind schon verstrichen.«

Mein Blick löste sich von den Flammen, und ich fand mich leise weinend auf dem Schaffell wieder. Der Kerl hatte Junior in der Hand und dadurch mich gleich mit. Kapitulation? Noch vor ein paar Minuten hätte ich geschrien: Niemals! Doch jetzt …

»Mein Traum ist wahr geworden, alter Freund«, sagte Refizul, und ich bemerkte aus den Augenwinkeln, daß sein Bestager-Gesicht dabei von spastischen Zuckungen heimgesucht wurde. »Schon bald werden unsere Botschafter von Eingeweihten in aller Welt ersteigert. Einmal bei ihren neuen Besitzern angekommen, werden sie ihre Mission erfüllen und überall die Menschen durch direkte Ansprache schockieren und beschämen. Dein Sohn wird auch darunter sein, Francis. Anstatt deiner. Übrigens, ich habe ihm erzählt, ich wäre auch ein Sohn – mein eigener! Kleiner Gag am Rande.«

»Okay, alter Mann, du hast gewonnen«, seufzte ich. »Was muß ich tun, um den Kleinen wieder zurückzubekommen?«

»Frag nicht so blöd, du Wurm!« schrie er und verspritzte dabei versehentlich etwas Speichel. Ich hatte doch gewußt, daß seine demonstrativ zur Schau gestellte Tierliebe immer nur eine verlogene Fassade gewesen war. Seine ganze Physiognomie war nun verzerrt, und die Augen schienen in schwarzer Tinte zu schwimmen. »Du weißt genau, was ich von dir will, Francis. Doch fangen wir zunächst mit einer leichteren Übung an, und zwar mit dem

Erinnern. Erinnerst du dich, Francis? Ich frage dich, *erinnerst du dich?*«

Ich wandte den Kopf zum Kaminfeuer, und mein Blick fuhr wieder in die Flammen hinein. »Ja, ich erinnere mich«, erwiderte ich. »Eigentlich habe ich diese Nacht keine einzige Sekunde meines Lebens je vergessen. Ich weiß nicht mehr, wie ich aus dem Grund des Sees wieder aufgetaucht bin, aber plötzlich sah ich mich …«

12

Ich weiß nicht mehr, wie ich aus dem Grund des Sees wieder aufgetaucht war, aber plötzlich sah ich mich im Licht des Silbermonds den Ausbrechern – Greisen wie Artgenossen – hinterhertrotten. Meine Verfassung entsprach einem restlos leeren Gefäß, das noch vor kurzem randvoll mit einer quirligen Flüssigkeit gefüllt gewesen war. Jetzt wußte ich, was es hieß, ein Zombie zu sein, bar jeder Substanz, ohne einen Willen und ohne eine irgendwie geartete Vorstellung von der Zukunft. Anders ausgedrückt, ich war nicht mehr derselbe. Aber was hatte diese Leere bloß verursacht? Ich erinnerte mich nur nebulös daran, was sich am Grunde des Sees abgespielt hatte. Bizarre Bilder, die durch einen Schredder gejagt worden schienen, flogen mir durch den Schädel, ohne daß sie einen Sinn ergaben. Und wie war es mir danach möglich gewesen, den Anschluß an diese wunderliche Prozession zu finden? Fragen, die zu beantworten mein erschöpftes Hirn nicht mehr in der Lage war.

Allmählich gewann die Umgebung um mich herum an Kontur, was schon mal ein gutes Zeichen war. Leise spürte ich, wie Aufnahmefähigkeit und Kraft wieder in mich hineinströmten, wenn auch auf Sparflamme. Ich stellte überrascht fest, daß wir uns inzwischen nicht einmal mehr in der Nähe des Sees aufhielten, sondern auf einem verwucherten Terrain. Die schier grenzenlos scheinende, höckerige Landschaft mit vereinzelten Gestrüppkolonien und ineinandergewachsenen, krüppeligen Bäumen kam mir bekannt vor. Weit und breit weder Menschen- noch Tierseele zu sehen, außer natürlich die eigenartig schweigsame Truppe vor mir. Die führte Refizul an – glaubte ich jedenfalls. Doch instinktiv erfaßte ich, daß mit den Wanderern etwas nicht stimmte. Die Nachthemdenträger schienen irgendwie stark gebückt zu gehen, sie schlurften eher, und bei einigen von ihnen vermeinte ich sogar den Ansatz eines Buckels zu erkennen. Solch inflationäre Rückgratverkrümmungen waren mir in der Anstalt gar nicht aufgefallen. Was meine Artgenossen anging, so nahm ich ebenfalls eine Veränderung wahr, allerdings in ihrem Verhalten. Hatten sie sich vor der Flucht als muntere und ziemlich lautstarke Unterstützer der Patienten gegeben, so machten sie auf einmal einen verängstigten Eindruck, geradeso, als nähmen sie nur deshalb kein Reißaus, weil sie nicht wußten, wohin sie fliehen sollten. Kurzum, alle und alles schien unter dem Einfluß des Vollmondes zu stehen.

Plötzlich wurde es hell. Nein, nicht plötzlich, das Licht wurde ganz langsam immer stärker. Und zwar in einem unmittelbar vor uns befindlichen Gebäude. Und als der Lichtschein uns schließlich aus zerbrochenen Fenstern entgegenstrahlte, wußte ich endlich, wo wir gelandet waren, nämlich genau bei der heruntergekommenen Villa. Geräusche drangen daraus ins Freie, eine seltsame Kombination aus einer kehlig hervorgestoßenen Sprache, urtümlicher Musik und schrägem Gesang. Die audiovisuellen Geräte drinnen waren offensichtlich wieder angeschaltet worden. Aber wie konnte das angehen? Wartete dort jemand, der unsere Ankunft mit großem Tamtam feiern wollte? Oder war irgendeine Fernbedienung im Spiel?

Die Karawane erreichte endlich den Zufluchtsort. Wir stiegen über die morsche Veranda, gingen hinein und versammelten uns im Salon. Es brannte eine Vielzahl an Kerzen, die den riesigen Raum dämmerig erleuchteten. Die Spulen der Tonbänder kreisten, die Kassettenrecorder liefen, das Vinyl drehte sich auf den Plattentellern, und die Videorecorder zauberten höchst merkwürdige Filme auf die Monitore. Auf einem lief »Triumph des Willens« von Leni Riefenstahl, der Propagandafilm über den NSDAP-Reichsparteitag 1934, und auf einem anderen waren die verwackelten Aufnahmen von einer dekadenten Party mit halbnackten Menschen an einem Swimmingpool zu sehen. Blutbesudelte Nackedeis tanzten um einen Götzen. Aus den Lautsprechern dröhnten Haßtiraden von irgendwelchen Predigern und Interviews mit Kinderschändern im Knast. Dann wieder Kriegsgesänge von Urwaldstämmen, die sich solcherweise mit Mut aufpumpten, bevor sie den Nachbarstamm massakrierten, und Reden von Gevatter Josef Stalin. All dieses aus Menschenmund entströmende Übel verquoll miteinander und wurde zum akustischen Äquivalent von Erbrochenem. Und schon bald war es nur noch ein unerträglicher Radau, eine disharmonische Melodie des Bösen, welche in den Ohren schmerzte. Ich begriff allmählich, welchem Sound Refizul hier in Wahrheit die ganze Zeit gelauscht hatte.

Auch die Optik glich sich der Akustik immer mehr an. Obwohl die Kerzen nicht mehr als einen schwachen Schein erzeugten und alle Anwesenden teilweise von Schatten verhüllt wurden, glaubte ich meinen Augen nicht zu trauen. Meinen Artgenossen erging es offenkundig genauso, denn sie wichen vor den Patienten a. D. peu à peu zurück. Die neugewonnene Freiheit schien die Greise weder zum Blühen zu bringen noch ihnen sonst irgendwelche freundlichen Züge zu entlocken. Ganz im Gegenteil, sie waren in einer Metamorphose der besonderen Art begriffen – und verwandelten sich stetig weiter! Nicht allein, daß Männlein und Weiblein immer schlimmere Buckel bekamen, sondern auch andere Körperteile, vor allem jedoch die Physiognomien, lieferten sich einen Wettstreit fortschreitender Deformation. Es sah aus, als würden Wachsfiguren zerlaufen und sich zu etwas völlig neuem transformieren. Die schmutzigen Nachthemden fielen eins nach dem anderen von ihren Körpern ab, doch in Anbetracht der jähen Blöße wurden wir anstatt von Schamgefühl von blankem Entsetzen gepackt.

Graue Wülste und finster pulsierende Venen wuchsen aus ihrem welken Fleisch, die zwar nicht weniger hinfällig aussahen, jedoch in ihrer Mißgestalt etwas Unzerstörbares, ja Altersloses zu besitzen schienen. Gleichzeitig krümmten sich die Leiber, Arme und Beine verwandelten sich in schiefe Gliedmaßen, und Hände und Füße wurden zu Klauen mit dolchspitzen, giftgelben Nägeln. Am beeindruckendsten war aber die Umgestaltung der Köpfe. Sie schwollen auf das Doppelte ihres ursprünglichen Volumens an. Gleichzeitig zogen sich die schlohweißen Haare zu den Wurzeln in der Kopfhaut zurück und verschwanden schließlich völlig, so daß nur noch speckige Glatzen zu sehen waren. Die Augen blähten sich tennisballgroß auf und färbten sich pechschwarz, die Ohren formten sich zu spitzen Trichtern. Die Münder waren jetzt Striche, und als die Strichlippen sich öffneten, entblößten sie eitergelbe Gebisse mit messerscharfen Stümpfen. Dann kam die Krönung. Zerfledderte Flügel, die offensichtlich aus einer transparenten, auberginefarbenen Membranhaut bestanden, brachen krachend aus den Rücken hervor, schlugen einige Male aneinander und breiteten sich am Ende in ihrer ganzen widerwärtigen Pracht aus. Ein ekelhafter Gestank entströmte den Kreaturen der Finsternis, und sie gaben Laute von sich, als würden sie Worte rückwärts sprechen, die sich aber wohl vorwärts ausgesprochen nicht weniger gruselig anhörten.

Die Dämonenarmee stand nun vor uns wie ein Realität gewordener Alptraum. Ich merkte es meinen Brüdern und Schwestern an, daß auch sie mit diesem Ausgang des Ausbruchs nicht gerechnet hatten. Aus den Augenwinkeln registrierte ich auf unserer Seite in Schock aufgerissene Augen und gesträubtes Fell. Viele nahmen die bei unseresgleichen in Streßsituationen typische Körperhaltung ein, duckten den vorderen Teil mit ausgestreckten Beinen und streckten den hinteren buckelhaft in die Höhe. Aggressives Jaulen entrang sich mancher Kehle, als hätten wir es hier mit einem Zweikampf unter unseresgleichen zu tun. Allein Efendi, der verständige schwarze Bruder in vorderster Reihe machte einen ziemlich ungerührten Eindruck, als hätte er das alles kommen sehen.

270

Selbstverständlich war einer der vermeintlichen Patienten von jeglicher Metamorphose verschont geblieben. Er hatte eine so plumpe Horrorshow nicht nötig, um das Publikum von seinem einzigartigen Status zu überzeugen. Refizul baute sich in seinem albernen Nachthemd vor seinen deformierten Gehilfen wie ein über allem erhabener Patron auf und lächelte hintergründig. Seine hüftlangen Silberhaare flatterten in einem Windzug wie Algenfäden in heftiger Strömung, und die blauen Augen funkelten gleich Signallichtern.

»Es war so einfach!« sagte er salbungsvoll. »Es war so einfach, sie herumzukriegen. Nein, meine vierbeinigen Freunde, ihr seid damit nicht gemeint. Es war so einfach, die Menschen von, nun ja, meiner Sicht der Dinge zu überzeugen ...«

»Gib dich bloß nicht der Illusion hin, daß irgend etwas verjährt sei, nur weil ich dir siebzehn Jahre Zeit gelassen habe, Francis«, sagte Refizul mit leiser Stimme und lenkte meinen Blick weg vom Flammenschein des Kamins. Als ich zu ihm hinüberschaute, saß im Sessel ein kleiner, blonder Junge von etwa zehn Jahren in einer kobaltblauen Schuluniform. Er trug kurze Hosen, ein dunkles Käppi auf dem Kopf, und auf der Brustseite seines Sakkos prunkte das goldgestickte Emblem einer Eliteschule. »Zeit spielt für mich eine untergeordnete Rolle. Auch mit dem Alter nehme ich es nicht so genau, wie du siehst. Ich kann warten. Aber irgendwann ist Zahltag.« Es fröstelte mich, diese herbe Altmännerstimme aus dem Mund eines Kindes zu hören, das sich mir wie die Inkarnation der Unschuld präsentierte. Zum Glück (oder zu meinem Pech) wußte ich, daß derlei Scharlatanerie noch zu den schwächsten Kunststücken meines Gegners zählte. Ich wollte ihm nicht den Gefallen tun, daß er sich in meiner Aufmerksamkeit suhlte, und wandte den Kopf wieder den Flammen zu.

»Geht es denn nicht ohne mich, Refi? Wenn ich mir das großkotzige Knusperhäuschen hier und das Depot mit der lebenden Ware darin betrachte, hast du dein Ziel doch schon längst erreicht.«

»Könnte man meinen, könnte man meinen, lieber Freund. Aber du wirst es mir nicht glauben, auch in meinem Gewerbe existieren gewisse Spielregeln. Gesetze und Paragraphen und so ein Zeug. Schrecklich! Eine Entbürokratisierung und eine mutige Justizreform sind hier dringend vonnöten. Solange sich jedoch nichts ändert, müssen wir uns an das Althergebrachte halten. Erinnerst du dich, was Dr. Gabriel in der … in meiner Anstalt zu mir sagte, bevor er und seine Kumpane mich elektroschockten?«

Ich merkte, daß hinter meinem Rücken etwas vor sich ging, und richtete den Blick erneut zurück. Nun stand Dr. Gabriel vor dem Ledersessel. Der junge Mann mit den akkurat gescheitelten Haaren und einem derart vor Gesundheit strotzenden Gesicht, daß sich mir Assoziationen von Fernsehspots für Haferflocken aus dem Bio-Bauernhof aufdrängten, schien aus einem Timetunnel gekommen zu sein. Seine stattliche Statur, das manierierte Lächeln um die Mundwinkel und *last not least* der weiße Arztkittel, in dem er steckte, nichts an ihm hatte sich seit den bösen alten Anstaltszeiten verändert.

»Du bist schon einmal gefallen, Refizul, und viele Male danach«, sagte Dr. Gabriel. »Manchmal hast du gewonnen, manchmal wir. Doch das letzte Gefecht wirst und kannst du nicht gewinnen. Denn dafür brauchst du einen Verbündeten, der stärker ist als du selbst.«

Dann machte es Paff!, und nur ein Rauchkringel schwebte an der Stelle, wo eben noch der gute Doktor gestanden hatte. Refizuls Kopf kam langsam hinter dem Sessel zum Vorschein. Schließlich erhob er sich zu seiner ganzen Größe und grinste diebisch, als hätte er mich bei Mau-Mau geschlagen.

»Wäre es zuviel verlangt, wenn du im Verlauf der weiteren Unterhaltung dieses Schmierentheater lassen würdest, Refi? Wir sind hier nicht auf einem Kindergeburtstag.«

»Oh, entschuldige, mein Freund, aber es ist fast aussichtslos, einem Jahrtrillionen alten Zausel seine schlechten Angewohnheiten auszutreiben. Ich gelobe jedoch Besserung.« Er ließ sich wieder in den Sessel fallen und schnappte sich das Notebook vom Boden. »Du verstehst, worauf ich hinauswill? Ohne einen starken Verbündeten, den Auserwählten, hätte ich das Projekt damals nicht anleiern können. Selbst jetzt hängt das Gelingen einzig und allein von deiner Zustimmung ab. Denn die Hauptregeln in diesem Spiel heißen: Der Auserwählte muß einen übermensch…, pardon, einen übertierischen Willen besitzen und mir aus freien Stücken zu Diensten sein.«

»Klar, und mein Onkel legt karierte Eier!« Der Kerl machte mich langsam ganz schön wütend. »Du hast mich angelogen, Refizul, und zwar nach Strich und Faden. Deshalb ist unser einstiger Pakt null und nichtig.«

»Irrtum, mein Bester! Ich habe dich vielleicht verführt, die Frucht etwas fruchtiger gepriesen, als sie es in Wahrheit war, und die Zukunft in rosigeren Farben dargestellt. Aber in der Sache selbst habe ich dich nicht angelogen. Richtiges Lügen ist mir nämlich vom Chef untersagt. Leider. Du hast meine Vision begierig in dich aufgesogen und nicht die Konsequenzen bedacht, wenn tatsächlich Tiere mit Menschen sprechen könnten. Wie alle meine Kunden wolltest du allein die leuchtende Seite der Medaille sehen. Ich fordere meinen Tribut!«

»Eine Kleinigkeit hast du aber zu erwähnen vergessen, du Genie.«

»So, welche denn?«

»Du hast mir verschwiegen, daß du der schlimmste Mörder seit Tier…, pardon, seit Menschengedenken bist.«

»Die Menschen«, sagte Refizul und lächelte listig, während der unerträgliche Sound aus den Geräten langsam erstarb. »Es war so einfach, sie herumzukriegen. Weil sie einfache Lösungen lieben.«

Die Dämonen hatten sich vor uns wie zu einem Gruppenbild in der Hölle aufgereiht. Grüngelbliche Sekrete sickerten aus ihren Körperöffnungen und liefen an ihren grauen Leibern herab. Der Gestank, den sie dabei absonderten, eine nach Fäulnis, Fäkalien, Krankheit und Tod riechende Ausdünstung, erschlug uns regelrecht. Ihre Gesichter waren greuliche Fratzen. Aus ihren unförmigen Astlöchern ähnelnden Mäulern schlängelten sich feuerrote Zungen. Ihre wie von Motten zerfressenen, dunkelvioletten Flügel schwangen gemächlich, und ihre entstellten

274

kleinen Ärmchen haschten in der Luft, als wollten sie schon einmal demonstrieren, was sie mit uns zu tun gedachten, wenn wir nicht nach ihres Meisters Pfeife tanzten.

Inzwischen hatten meine Artgenossen und ich uns in einem respektvollen Abstand zu den Verwandelten Rücken an Rücken zusammengerottet und ließen die Freakshow atemlos über uns ergehen. Der eine oder andere winselte vor Angst oder knurrte verzweifelt. Manch einen ließ die Blase im Stich. Efendi war an meiner Seite, verzog jedoch keine Miene. Mir war unbegreiflich, wie wir, nein, wie ich mich in diesen Gestalten so hatte täuschen können. Es mußte doch vorher Hinweise auf das Desaster gegeben haben. Fetzen des Gesprächs über die Sumerer, das ich mit Refizul geführt hatte, flogen mir durch den Sinn. Es war darin um den sumerischen Kult um das Tier gegangen. Aber auch um eine Erscheinung, die damals vor sechstausend Jahren zum ersten Mal die Weltbühne betreten hatte.

»Waren diese Sumerer nicht das Völkchen, das auch die Figur des Teufels erfunden hat?« hatte ich wissen wollen. »Ja, aber das ist eine andere Geschichte«, hatte der Alte darauf geantwortet. Lügner! Es war dieselbe Geschichte.

Der Lügner stolzierte derweil wie ein imposanter Gockel zwischen uns und den Dämonen auf und ab. Der Kerzenschein verwandelte ihn in einen gebräunten Monsieur, der nur rein zufällig ein Bekloppten-Hemd trug und Gesellen aus einem Nachtmahr seine Kumpel nannte. Ehe wir es richtig mitbekamen, hatte er eine Selbstgedrehte zwischen den Fingern. Er pustete einmal darauf, und schon paffte der Stengel. Nachdem er inhaliert hatte, kamen aus seinem

275

Mund übernatürlich dichte Schwaden gewabert. Der Rauch begann uns langsam einzuhüllen.

»Früher, ja, früher hatte ich mit den Menschen kein so leichtes Spiel«, sagte er. »Sie sperrten sich irgendwie gegen den Lifestyle, mit dem ich sie lockte. Doch dann, so nach und nach, fanden sie Gefallen daran, die dunkle Seite ihres Ichs kennenzulernen. Hast du ein Kind, dann laß es vom Staat versorgen oder am besten gleich verhungern. Liebst du eine Frau, sieh zu, daß du sie ins Bett kriegst, Sex genügt. Wofür sich in Unkosten stürzen? Liebst du einen Mann, vergiß nicht, ihn auszunehmen. Familie? Wer braucht schon eine Familie, wenn Familienleben schon in den TV-Serien nur nach Ärger riecht? Du genügst dir selbst. Überhaupt Liebe … Ist Haß nicht viel aufregender? Keine Liebe der Welt kann dir so ein Gefühl geben wie das einzigartige, erregende Schaudern, wenn du jemandem mit einem Rasiermesser das Gesicht zerstückelst. Schau weg, wenn am Arsch der Welt millionenfach terrorisiert, vergewaltigt, gefoltert und massakriert wird. Was schert es dich? Schließlich hast du genug Streß mit deiner Urlaubs-planung. Oder sag einfach, die Juden wären an allem schuld. Das kommt immer super an. Duck dich, wenn es eine lebenswichtige Entscheidung zu treffen gilt, laviere dich so durch, küsse stets demjenigen den Hintern, der dir die meisten Vorteile verschafft. Sag, du machst dir Sorgen um das Ozonloch, solch ein Bekenntnis macht jedenfalls mehr Eindruck, als wenn du den Leuten dauernd von der Pflege deiner gebrechlichen Mutter erzählst. Versuche Kinderschänder und Massenmörder zu verstehen, schließ-lich hatten sie eine echt beschissene Kindheit. Stell dich taub gegenüber den Bitten deiner Freunde, wenn sie in Not geraten, Freunde sind nur gut für gute Zeiten. Bete das Geld an, vertrau mir, eine Rolex an deinem Handgelenk bedeutet den Leuten weit mehr als tausend Weisheiten aus deinem Mund. Sei hinterhältig, sei unersättlich, sei mitleidslos. Wahre den Schein und bleibe stets jung und gesund, denn, Menschenskind, was nach dem Leben kommt, ist bestimmt kein Zuckerschlecken. Darauf mein großes Indianerehrenwort!«

Der Rauch der selbstgedrehten Zauberzigarette hatte inzwischen einen Dunstschleier entstehen lassen, durch welchen die brennenden Kerzen diffus glommen. Ein ganz anderes Licht war da viel intensiver. Die finsteren Glubschaugen der Dämonen leuchteten plötzlich im irisierenden Rot. Zahllose glühende Augenpaare beobachteten jede unserer Bewegungen und hielten uns so in Schach. Allein Refizuls Augen, welche wie die eines Hypnotiseurs durch den Raum glitten, strahlten durchdringend blau und klar wie immer. Nichtsdestotrotz begann die Metamorphose jetzt auch bei ihm, allerdings weniger in ekelerregender denn recht stilvoller Manier. Das Nachthemd fiel von ihm ab. Für einen »Mann« in seinem Alter wirkte er außergewöhnlich sehnig und muskulös. Eine Art lackglänzender schwarzer Schleim bemächtigte sich gleich einer zweiten Haut von den Füßen aufwärts seines Körpers.

»Was soll ich sagen, Freunde, zwischenzeitlich war ich ziemlich verzweifelt«, fuhr er fort und schnippte die Zigarette durch die Luft. Zum Erstaunen aller dampfte er unverändert weiter aus dem Mund. »Da gibt es doch böse

Zungen, die behaupten, daß ich die ganze Hand nehme, wenn man mir nur einen Finger reicht. Bei den Menschen war es genau umgekehrt. Ich war es, den sie sich mit Haut und Haaren einverleibten. Natürlich hat es mir geschmeichelt, daß sie sich mit meinen Ideen so gänzlich anfreundeten. Ich hatte sie gelehrt, ihre wahre Natur kennenzulernen, in den schwarzen Spiegel zu schauen, den Gottestext doch einmal rückwärts zu lesen. So wie man meinen Namen rückwärts lesen sollte, um meine wahre Natur zu erfahren. Aber was hatte ich damit erreicht? Ich wurde arbeitslos!«

Die schwarze Substanz schleimte Luzifer nicht nur ein, sondern modulierte ihn auch. Es war eine äußerst kreative Masse. Seine nunmehr speckig glänzenden Beine ähnelten immer mehr den leicht abgeknickten Hinterbeinen eines Pferdes, vielleicht denen eines Araberhengstes. Das Klappern von Hufen war zu vernehmen. Sein Hinterteil bekam etwas obszön Voluminöses. Langsam wuchs ihm ein prächtiger Schwanz.

»Ich stand auf dem höchsten Berge mit meinen Cherubim – oh Verzeihung, darf ich vorstellen ...« Er vollführte mit dem Arm eine feierliche Geste wie ein Conférencier, der eine Topband ankündigt. »Diese Hübschen hinter mir sind meine kleinen Helfer, jedenfalls wenn sie nicht gerade irgendwelchen Unsinn aushecken – meine Cherubim. In der Anstalt brauchten sie sich gar nicht so viel zu verstellen. Wie auch immer, ich stand also auf diesem dämlichen Berg mit meinen Angestellten und rief, daß mir endlich, endlich die ganze Welt zu Füßen beziehungsweise zu Hufen liege. Da meldete sich plötzlich *seine* Stimme. Es ist mir nicht gestattet, den genauen Wortlaut wiederzugeben. Aber soviel war klar: Gabriel, Michael, Raphael, Uriel und Raguel, diese fünf Clowns, die volkstümlich auch Erzengel genannt werden, hatten mein 1 : 0 über ihren sogenannten Vater nicht verhindern können. Die ganze Menschheit feuerte mittlerweile meinen Verein an. Aber, und jetzt kommt's, die Welt wurde ja nicht nur von Menschen bevölkert. Scheiße, das hatte ich total übersehen! Die Unschuld, die es zu beflecken und zu zerstören galt, sie steckte ja ohnehin nur in homöopathischen Dosen im Menschengeschlecht. Doch was war mit all den anderen, denjenigen, welche die ungetrübte Unschuld in sich tragen, den Tieren?«

Der Schleim arbeitete sich immer weiter hoch und erschuf einen Oberkörper, der vorne dem Brustpanzer eines antiken Kriegers glich und im restlichen Bereich dem gerechten Lohn eines Bodybuilders nach jahrzehntelanger Schinderei. Die Arme wurden zu baumstammdicken Ausläufern und die Hände zu Monstergreifern mit überlangen, knochigen Gliedern. Die ganze Pracht glänzte im hinreißenden Schwarzlack. Gleichzeitig verdoppelte sich seine Körpergröße. Ich bekam allmählich Kopfschmerzen von dem rauchgeschwängerten Alptraum, den ich heraufbeschworen hatte.

»Von da an hatte ich zwei gravierende Probleme«, sagte Luzifer und, Klapper-Klapper-Klapper! trampelten seine Hufe auf dem Holzboden. »Ich wußte, daß *er* mir so ein Ding wie das mit den Menschen nicht noch mal durchgehen lassen würde. Er ließ mir durch diese fünf Versager vorsorglich eine noch schärfere Kontrolle angedeihen. Ich gelobte Besserung und entschied mich für ein Irrenhaus, indem ich Chef und Irrer gleichzeitig sein konnte. Das zweite Problem allerdings schien unlösbar. Echte Unschuld ist nicht verführbar. Man kann euch Tieren nicht mit einer Villa in Florida mit fünfzehn Schlafzimmern oder einer heißen Nacht mit dem angesagtesten Filmstar vom rechten Weg abbringen ...«

Langsam reichte mir das allwissende Geschwätz dieses Mensch-Tier-Ungeheuers. Ich sprang ihm vor die Hufe und fauchte derart aggressiv, daß sich meine sämtlichen Haare aufstellten und ich wie ein besonders gut gepflegter Kaktus aussah. Meine Schnurrhaare zitterten wie angeschlagene Klavierdrähte.

»Halt endlich deinen verfluchten Mund, du Dummschwätzer!« schrie ich ihn an. »Niemand interessiert sich für deine Machenschaften. Und es ist uns vollkommen egal, ob du der Leibhaftige bist oder das sprechende Auto Kit. Entschuldige dich lieber bei denjenigen, deren Vertrauen du so schändlich mißbraucht hast. Wir können nämlich auch anders. Weißt du auch, warum? Wir haben den besseren Draht zu *ihm*.«

»Du nimmst mir das Stichwort aus dem Mund, Dude. Sekunde mal ...«

Die finstere Brühe hatte inzwischen seine Kehle erreicht und stieg unaufhaltsam höher. Dabei formte sie auf dem bizarren Riesenleib ein nicht weniger bizarres Haupt. Der Kopf eines Ochsen, nein, eines Stiers wuchs ihm nun aus dem Arnold-Schwarzenegger-Hals empor und brachte die frevelhafte Kreation zur Vollendung. Der Bullenschädel besaß die Größe eines Heuballens. Die Augen strahlten immer noch in dem intensiven Blau, hatten sich jedoch enorm vergrößert. Ein goldener Nasenring schmückte den einstigen Professor, und als er, genauer gesagt, als es das gräßliche Maul aufriß, blickte ich anstatt in ein Rindergebiß geradewegs in die Fletschzähne eines Leoparden.

»Ja, ja, Dummschwätzen«, fuhr Luzifer fort, mit einer Stimme, die sich anhörte, als rülpse ein Bär nonstop durch eine Pipeline. »Das ist die Spezialität der Menschen. Muß wohl auf mich abgefärbt haben. Ich bin gleich fertig, dann bist du wieder dran, Dude. Nun ja, ich überlegte eine Weile, wie ich auch das Getier auf meine Seite ziehen könnte. Da kam mir eines schönen Tages der Einfall mit dem – Dummschwätzen! Wißt ihr, meine lieben Freunde, die Sprache ist nicht irgendwas. Sie macht alle gleich. Der Manipulation sind Tür und Tor geöffnet. Sobald die Tiere mit den Menschen sprechen können, werden sie als erstes Forderungen stellen. Die Menschen werden für kurze Zeit den Atem anhalten und Krokodilstränen ob ihrer jahrtausendealten Schuld vergießen. Alsbald aber werden auf die gerechten Forderungen der Tiere Wünsche und Bedürfnisse folgen, die denen der luxusverwöhnten Zweibeiner nicht unähnlich sind. Dann geht es los mit den Schadenersatzklagen, Quotenregelungen, Talkshow-Auftritten und der üblichen Dekadenz. Nur ein bißchen später werden bestimmte Tierarten andere bei den Menschen denunzieren. Dann dauert es nicht mehr lange, bis artspezifische Parteien entstehen, Widerstandsgruppen Terrorakte verüben und sich Egoismus und Degeneration artübergreifend manifestieren. Mein Geburtstagsgeschenk an die Welt – eine gemeinsame Sprache zwischen Tier und Mensch! Sie wird alle gemein machen, nämlich gemeinsam schlecht! Und dann wird endlich auch der letzte Funke an Unschuld aus der Welt verschwunden sein.«

»Blödsinn«, sagte ich. »Keiner von uns wird irgend jemanden denunzieren. Und deine blöde Sprache kannst du für dich behalten. Niemand von uns will sie mehr sprechen.«

»Bist du dir da so sicher, Dude?« Das Teufelsding beugte sich zu mir herab und schaute mir direkt in die Augen. Ich spürte die überwältigende Kraft, die von ihm ausging. Der laut schnaufende Stierkopf verströmte einen Geruch, der an verbotene, aber unbeschreiblich verlockende Gefilde erinnerte. In seinen kobaltblauen Augen schienen ganze Weltreiche zu schwimmen, die er gewiß schon zerschmettert hatte. War mein Ende nun besiegelt? Er grinste nur und richtete sich wieder auf, was an das Manöver eines riesigen Baukrans erinnerte.

»Ist dir schon einmal der Gedanke gekommen, daß ich für das Experiment eure Rasse nicht von ungefähr ausgesucht habe, Dude? Tu nicht so, als gäbe es bei den Kreuchenden und Fleuchenden keinen Standesdünkel. Halten die Felidae diejenigen, die Stöckchen apportieren, nicht für geistig etwas minderbemittelt? Und diese wiederum, denken die nicht, daß Schafe ziemlich doof sind? Und glauben Schafe denn nicht, daß das Kaninchen das Lächerlichste ist, was die Natur je hervorgebracht hat? Es wird ein ziemliches Gedränge beim Kriechgang in den Arsch der Menschen geben, wenn endlich Tacheles geredet wird, fürchte ich.«

Luzifer spazierte die Reihe seiner Cherubim ab. Zärtlich streichelte er über die Fratze eines jeden einzelnen von ihnen und tätschelte liebevoll ihre Köpfe. Die gefallenen Engel schienen bei der Berührung mit seinen Klauen geradezu dahinzuschmelzen. Ihre eh schon unansehnlichen Visagen wurden endgültig zu Zerrbildern. Die Augenlider verengten sich, und gurkenlange Zungen haschten innig nach den Knochenfingern des großen Meisters. Manch einer kotzte schlicht und einfach einen senfgelben Mus, weil ihn wohl so viel Erfüllung überforderte.

»Nein, mein Lieber, ich habe für mein Projekt schon die richtige Tierart ausgewählt«, sagte Luzifer wie nebenbei.[4] »Eine, von der allgemein bekannt ist, daß sie schon von jeher eine gewisse Wellenlänge zu mir hat. Ich ging nach einem ausgefeilten Plan vor. Zunächst suchte ich mir *Fänger* aus, Spitzohren, die sich besonders zu mir hingezogen fühlten. Eigentlich schwache Persönlichkeiten, die aber ein vertrauensvolles Wesen besaßen und von ihren Artgenossen geschätzt wurden. Sie bildeten Zirkel, Anziehungspunkte für Gestrandete. Das konnte ein Tierheim, ein selten aufgesuchter Keller oder – ein ausgetrocknetes Brunnenbecken sein. Die Fänger hatten eine klare Aufgabe: Es galt zu selektieren und Talente zu finden, die mit der entsprechenden Sprachbegabung ausgestattet waren. Vor allem aber galt es, so etwas wie einen Messias unter ihresgleichen zu finden, der die Sache mit Inbrunst verfolgte und mit mir freiwillig den Pakt abschloß. Mal unter uns: Dieser ganze Freie-Wille-Scheiß ging mir schon immer mächtig auf den Sack. Zur Sprache gehört Schrift, also versorgte ich die meinigen mit Büchern. Darin konnten sie schon einmal studieren, wie verkommen der Mensch ist. Natürlich wußte ich insgeheim, daß dieses in schöne Worte gefaßte

Elend sie faszinieren würde. Die Sünde ist immer aufregender als die öde Unschuld. Keine Sau kann sich ewig tolle Sonnenuntergänge anschauen. Aber Bilder von Kummer, Leid und Perversion erfreuen sich stets großer Beliebtheit. Um es kurz zu machen, mein Plan ging auf.«

»Es scheint leider so.« Ich wischte mir mit einer Pfote die Tränen aus den Augen. Wahrscheinlich flossen die Tränen weniger wegen der Erkenntnis um den Tod der Unschuld, als vielmehr wegen der sehr menschlichen Angewohnheit, daß man sich bei selbstverschuldeten Fehlern selbst unendlich leid tat. Kompliment, mein Mentor hatte ganze Arbeit geleistet! Ich fühlte schon ganz wie ein Mensch. »Aber wieso mußten so viele von uns auf dem Weg zur Menschwerdung sterben?«

»Gute Frage«, erwiderte Luzifer und wandte sich wieder uns zu. »Die Guten ins Töpfchen, die Schlechten ins Kröpfchen, sagt man. Doch es war mehr als das. Wißt ihr, wenn das alles vorbei ist, ziehe ich wieder weiter. Auf einem sehr friedlichen Planeten irgendwo in Andromeda wartet man schon sehnsüchtig auf meine Ankunft. Man kann mir Schlamperei vorwerfen, aber bestimmt nicht, daß ich nach getaner Arbeit nicht hinter mir aufräume und Spuren hinterlasse – oder Zeugen. Dieser aufgeblasene Kerl da oben achtet penibel darauf, ob ich nicht trickse. Aber zum Glück hat er einen sehr anstrengenden Job und kann seine Augen nicht überall haben. Schau her, Dude …«

In den Rauchschwaden zeichnete sich langsam eine Art Bild ab. Es hatte keinen Rahmen, keine Begrenzung und auch sonst nichts, was ein herkömmliches Bild ausmacht.

Es war so etwas wie eine dreidimensionale Vision, welche uns wie die Luft zum Atmen auf allen Seiten umgab. Mit einem Wort, mit einem Mal waren wir mittendrin im Geschehen. Wir sahen eine düstere Bestie vor uns. Sie besaß riesige Facettenaugen, zangenartige Kauwerkzeuge, zwei lange Fühler auf dem Kopf, die ständig in Bewegung waren, vibrierende Flügel und sechs Beine. Die vielen schwarzen Härchen, mit denen ihr panzerartiger Körper überzogen war, lösten Ekelreflexe aus.

Dann jedoch flog sie außer Reichweite, und wir stellten überrascht fest, daß es sich bei dem greulichen Monster lediglich um ein winziges Insekt handelte. Meine Entspannung hielt sich allerdings in Grenzen, erkannte ich doch sofort das Flugareal. Von draußen aus der Nacht über den Wiesen düste die Fliege hinein in das leere Wasserrohr in Richtung des Brunnenbeckens, dorthin, wo meine glückliche Jugend ein jähes Ende gefunden hatte. Schließlich erreichte sie ihr Ziel, und mir ging auf, daß ich einem magischen Dokumentarfilm über die jüngste Vergangenheit beiwohnte. Zwischen den Bücherstapeln, den Kerzenständern und dem allgegenwärtigen Müll schliefen die Dudes ihren Minzerausch aus. Nur wenige der Kerzen brannten noch, und das schummerige Licht hüllte alle meine gewesenen Freunde in einen goldenen Schimmer. Da oben auf dem höchsten Bücherturm erblickte ich Madam; sie zuckte, wenn sich unsere Kinder in ihrem Bauch bewegten. Und dort unter einem Bücherhaufen lag mit ausgestreckten Beinen Eloi und schnarchte mit sämtlichen Sägewerken der Welt um die Wette. Ich selbst fehlte, weil ich gerade meine ersten Schritte in die Selbständigkeit übte.

Die Fliege drehte einige Runden über der friedlichen Gemeinschaft und schwebte dann auf Eloi zu. Sie ließ sich auf seiner Nase nieder, krabbelte darauf ein wenig unschlüssig herum und kroch dann unversehens in eins seiner Nasenlöcher. Der verwahrloste Siam riß schlagartig die Augen auf, doch ich erkannte meinen guten Freund nicht wieder. Sein saphirblauer Blick besaß etwas derart Haßerfülltes, daß er damit selbst tote Vulkane hätte zum Ausbrechen bringen können. Haßverzerrt war auch seine gesamte Physiognomie. Sie glich der eines gelifteten Menschen, bei dem die Gesichtshaut zu den Ohren hin bis an den Rand des Zerreißens gestrafft wurde. Mit einem unheimlichen Knurren schaute sich der gewandelte Eloi um. Aus seinem Maul tropfte Sabber. Und dann begann das Blutbad ...

Hätte ich nur Hände besessen, hätte ich sie mir vors Gesicht gehalten, um nur gelegentlich zwischen den Fingern einen Blick auf den laufenden Horrorfilm zu riskieren. Eloi schlich sich der Reihe nach an jeden Schlafenden heran und schlug seine Hauer mit unglaublicher Brutalität in dessen Hals oder Genick. Das herausspritzende Blut schien ihn weder zu stören noch wieder zu Bewußtsein zu bringen. Im Gegenteil, er suhlte sich in dem Lebenssaft, als sei er ein stampfender Winzer in einem Bottich voll roter Trauben. Gleichwohl gab er sich große Mühe, die anderen bei seiner Schandtat nicht zu wecken. Denn er wollte auch dem letzten den Garaus machen. Ein Blutsee bedeckte bald den ganzen Boden. Und damit auch die Wände und Bücherstapel nicht zu kurz kamen, rieb sich der Meuchelmörder mit seinem blutverschmierten Fell daran. Er steigerte sich in einen regelrechten Blutrausch.

Nur einmal schien es, als könne er sein Werk nicht vollenden. Der alte rote Zausel wachte plötzlich auf, und da seine Minzedosis an diesem Tag wohl zu niedrig gewesen war, erfaßte er die brenzlige Lage mit einem Blick aus seinen Kupferaugen. Er hielt sich gar nicht erst lange mit einer Schockreaktion auf, sondern rannte sofort zum Tunnel. Doch er hatte eine Sekunde zu spät reagiert. Eloi bemerkte ihn, setzte ihm nach und erwischte auch ihn. Als der Henker sich zum schrecklichen Abschluß Madam vornahm, wandte ich mich mit Grauen ab.

»Ende der Diashow«, sagte Luzifer und ließ die Bilder des Entsetzens verschwinden.

»Was ist aus Eloi geworden?« fragte ich mit zitternder Stimme.

»Keine Ahnung. Nach dem Massaker hat er sich totgestellt. Du bist selbst darauf reingefallen. Er wird ein Wanderer geworden sein. Ihr kennt bestimmt diese ruhelosen Wesen, die es an keinem Ort lange hält und die einsam und stumm ihrer Wege ziehen. Sie sind verflucht, und mit ihnen auch ihre Nachkommen. Ja, ja, der Weg zur Hölle ist gar nicht so weit; manchmal genügt ein Blick ins eigene Herz, und schwuppdiwupp! ist man da. Kann man nichts machen, das ist der Preis für die Mitgliedschaft in meinem Club. Eigentlich schade, denn Eloi war der beste Verbündete, den ich je hatte. Doch niemand ist unersetzlich.«

»Du glaubst tatsächlich, daß wir dir nach all dem, was vorgefallen ist, die Treue halten?«

»Was bleibt euch übrig? Ihr wurdet speziell zu diesem Zweck ausgesucht und habt alles schön mitgemacht. Ihr wolltet doch unbedingt mit den Menschen sprechen. Ich mache nur Vorschläge. Was dich angeht, mein Lieber, hast du wohl keine andere Wahl. Du hast den Pakt mit mir geschlossen. Ach, wenn ich es noch am Rande erwähnen darf: Keiner verschreibt sich einfach so der Sünde, wenn er nicht eine gewisse Beziehung zu ihr unterhält. Das gilt für euch alle! Ab jetzt ist Dauerquasseln angesagt.«

»Hör mal, Alder, das ist ja alles schön und gut, was du hier abziehst«, meldete sich unversehens Efendi zu Wort. Der rabenschwarze Gefährte trat aus unserer Wagenburg hervor und stellte sich dem Unhold so furchtlos entgegen, als habe er es mit dem kinderlieben Eiswagenverkäufer zu tun, der immer um diese Zeit bimmelt. »Und dein Scheißaussehen stört mich auch nicht weiter. Schließlich bin ich ja praktisch in Scheiße aufgewachsen. Allerdings warst du mir in deinem Sean-Connery-Look doch etwas sympathischer. Aber du hast recht: Es beginnt eine neue Zeitrechnung – vor allem für mich. Die Abenteuer in der Klapse waren echt lustig, einige der Schwanks werde ich wohl noch meinen Enkeln zum besten geben. Doch selbst die schönste Party hat mal irgendwann ein Ende. Efendi muß sich nun ein richtiges Zuhause suchen. Dir und deinen hochfliegenden Plänen noch alles Gute und toi, toi, toi! Ich … Mist, ich wollte doch noch etwas sagen … ach ja – tschüs!« Sprach's, drehte sich um und spazierte einfach in Richtung der Tür.

»Neeeiiin!« kreischte der Stierkopf und trampelte auf seinen Hufen behende wie eine Primadonna Efendi hinterher. Er erwischte ihn auf halber Strecke, griff ihn sich mit zwei Fingern am Genick und riß ihn in die Höhe. Der arme Kerl baumelte wie ein Bündel an der Wäscheleine und ruderte mit allen vier Pfoten in der Luft. Der schwarze Schwanz schlug verzweifelt um sich.

»Niemand verläßt mich!« schrie Luzifer und entblößte sein Mördergebiß. Die Stierzunge leuchtete rubinrot. »*Ich bin der Lichtbringer! Ich bin die Morgenröte! Ich bin der Sohn aus dem Schoße Auroras! Ich, Luzifer, werde den neuen Tag anführen, und dieser Tag wird alle verbrennen. Was ich habe, das behalte ich. Und was ich nicht bekommen kann, soll auch* er *nicht bekommen!*«

»Und von so einem Stinkbock habe ich mir mal ein Autogramm geben lassen«, brummte Efendi trotz seiner mißlichen Lage und verdrehte genervt die goldenen Augen. Das Blau in den Augen des Stierkopfs indes wurde um einige Tönungen dunkler. Luzifer riß das gräßliche Maul auf und hackte mit einem einzigen Biß Efendi den Kopf ab. Dann streckte er uns den immer noch zappelnden, blutüberströmten Restkörper demonstrativ entgegen und schwenkte ihn wie eine Trophäe umher, um ihn schließlich gänzlich in seinem Maul verschwinden zu lassen.

Spätestens ab diesem Moment wußte ich, daß wir alle dem Tode geweiht waren. Es gab kein Entkommen, es sei denn um den Preis unseres Seelenheils. Doch war es das bißchen Leben wirklich wert, solch schwere Schuld auf uns zu laden, uns gegen unseren Schöpfer zu stellen und uns zu Erfüllungsgehilfen dieses Scheusals zu machen? *Niemals!* schrie mein Innerstes, obwohl ich wußte, daß diese Verweigerung viele weitere Opfer kosten würde.

»Jetzt oder nie, Freunde!« rief ich der haarigen Meute hinter mir zu. »Macht, daß ihr hinauskommt! Sie können uns nicht alle erwischen!«

289

Augenblicklich brach Chaos aus. Die etwa hundert Brüder und Schwestern sprangen los, als hätte man auf ihre Schwänze getreten, und stoben in alle Himmelsrichtungen davon. Einige eilten direkt zum Ausgang oder zu den Fenstern mit den zerbrochenen Scheiben, andere die geschwungenen Treppen hoch, welche zu der Galerie nach oben führten. Luzifer und die Cherubim waren zum ersten Mal perplex. Mit unserem Widerstandswillen hatten sie nicht gerechnet. Die Dämonen tauschten fragende Blicke mit ihrem Herrscher aus. An dessen wutverzerrter Mimik konnte man ablesen, daß ihm diese Konfusion überhaupt nicht in den Kram paßte. Vermutlich hatte er geglaubt, daß er uns genug Angst eingejagt hatte.

Ich sah zu, daß ich selber wegkam. Genau zwischen den Pferdefüßen des Leibhaftigen huschte ich hindurch und rettete mich durch die offene Tür nach draußen. Der Tag brach über dem verwucherten Gelände an. Die Sonne war noch nicht zu sehen, doch die Morgenröte tauchte das Firmament schon in ein sehr intensives Blutorange. Selbst das Grün der Flora schien zu brennen. Ich riskierte einen Blick zurück und sah, wie meine Artgenossen fluchtartig die Villa verließen. Viele hatten über die Galerie die oberen Räumlichkeiten erreicht und sprangen nun durch die Fenster zunächst auf das Vordach, um von dort aus direkt in die Wildnis zu hechten. Die Mehrzahl jedoch nahm den Hauptausgang. Nur die wenigsten versuchten es durch Bruchstellen an der halbzertrümmerten Holzverkleidung. Das Ganze sah aus, als schwärme eine pelzige Armee aus zur letzten Schlacht.

Soweit, so gut. Allerdings war es viel zu schön, um wahr

zu sein. Ein Gebrüll erklang aus dem Innern des Gebäudes, das den Erdboden zum Erzittern brachte. Da wurde wohl jemand gerade von einem mächtigen Wutkoller heimgesucht. Gleich darauf kamen die Cherubim aus der Villa herausgeschossen wie Kreaturen aus einem Alptraumzoo. Sie nahmen die Verfolgung mit einem lauten Gekreische auf, das sich wie ein Chor von Gefolterten anhörte. Ihre Fortbewegungsart war ulkig und furchteinflößend zugleich. Eine Mischung aus Känguruh-Hüpfen und den Anstrengungen einer fluguntauglichen Vogelart, die sich nicht mehr als zwei, drei Meter in die Lüfte schwingen konnte. Aus der Ferne vermittelte dieses Nicht-richtig-laufen-und-nicht-richtig-fliegen-Können einen ineffizienten Eindruck, doch es war erstaunlich, wie schnell die Mißgeburten so vorwärts kamen. Jedenfalls schienen sie schneller zu sein als die Flüchtenden, die sich mittlerweile überall auf dem Gelände zerstreut hatten.

Die Morgenröte färbte nun das Cherubim-Gesindel ein. Ihre buckeligen Leiber, die Wasserköpfe mit den überbreiten Mäulern und Stilett-Stümpfen darin, die verwachsenen Leiber und ihre aufgeregt flatternden Flügel wurden von einem erdbeerroten Glanz überzogen. Sie schwirrten über uns wie ein bösartiger Bienenschwarm. Und es dauerte nicht lange, bis die ersten Todesschreie erklangen. Die Teufelsjünger stürzten sich auf jeden meiner Artgenossen, den sie erwischen konnten, fügten ihnen schlimme Bißwunden zu oder rissen sie tot und katapultierten sich dann mit dem Opfer im Maul stolz wieder in die Lüfte. Das Mörderhecheln, das jämmerliche Winseln der Sterbenden und der häßliche Flügelschlag übertönten den ersten Gesang der Vögel. Vom Himmel regnete es Blut.

Mir liefen die Tränen übers Gesicht, und doch lief ich um mein Leben, in der nicht gerade realistischen Hoffnung, daß das Schicksal mich verschonen möge. Angesichts des blutigen Gemetzels, an dem ich keine geringe Schuld trug, schwor ich mir, daß ich nie wieder auch nur ein Wort mit einem Menschen wechseln würde. Ich hoffte nur, daß Gott oder wer auch immer mein reines Herz kannte, meinen Schwur erhörte und mir deshalb Gnade gewährte.

Vor mir tauchte eine Ansammlung wildgewachsener Bäume auf, die sich mit ihren krüppeligen Ästen gegenseitig zu erwürgen schienen. Über diesem verlotterten Hain ging endlich die Sonne auf und verjagte die blutige Morgenröte mit ihrem strahlenden Licht. Vielleicht konnte ich mich hier verstecken, bis alles vorbei war.

Ich kroch durch das Gestrüpp und trippelte entlang der Elefantenfüßen ähnelnden Baumstämme bis zur Mitte des Dschungels en miniature. Mein Herz raste, ich zitterte am ganzen Leib, und die Angst hatte sich so tief in meine Seele eingegraben, daß ich dachte, die ganze Welt bestünde nur aus ihr.

»Nein, nicht die ganze Welt, Dude«, sagte eine Stimme.

Ich fuhr herum und sah zwischen den Bäumen den guten alten Refizul stehen. Er steckte in einem weißen Sommeranzug mit gebügeltem Einstecktuch in der Brusttasche. Die langen silbernen Haare waren hinten zu einem Dutt verknotet, und auf seinem Schädel prunkte ein stilvoller Panamahut. Er trug braune Ledersandalen, eine

292

Sonnenbrille auf der Höckernase, deren Gläser vollkommen schwarz waren, und stützte sich auf einen Spazierstock, dessen goldener Knauf eine Dämonenfratze darstellte. Er lächelte milde.

»Im Gegenteil, niemand hat heutzutage mehr Angst. Das ist es ja. Niemand glaubt mehr an das Jenseits. Alle denken, sie werden wiedergeboren. Vielleicht als Anführer eines von Öko-Heinis geschützten Wolfsrudels in Kanada oder als Sproß eines Milliardärs. Jedenfalls nichts, wovor man sich fürchten müßte.«

»Okay, Refi, wie geht es jetzt weiter?« Ich zitterte immer noch. Eins mußte man dem Kerl lassen, immerhin wußte er einem das Fürchten zu lehren.

»Das wollte ich dich fragen.«

»Willst du mich auch töten wie die anderen? Dann töte mich. Eher bin ich tot, als daß ich mit dir gemeinsame Sache mache. Ich werde die Tiere niemals verraten und zulassen, daß sie mit den Menschen gemein werden.«

Das entspannte Bonvivant-Gesicht verwandelte sich in eine wutverzerrte Grimasse. »Na gut, dann töte ich dich eben …« Er tat einen Schritt auf mich zu, stoppte jedoch, als er merkte, daß ich nicht zurückwich. Er winkte mit dem Spazierstock ab. »Haha, war nur Spaß! Ich kann dich doch gar nicht töten, Dude. Du bist der Auserwählte, und ich kann den Pakt nur mit einem einzigen Tier und nur ein einziges Mal schließen. Weigerst du dich, deinen Part zu erfüllen, wird die ganze Angelegenheit scheißkompliziert. Vielleicht sollte man Anwälte bemühen. Was meinst du?«

»Kein Anwalt.«

»Und ich kann dich wirklich nicht umstimmen?«

»Nein!«

»Mann, du bist ja noch sturer als die vom Finanzamt!«

»Ein Patt also?«

»Hm, laß mich mal überlegen.« Er begann auf dem vertrockneten Pflanzenteppich auf und ab zu gehen, wobei er den Spazierstock bei jedem Schritt theatralisch schwang. Es sah aus, als zerbreche er sich über eine besonders knifflige mathematische Formel den Kopf. Dann blieb er endlich stehen und lächelte mich lauwarm an. »Ich hab's! Wie wär's, wenn wir erst einmal Urlaub machen und etwas Abstand voneinander gewinnen? Wir lassen die Sache einstweilen auf sich beruhen sozusagen.«

»Wie lange denn?«

»Ach, so siebzehn Jahre.«

»Wieso siebzehn und nicht sechzehn oder achtzehn?«

»Weiß nicht, ist nur so ein Gefühl. Vielleicht sieht ja in siebzehn Jahren alles ganz anders aus.«

»Hey, ich weiß doch gar nicht, ob ich überhaupt so lange lebe.«

Sein Blick verklärte sich, geradeso, als schaue er in die Zukunft. »Das wirst du bestimmt, Dude. Und nicht nur das, du wirst eine glänzende Karriere unter deinesgleichen hinlegen. Um es offen zu sagen, auch wenn dir aus den USA starke Konkurrenz droht, wirst du der erfolgreichste und berühmteste deiner Art werden. Und weißt du auch, warum?« Er klopfte sich mit dem Zeigefinger auf die Brust. »Vitamin B. Ciao bello!«

Er nahm zum letzten Gruße den Hut ab und verbeugte sich vor mir. Dann wandte er sich ab und ging. Nach ein paar Schritten blieb er jedoch noch einmal stehen, ohne sich umzudrehen. »Damit aber eins klar ist, Bürschchen: Den Preis wirst du trotzdem irgendwann zahlen müssen! Ich bin nicht zum Vergnügen hier.«

Meine Erinnerung an das, was nach meinem letzten Treffen mit Refizul geschah, ist recht verschwommen. Ich weiß nur, daß ich noch lange Zeit in diesem verwilderten Hain dahockte wie jemand, dessen Wunschtraum endlich in Erfüllung gegangen war. Oder besser gesagt, wie jemand, dessen in Erfüllung gegangener Wunschtraum durch die Rückkehr einer Kreatur zwischen Mensch, Pferd und Stier jeden Augenblick zerstört werden konnte. Eine ziemliche Weile lang hörte ich auch eine gepfiffene Melodie, ich glaube es war »Smoke Gets In Your Eyes«.

Sonst erinnere ich mich an vage, überbelichtete Eindrücke einer ziellosen Wanderung, und dann plötzlich fand ich mich in den Gärten der heruntergekommenen Gründerzeitgebäude wieder. Der Sommer stand auf seinem Zenit, und viele Menschen gaben sich in den grünen Oasen dem Sonnenbaden oder Grillseligkeiten hin. Ich war kurz vor dem Verhungern und so durstig, daß ich glatt ein Wasserwerk hätte überfallen können. Langsam näherte ich mich einem altmodischen Liegestuhl, der unter dem Gewicht, das er trug, jeden Moment zusammenzukrachen drohte. Ein unglaublich dicker und am ganzen Körper wie ein Affe behaarter Mann, der eine verboten enge und häßliche Badehose aus den Siebzigern trug, las darin in einem Buch. Er sah mich wohl aus den Augenwinkeln kommen und wandte den Kopf von den aufgeschlagenen Seiten mir zu. Ich blieb vor ihm stehen und glotzte ihn wie blöde an.

Was blieb mir anderes übrig? Die Alternative wäre gewesen, schlicht und einfach zusammenzubrechen.

»Na, mein Freund, du bist aber ein besonders hübsches Tier«, sagte der Dicke und streichelte meinen Kopf. Am liebsten hätte ich ihn gefragt, ob er nicht gerade zufällig eine Kuh geschlachtet hätte. Aber ich hatte mir ja geschworen, mit den Menschen kein Wort mehr zu wechseln, solange ich lebte.

»Wo kommst du denn her?« bohrte er nach. »Siehst ganz schön abgemagert aus. Bist du etwa herrenlos?«

Ich war versucht zu nicken.

»Weißt du, ich will mir schon lange ein Tier anschaffen, weil …« Er seufzte. »Ich bin einsam. Wenn du bei mir bleiben möchtest, dann würde ich dich gern …« Er warf einen Blick auf mein Hinterteil, schlug das Buch zu und streckte es mir entgegen. Die Welt drehte sich zu wild vor meinen Augen, als daß ich den Titel zu entziffern vermochte. Das einzige, was ich auf dem Cover erkennen konnte, war eine Fregatte auf stürmischer See. »Ich lese gerade einen äußerst faszinierenden Bericht über den legendären Seefahrer Sir Francis Drake«, fuhr er fort, packte mich und hievte mich auf seinen Orang-Utan-Bauch. »Francis … Was hältst du eigentlich von diesem Namen?«

»Hier stehen wir nun, Francis«, sagte Luzifer und streichelte schier zärtlich über die Bildschirmkante seines Notebooks. Auch wenn sich alles in mir sträubte, an einen solchen Schurken ein Kompliment zu verschwenden, so mußte ich mir doch insgeheim eingestehen, daß ihm der schwarze Dolce & Gabbana-Anzug fabelhaft stand. Nur

296

das verkehrt herum angesteckte Kruzifix auf dem Jackenrevers zeugte von einer minimalen Geschmacksverirrung. Das Kaminfeuer verlieh seiner pfleglich gebräunten und gegerbten Gesichtshaut etwas von einem guten Wein, der im Lauf vieler Jahre die optimale Reife erreicht hat. Die blau glühenden Augen und die langen Silberhaare vollendeten das scheußlich-schöne Kunstwerk.

»Du mußt jetzt eine Entscheidung treffen, wenn du nicht willst, daß Junior für immer aus deinem Leben verschwindet. Ich möchte dich ungern unter Druck setzen, aber wir haben nur noch eine halbe Stunde bis zum Ende der Ebay-Auktion. Wer weiß, in welchen Händen dein lieber Sohn dann landen wird. Vielleicht sind es auch Klauen!«

»Was müßte ich denn tun, wenn ich meinen Part des Paktes erfüllen wollte?« fragte ich. Immer noch lag ich auf dem Schaffell und schaute wie paralysiert in die Flammen, als könnte jede Bewegung die falsche sein.

»Ach Francis, müssen wir dieses leidige Thema immer wieder durchkauen? Du hast es doch damals gleich kapiert. Du sollst der Leitstern einer Bewegung sein, die alle Tiere aus der Sprachlosigkeit der vom Menschen dominierten Welt hinausführt. Die Emanzipation par excellence! Ein kleiner Schritt für dich, aber ein großer für die Verbreitung des Dünnschiß, der täglich Milliarden von Mündern entströmt. Jetzt kommen eben noch die tierischen Mäuler hinzu.«

»Der kleine Unterschied wird also verschwinden. Und damit die Ordnung, die *er* vorgesehen hat.«

»Du hast es erfaßt, mein Bester. Also?«

Ich schüttelte den Kopf und atmete schwer. »Wenn ich nur etwas mehr Bedenkzeit ...«

»Schluß jetzt! Zwing mich nicht zum Äußersten!«

Ich registrierte, wie die entspannte Generation-50-Plus-Maske kurz verrutschte und das erbarmungslose Angesicht der Mißgestalt freilegte, die ich in dieser einen Nacht vor siebzehn Jahren kennenlernen durfte. Meine Gedanken wanderten zu meinem armen Jungen, dessen Bestimmung mit absoluter Sicherheit eine fatale sein würde, wenn ich mich nun verweigerte. Nein und nochmals nein, ich konnte meinen Sohn nicht im Stich lassen! Denn auch die bedingungslose Fürsorge für die eigene Brut gehörte zu der Ordnung, die *er* von Anbeginn an aufgestellt hatte.

»Gut«, sagte ich schließlich. »Hier hast du meine Entscheidung ...« Ich schaute niedergeschlagener Miene zu ihm auf und bemerkte, daß seine Mundwinkel sich bereits zu einem Triumphlächeln kräuselten.

In diesem Augenblick drang aus dem Kamin ein Geräusch, das klang, als sei das Fegefeuer schon ein gewaltiges Stück nähergerückt. Ein dumpfes Krachen wie bei einer fernen Explosion war zu vernehmen. Die Flammen schlugen meterhoch und züngelten bis vor meine Nase. Das Feuer durchlief im Bruchteil einer Sekunde das komplette Farbspektrum, und für einen Moment wackelte das ganze Wohnzimmer. Dann sprang aus den Flammen Metathron zu mir auf das Schaffell.

Luzifer schoß aus seinem Sessel hoch und ließ dabei das Notebook auf den Boden fallen. Fassungslos betrachtete er den Neuzugang, der ihm mit seinem sandfarbenen Fell, zwischen Zinkgelb und Grün schwankenden Augen und den schnittigen Ohrpinseln an Eleganz in nichts nachstand.

»Wer ... wer bist *du* denn?« stammelte Luzifer.

»Der Anwalt«, antwortete der Abessinier.

13

Luzifer wanderte wie von seinem eigenen Dämonenheer drangsaliert im Zimmer auf und ab und spuckte dabei Gift und Galle. Jetzt nützte ihm auch sein schöner Dolce & Gabbana-Anzug nichts mehr. Er sah einfach schrecklich aus. Die lange Silbermatte war so zerzaust, als hätte sie eine schlimme Auseinandersetzung mit einem Fön gehabt, und das mediterran gebräunte Gesicht schien merklich blasser geworden zu sein. Das linke Augenlid zuckte immerzu, ständig wanderte sein Blick zu dem Notebook auf dem Boden.

»Was soll dieser Anwalt-Schwachsinn!« sagte er etwas zu laut, als es dem juristischen Rahmen angemessen wäre. Welchen er natürlich kurzerhand als nicht existent reklamierte. »Als wir den Pakt geschlossen haben, war von solchen Finten nicht die Rede. Es gab klare Spielregeln und weiter nichts.«

»Genau um diese geht's«, erwiderte Metathron und behielt ihn mit seinen gelbgrünen Augen genau im Blickfeld. »Ach übrigens, nur der Form halber, wie werden Sie eigentlich genannt?«

»Nenn mich Karl Arsch, du Paragraphenfuzzi!« blaffte Luzi.

»Karl Arsch oder einfach nur Herr Arsch?«

Der Alte fuhr sich nervös durch die Haare. »Wieso darf ich *mir* denn keinen Anwalt nehmen, he?«

»Das dürfen Sie, Herr Arsch. Es steht Ihnen frei, für Ihre Sache jeden Advokaten dieser Welt zu beauftragen – oder einen zu erfinden.«

»Was wirft mir das Gericht vor?«

»Wir stehen hier nicht vor Gericht, Herr Arsch. Ich glaube, ich muß Sie etwas über das heutige Rechtswesen aufklären. Die überwiegende Anzahl der Fälle landet mittlerweile gar nicht vor einem Richter, sondern endet schon im Vorfeld mit einem durch die Anwaltschaft initiierten Vergleich.«

»So ein Quatsch, für mich gibt es nur Schwarz oder Weiß! Und hör auf, mich Arsch zu nennen.«

»Ich nannte Sie Herr Arsch, wie Sie es wünschten. Aber wenn Sie möchten, kann ich Sie auch Karl Arsch nennen.«

»Ich soll also wie üblich wieder zum Buhmann gemacht werden.« Luzifer massierte hingebungsvoll seine Stirn, worauf sich die Falten darauf erschreckend vervielfältigten.

»Sie sind voreingenommen. Niemand will Sie zum Buhmann machen. Mein Mandant glaubt nur, daß es bei der Besiegelung des sogenannten Paktes nicht mit rechten Dingen zuging. Es gilt jetzt, Positionen abzustecken und nach einem für beide Seiten akzeptablen Kompromiß zu suchen – bevor es zu einem wirklichen Prozeß kommt. Sie können sich vorstellen, wer dann auf dem Richterstuhl sitzen wird.«

»Aha! Und was soll ich verbrochen haben?«

»Also, da wären …«, Metathron kratzte sich mit den Krallen einer Pfote kurz am Kopf, als müsse er erst seine

Gedanken ordnen, »… arglistige Täuschung bei einer Vertragssache, Freiheitsberaubung und Mißachtung der altersbedingten Geschäftsunfähigkeit.«

»Geschäftsunfähigkeit? Daß ich nicht lache!« Der Alte schickte tatsächlich einen theatralischen Lacher gen Himmel. »Der Kerl war längst geschlechtsreif, als er unterschrieben hat.«

»Ja, das stimmt. Doch spielt die Geschlechtsreife in diesem Zusammenhang überhaupt keine Rolle. Heutzutage sind viele menschliche Jugendliche mit vierzehn schon geschlechtsreif. Trotzdem dürfen sie keine Verträge abschließen.«

Der Alte grinste listig. »Francis ist kein Mensch. Wird bei euch Viechern in solchen Fällen das Alter nicht automatisch hochgerechnet?«

Metathron knickte ein bißchen ein und schaute mich an. Seine Ohren mit den hübschen Pinseln an der Spitze zitterten besorgt. Er schien ins Schwimmen zu geraten. »Tja, das ist in der Tat ein diffiziler Punkt, den zu erörtern vielleicht doch eines richtigen Prozesses bedarf. Man müßte dann natürlich Gutachter hinzuziehen und eine Expertise …«

»Ich war jung, und du hast meine Naivität und meine Sturm-und-Drang-Gefühle schamlos ausgenutzt«, schrie ich Luzifer an, der daraufhin richtiggehend zusammenzuckte. Er schien auf so eine heftige Reaktion meinerseits nicht vorbereitet zu sein. Auch wurde ihm wohl die Tragweite der Vorwürfe so langsam bewußt. Und was es hieße, müßte er sich wirklich dem Gottesgericht stellen. Fahrig durchwühlte er seine Taschen nach den Zigaretten.

»Ich habe den Vertrag nicht gelesen, bevor ich ihn unterschrieb«, fuhr ich fort. »Mal ganz abgesehen davon, daß er bewußt unleserlich verfaßt worden war. Doch selbst wenn ich ihn hätte lesen können, hätte es an meiner damaligen Entscheidung wenig geändert. Denn von der von dir betriebenen Absicht, Tier und Mensch durch eine gemeinsame Verständigung gemein zu machen, die Offenlegung dieses perfiden Plans, wird wohl nichts darin gestanden haben, oder? Hast du mir nicht erzählt, es ginge bloß darum, daß Laboraffen ihre Peiniger zur Rede stellen und Schweine ihre Schlächter?«

»Wobei wir bei der arglistigen Täuschung wären«, fügte Metathron hinzu. Er hatte seine Selbstsicherheit wieder zurückerlangt.

Durch die Fenster sah ich, daß der Schneesturm sich unserer aufgeregten Gemütslage angepaßt hatte und noch irrsinniger als je zuvor wütete. Die altersschwachen Fenster klapperten schon. Nur gut, daß der Kamin immer noch schön knisterte. Oder rührte diese wohlige Wärme von einem anderen Feuer her, das sekündlich näherzurücken schien?

»Es ist ganz offensichtlich, daß meinem Mandanten vor der Unterzeichnung die Kernaussage des Paktes vorenthalten wurde und ihm statt dessen bewußt eher die *angenehmen* Seiten einer solchen Kooperation vor Augen geführt wurden«, sagte Metathron.

»Na und? Vertrag ist Vertrag«, erwiderte Luzifer trotzig. Endlich hatte er seine Zigarettenschachtel gefunden. Er steckte sich einen Stengel mit einem goldenen Feuerzeug an, welches das Relief einer Dämonenfratze schmückte, inhalierte tief und blies dann den Rauch mit der Hingabe eines Fabrikschornsteins aus. Man merkte es ihm an, daß die Fassade des Rechthabers nur gespielt war. Eigentlich hatte er schon an Kraft eingebüßt, als er sich auf dieses Gespräch eingelassen hatte. »Das habe ich schon immer so gemacht. Die kleinen Tricks sind von oben legitimiert. Wenn ich nicht einen kleinen Spielraum an der Grenze zum Schwindel hätte, wäre ich längst raus aus dem Geschäft und würde in Alaska Lachse züchten.«

»Sie geben also zu, daß Sie mit unzulässigen Mitteln arbeiteten, um diesen Pakt zustande zu bringen, Herr Arsch?«

Luzifer wand sich, und zwar im buchstäblichen Sinne. Er wackelte mit dem Oberkörper hin und her und lockerte seine Krawatte. »Zum Teufel, ja! Ist der Papst katholisch? Was glaubst du, mit wem du gerade redest, Herr Anwalt? Mit Mutter Teresas Geist?«

Metathron nickte dramatisch und pfiff durch die Zähne. »Also, ich weiß nicht, vielleicht sollte diese Causa doch vor einem ordentlichen Gericht abgehandelt werden. Hier tun sich ja Abgründe auf.«

»Hey, Anwalt-Boy, kenne ich dich nicht von irgendwoher?« Über Luzifers Gesicht huschte mit einem Mal ein abgeklärtes Lächeln. »Meine Nase sagt mir, daß sie deinen Geruch schon einmal geschnuppert hat. Ich meine, ich würde in der Hölle eher einen Sonntagsgottesdienst einführen, als in dieses langweilige Paradies auch nur einen Zeh zu setzen, aber sagt man nicht, daß es dort genauso riecht? Ein bißchen nach Vanille, ein bißchen nach Amber, ein bißchen nach frisch gepflückten Rosen?«

Jetzt roch ich es auch. Metathron wurde vom Kaminschein von hinten beleuchtet und bekam dadurch eine goldene Aura. Die Spitzen seines Fells und die Schnurrhaare schienen wie beim Anblick einer Fata Morgana zu oszillieren. In seinen ständig zwischen Zinkgelb und Ozeangrün wechselnden Augen vermeinte ich jene Gefilde zu erkennen, wo ich in meinen Träumen all die Jahre lang diejenigen gesehen hatte, die damals ermordet worden waren. Und plötzlich wußte ich, daß auch ich Metathron schon einmal begegnet war. Die Namen, mit denen sich er und sein Gefolge mir vorgestellt hatten, mußten ursprünglichere, vielleicht altjüdische Versionen von Gabriel, Michael, Raphael, Uriel und Raguel sein. Metathron blinzelte mir verschwörerisch zu und wandte sich wieder an Luzifer.

»Kann schon sein, daß wir uns schon einmal begegnet sind, Herr Arsch«, sagte er. »Mein Beruf erfordert es, daß ich sehr oft in Kontakt mit Kriminellen gerate.«

»Das ist ja unerhört!« Luzi paffte noch intensiver an seiner Zigarette. Ich hatte die Befürchtung, daß er das Ding bald auffressen würde. Er machte sich nicht einmal die Mühe, die auf den Anzug schneiende Asche wegzuwischen. »Da rackert man sich ab und tut und macht im Dienste einer höheren Ordnung, und als Dank wird man als kriminell beschimpft.«

»Wie würden Sie denn das bezeichnen, was Sie gerade mit dem Sohn meines Mandanten anstellen. Entführung oder Geiselnahme?«

»Der Kleine ist freiwillig zu mir gekommen! Er fand alles großartig hier, und die Idee mit der Quasselei gefiel ihm auch ganz prima.«

305

»Ach so! Dann hat er sich womöglich auch noch bei Ihnen bedankt, als Sie ihn in den Käfig einsperrten. Und wie war es, als Sie ihm das mit seiner Deportation erzählten und daß er seine Lieben und seine Heimat niemals wiedersehen wird? Gab er Ihnen dafür auch noch einen Kuß?«

»Nun ja, er opfert sich sozusagen für die gute, äh, böse Sache. Wie die anderen Tiere geht er als Botschafter in eine Welt, die schon in …«, er warf einen kurzen Blick auf das Notebook auf dem Boden, »… in fünfzehn Minuten nicht mehr dieselbe sein wird. Sobald es zwischen den Sprachen keine Unterschiede mehr gibt …« Er hielt plötzlich inne, als sei ihm aufgefallen, daß er die ganze Zeit mit sich selbst gesprochen hatte. Seine Miene verdüsterte sich, die buschigen Augenbrauen sanken auf Halbmast, und um die braunroten Lippen legte sich ein brutaler Zug. »Verdammt noch mal, warum erzähle ich dir das alles überhaupt, Rechtsverdreher! Was willst du von mir?«

»Einen Vergleich!«

»*Nein! Nein! Nein! Nein! Nein!* …« brüllte Luzifer in einer Tour fort. Es waren Neins von der Lautstärke von Detonationen. Wie bei einem Erdbeben begannen die Mauern des Hauses zu erzittern und dann arg zu wackeln. Dennoch dachte der Unhold nicht daran, sein *Nein*-Bombardement einzustellen. Er schlug mit den Armen um sich, bewegte dabei den ganzen Körper und schrie unaufhörlich weiter. Erste Steine lösten sich von den Wänden und fielen krachend herunter, schwarze Staubwolken bildeten sich, schließlich stürzte das ganze Zimmer mit einem gewaltigen Knirschen und Donnern in sich zusammen. Doch anstatt uns unter sich zu begraben, wurden die Trümmer in

306

Form eines Schweifs nach oben fortgeblasen, als sauge sie ein gigantischer Staubsauger aus dem All auf.

Nun standen wir alle am Rand des Flachdachs auf dem Hochhaus von Morgenrot Inc. und blickten in der schneesturmgepeitschten Nacht auf den zugefrorenen See hinunter. Hinter uns waren mit Stützeisen die mannshohen Leuchtbuchstaben befestigt, aus denen sich das Wort *Morgenrot* zusammensetzte. Sie strahlten signalrot in der Dunkelheit. In der Ferne war die lückenlos verschneite Waldlandschaft auszumachen, die den See umschloß. Starker Wind und Schneeflocken tosten um unsere Ohren. Deutlich sah ich dort unten den vereisten Charon in seiner alten Fähre. Ein Glück, daß meinesgleichen Höhenangst nicht kennt und schwindelfrei ist.

Endlich schaltete Luzifer seine *Nein*-Endlosschleife ab und richtete seine kalten Augen auf uns. Zumindest verzichtete er diesmal darauf, sich wie damals in einen Wolpertinger in Übergröße zu verwandeln.

»Ich bin der Herr der Finsternis«, sagte er jetzt leise. »Und dies ist mein Reich.« Er schwenkte den Arm in einer ausladenden Geste über den See. Noch nicht einmal in fünf Sekunden schmolz die Eisfläche unter gewaltigen Dampfexplosionen, es zischte und blubberte, bis schließlich hohe Wellen ans Ufer traten. Als die Wasseroberfläche sich geglättet hatte, blickten wir durch sie hindurch in den rotglühenden Höllenschlund. Mein Glaube verbietet es mir, genau wiederzugeben, welchem Nonplusultra an Grauen wir in diesem siedendheißen Moloch ansichtig wurden. Nur soviel: Obwohl sich darin Milliarden und Abermilliarden von gequälten Seelen tummelten und ob-

307

wohl nun Charon plötzlich wieder seinen Dienst aufgenommen hatte und mit der Fähre immer neues *Material* heranschaffte, befand sich keine einzige tierische Seele darunter.

»Und das alles wollen Sie aufs Spiel setzen und es auf eine Gerichtsverhandlung mit äußerst ungewissem Ausgang ankommen lassen, Herr Arsch?« sagte Metathron ungerührt.

»Was?« Luzis Gesichtszüge schienen wachsgleich zu zerlaufen.

»Ich meine, Sie haben sich hier wirklich etwas Hübsches aufgebaut. Kostete Sie bestimmt sehr viel Fleiß und Durchhaltevermögen und so manch eine schlaflose Nacht. Allein die Investitionen!«

»Kann man wohl sagen. Alle denken, ich liege die ganze Zeit locker in der goldenen Badewanne und rauche Havannas, bis der Arzt kommt. Von wegen! Das ist ein Vierundzwanzig-Stunden-Job. Keine Ahnung, wann ich zuletzt im Urlaub war. Und was ist der Dank? Besoffene torkeln im Karneval mit einer roten Filzkappe auf dem Kopf herum, aus der Papphörner wachsen. Das soll dann allen Ernstes den Leibhaftigen darstellen. Der Brüller, was? Pah!«

»Sehen Sie! Also, ich an Ihrer Stelle würde ruhig Blut bewahren und mein Schicksal nicht auf Teufel komm raus herausfordern. Sie erinnern sich doch: ›Wie bist du vom Himmel gefallen, du Glanzstern, Sohn der Morgenröte! Wie bist du zu Boden geschmettert, Überwältiger der Nationen!‹ Ich an Ihrer Stelle würde mich zufriedengeben mit dem, was ich schon erreicht habe, und nichts mehr riskieren in Ihrem Alter. ›Was ich habe, das habe ich.‹ Ist das nicht Ihr Motto? Ich an Ihrer Stelle würde einem Vergleich zustimmen.«

Luzifer fuhr als Anzeichen seiner Entscheidungsfindung oder auch seines Unwillens wie ein Irrer mit dem Kopf hin und her, gab äußerst unappetitliche Geräusche von sich, von den Gasen, die er bei dieser Gelegenheit absonderte, ganz zu schweigen. Doch am Ende sagte er: »Okay!«

Und Plop! fanden wir uns erneut im gemütlichen Wohnzimmer wieder. Der Alte warf Holzscheite in den Kamin, weil das Feuer inzwischen heruntergebrannt war.

»Dann her mit dem Angebot, Anwalt«, sagte er mürrisch.

»Der Pakt wird aufgelöst«, erwiderte Metathron. Er trat von einer sandfarbenen Vorderpfote auf die andere, um sich besser konzentrieren zu können, ein typisches Streßverhalten, das bei uns Schleichjägern oft zur Anwendung kommt. »Unwiderruflich!«

»Das ist kein Vergleich. Das ist für mich die völlige Kapitulation.«

»Es geht nicht anders, Herr Arsch. Sie können den Kuchen nicht essen und gleichzeitig behalten. Wenn Sie ihn aber essen, sehen wir uns vor dem Kadi wieder. Für eine einvernehmliche Übereinkunft ist Tabula rasa unvermeidbar. Die Beibehaltung einzelner Elemente des Paktes nützen weder Ihnen noch meinem Mandanten.«

»Aber ich hatte Unkosten!« Luzi steckte sich eine neue Zigarette an. Er schien jetzt sehr unglücklich. Wie jeder Unternehmer, der sein anvisiertes Lebenswerk vor sich zerbröseln sah, wollte er wenigstens den Einsatz retten.

»Allein die Kosten für das Personal. Bezahl du mal siebzehn Jahre lang Kranken- und Rentenversicherungsbeiträge für diese degenerierten Cherubim. Da landest du leicht im Armenasyl! Und dann die Zentrale hier. Du glaubst doch nicht wirklich, daß sich so ein Multimillionenklotz allein durch Spenden von ein paar Teufelsanbetern finanzieren läßt, die sich gern mein Antlitz auf ihren Hintern tätowieren lassen, aber ansonsten lieber brav die Raten ihrer Lebensversicherungen bedienen?«

»Das ist ein Argument«, sagte der Abessinier und ließ sich neben mir auf dem Schaffell nieder. Er hatte seinen Gegner geknackt und konnte sich entspannen. »Aber Sie haben doch diese Auktion laufen. Da kommt bestimmt wieder jede Menge Geld zusammen.«

»Ungefähr so viel, wie ich in das Projekt hineingebuttert habe.« Er kniff die Augenlider zusammen und überprüfte auf dem Bildschirm des auf dem Boden stehenden Notebooks das neueste Gebot bei der Versteigerung. »In zehn Minuten heißt es übrigens rien ne va plus. Doch was nützt es mir, wenn nach der Auflösung des Pakts die Viecher gar nicht mit den neuen menschlichen Besitzern sprechen dürfen?«

»Nun ja, ich möchte Sie zwar nicht zu irgendwelchen illegalen Handlungen ermuntern, aber das brauchen die doch vorläufig gar nicht zu wissen.«

Luzis Gesicht hellte sich mit einem Mal auf. Er verhielt sich wie alle Betrüger, denen man gerade eine fabrikneue Masche ins Ohr geflüstert hat. Fast gelöst wirkte sein spitzbübisches Lächeln. »Da ist was dran. Und nach der Auktion bin ich sowieso weg – ich hau ab auf diesen Planeten

310

in Andromeda. Da soll es auch nicht so viele Gesetze wie hier geben, das heißt, es existiert dort nur ein einziges Gesetz: Liebsein, Liebsein und noch mal Liebsein. Wie öde! Na, die werden blöd gucken, wenn ich ihnen mit meinem Lifestyle komme!«

»Moment mal«, sagte ich. »Wenn diese Auktion ordnungsgemäß über die Bühne geht, heißt das, daß Junior und ich uns nie mehr wiedersehen?«

»Darauf kannst du deinen Schwanz verwetten, mein Freund.« Luzifer weidete sich geradezu an meinem Entsetzen. »Für ihn liegt sogar das höchste Gebot vor. Kannst du dir unter hundertfünfzig Millionen Euro ungefähr etwas vorstellen?«

Metathron legte eine Pfote auf meine Schulter. Seine ganze mitfühlende Erscheinung mit den herabhängenden Ohren und den halb gesenkten Augenlidern sagte mir, daß er nur zu gern meinen Schmerz mit mir geteilt hätte. Doch diesen Schmerz vermochte nicht einmal Gott mit mir zu teilen. »Das ist ein Vergleich, Francis, und kein Freispruch für irgend jemanden. Wie schon erwähnt, wir stehen hier nicht vor einem Richter, und es gibt auch kein Urteil. Wer aber nimmt, muß auch geben können. Es war von Anfang an klar, daß am Ende keiner diesen Raum als Sieger verlassen würde. Du hast dich in deiner Jugend durch das Böse verführen lassen und alle Tiere fahrlässig in große Gefahr gebracht. Nun mußt du dafür zahlen. Genauso wie der Gegenseite wird auch dir ein Opfer abverlangt. Akzeptierst du das Opfer nicht, anerkennst du zwangsläufig den Pakt und die Zerstörung der göttlichen Ordnung, so wie wir sie kennen. Denk in Zukunft erst einmal ein bißchen nach, bevor du etwas unterschreibst. Das Böse, Francis, ist wie Haarwuchs. Da helfen kein Rasierer und keine Enthaarungscreme. Es wächst immer nach. Wir können immer nur oben etwas abschneiden. Und das ist das einzige, was wir dem Bösen entgegenzusetzen haben.«

»Super-Plädoyer!« sagte Luzifer und griff sich in die Jakkeninnentasche. »Du scheinst ja richtig was auf dem Trichter zu haben, Freundchen. Sag mal, hast du zufällig eine Visitenkarte dabei? Vielleicht benötige *ich* ja irgendwann einmal deine Dienste.« Er holte einen in der Mitte zusammengefalteten Papierstoß aus dem Ledersessel hinter ihm. Er war stark vergilbt mit braunen Flecken, und die Ränder waren von Mäusen angeknabbert. Rückwärts geschriebene, zackige Schrift sprang mir ins Auge. Man brauchte mir nicht lange zu erklären, um was es sich hier handelte.

»Wie sieht es aus, Francis? Obwohl ich mich von euch beiden immer noch ziemlich gerupft fühle, bin ich bereit, auf den Vergleich einzugehen. ›Außer Spesen nichts gewesen‹ ist besser als ›voll daneben‹.« Er hielt den Vertrag ins Kaminfeuer. Seine Augen funkelten vor boshaftem Amüsement.

»Ich willige ein«, sagte ich und seufzte schwer. »Auch wenn ich nicht so genau weiß, was schlimmer ist: die eigene Seele verkaufen oder den eigenen Sohn. Ich verfluche den Tag, an dem ich dir begegnet bin, du Scheusal!«

»Na, wenigstens etwas«, sagte Luzifer und ließ die Papiere ins Kaminfeuer fallen. »Mist, jetzt kann ich wieder von vorne anfangen!«

Als die Papiere mit den Flammen in Berührung kamen, versprühten sie explosionsartig Funken, als wären sie zuvor mit einer entzündbaren Substanz bestrichen worden. Der Kamin gebar ein fürchterliches Grollen, und sein Feuerschein erstrahlte so grell wie brennendes Magnesium. Ich verbarg kurz den Kopf zwischen meinen Pfoten. Dann verlosch der Budenzauber so blitzartig, wie er aufgeflammt war, und außer der gemütlich knisternden Glut war nichts mehr im Kamin zu sehen. Allerdings war auch nichts mehr von Luzifer und Metathron zu sehen. Sie waren verschwunden. Sogar das Notebook war weg.

Ich erhob mich vom Schaffell und ging im Zimmer auf und ab. Irgend etwas rumorte in meinem Schädel, als suche es sich eine passende Stelle, wo es einrasten könne. Ein Detail, ein klitzekleiner Fetzen aus einem der zuletzt gefallenen Sätze war es gewesen, der mich so in Unruhe versetzte. Eigentlich hätte ich in Trauer verfallen müssen, weil Junior so ohne Abschied von mir gerissen worden war. Oder lief die Auktion noch? Wenn ja, konnte es sich nur mehr um Minuten handeln. Und wo waren Sancta, Blaubart und Gustav, wenn doch der Fluch des Pakts nun aufgehoben war? Ich wußte nicht einmal, ob ich mich immer noch in dem diabolischen Hochhaus oder im realen Gustavschen Wohnzimmer befand. Doch anstatt gegen die Trauer über meine verlorengegangenen Lieben und die bewußtseinstrübende Konfusion hatte ich jetzt gegen diesen geistigen »Hänger« zu kämpfen.

Metathrons Abschlußrede kam mir unversehens wieder in den Sinn, insbesondere beschäftigten mich seine letzten Worte. »Das Böse, Francis, ist wie Haarwuchs. Da helfen kein Rasierer und keine Enthaarungscreme. Es wächst immer nach ...« Ziemlich pathetisch, aber bei Lichte besehen

313

doch ziemlich komisch. Warum hatte ein so ernster Zeitgenosse wie der Abessinier ausgerechnet einen solch ulkigen Vergleich gewählt? Ich überlegte, zerbrach mir den Kopf. Doch nichts wollte sich mir erschließen. Bilder von Rasierern und Enthaarungscremes flogen mir durch den Sinn, ohne daß sie sich zu etwas Einleuchtendem zusammenfügen wollten. Vor meinem geistigen Auge tauchte sogar die Pyramide aus Einmachgläsern in Archies verlumptem Ebay-Lager auf, die der Etikette nach eine Enthaarungscreme beinhalteten. Sicherlich hyperaggressives Zeug chinesischer Herkunft, das jeden gestandenen Bär in Sekundenschnelle in einen Nackedei verwandelte. Ich konnte mir beim besten Willen nicht vorstellen, daß so etwas gesundheitsverträglich war.

Plötzlich, als gingen tausend Sonnen auf, fiel der Groschen. Mir wurde schlagartig klar, was Metathron mir hatte sagen wollen. Sinnbildlich und buchstäblich, der Kerl war wahrhaft ein Engel!

Ich fetzte aus dem Zimmer, als stünde ich auf glühenden Herdplatten, und vollführte erst in der Diele mit ausgestreckten Krallen eine harte Vollbremsung. Dann ein abenteuerlicher Sprung durch die für uns vorgesehene Klappe an der Wohnungstür in den Hausflur, und ab ging es über die fast antik zu nennende Treppe hoch zum ersten Stockwerk. Oben angekommen, stellte ich erleichtert fest, daß die Tür des alten Chaoten wie gewöhnlich nicht abgeschlossen war. Ich stürzte hinein und stand dann in der Dunkelheit zwischen zu Bergen aufgetürmter, gefälschter Markenware und dem merkwürdigen Zeug, für das sich die Menschen wohl erst mit der Erfindung des Internets zu

314

interessieren begonnen hatten. Irgendwo standen sogar von Schrumpfköpfen gerahmte Spiegel aus Taiwan und Aschenbecher im Design von Geschlechtsteilen herum. Wer bestellte sich so etwas?

Im Arbeitszimmer sah ich Archie. Er war neben dem noch eingeschalteten Notebook am Schreibtisch eingeschlafen. Sein Kopf lag schwer zwischen Bildschirm und Haustelefon. Vielleicht hatte der arme Kerl einen Herzinfarkt erlitten, gleich nachdem er zum Ebay-Powerseller der Woche gekürt worden war. Daß es kein rosiges Ende mit ihm nehmen würde, war schon immer zu befürchten gewesen. Ich machte einen Satz auf den Tisch und landete vor dem Notebook. Es zeigte, wie nicht anders zu erwarten, die Ebay-Seite an. Ich gab im Suchfenster das Wort MORGENROT ein. Und erblaßte, als das Ergebnis kam! Nicht nur, daß unter der Rubrik »Morgenrot Inc.« gleich zirka eintausend Artgenossen versteigert wurden, und nicht nur, daß die bis jetzt gebotene Gesamtsumme mehr als eine Milliarde Euro betrug, nein, die Auktion endete in genau sieben Minuten. Unglaublich, wie viele finsteren Gestalten mit einem Riesenvermögen die Umgestaltung der Weltordnung anstrebten!

Ich hüpfte vom Tisch, lief zu dem Raum, wo sich die Einmachglaspyramide befand, und stürzte mich darauf. Der Haufen brach in sich zusammen, und die Gläser purzelten auf den Boden. Einige zerschellten beim Aufprall, und die recht flüssige Enthaarungscreme ergoß sich über dem Fußboden. Sofort rieb ich mich mit der rechten Flanke meines Hinterns an dem Zeug, was augenblicklich ein infernalisches Brennen zur Folge hatte. Egal, jetzt ging es um die

Vermeidung des ultimativen Schmerzes! Ich wischte mir das Zeug an der Wand etwas ab und betrachtete dann meinen Hintern in einem der Schrumpfkopf-Spiegel. Tatsächlich, die Zahlen-Buchstaben-Kombination, die mir Refizul damals eingeritzt hatte, trat jetzt als ein rotglühendes Narbengeflecht aus der übrigen kahlen Haut hervor.

Als ich wieder auf Archies Schreibtisch stand, suchte ich über das Internet die Hotline-Nummer der Schweizerischen Nationalbank heraus. Und hielt jäh inne … Francis, Francis, hast du nicht einen heiligen Schwur geleistet? sprach ich im Geiste zu mir selbst. Du hast geschworen, nie mehr mit einem Menschen zu sprechen. Aber das hier war ein Sonderfall, wenn nicht sogar ein extremer Notfall. Wann war es gerechtfertigt, einen Schwur zu brechen? Schon wieder haderte ich mit dem philosophisch-juristischen Dilemma um Schwüre und Pakte. Aber vielleicht wußte nicht einmal Gott selbst auf diese Frage eine vernünftige Antwort. Nun ja, vermutlich geriet er auch selten in solche kniffligen Situationen.

Mit zitternder Pfote drückte ich auf die Freisprechtaste des Telefons und wählte die Nummer. Ich hoffte inbrünstig, daß Archie nicht zum unpassenden Moment aufwachte. Eine Frauenstimme meldete sich am anderen Ende der Leitung und verband mich weiter, nachdem ich ihr mein Anliegen mitgeteilt hatte. Danach war eine sehr bedächtig klingende Männerstimme am Apparat.

»Wie kann ich Ihnen weiterhelfen, Monsieur?«

»Ich, ja, die Sache ist ein bißchen diffizil«, sagte ich. »Also, vor siebzehn Jahren lernte ich einen Herrn kennen. Refizul war sein Name, Eduard von Refizul …«

»Wenn Sie mir nicht eine Zahlen-Buchstaben-Kombination nennen können, muß ich zu meinem Bedauern wieder auflegen, Monsieur!«

Ich nannte sie ihm, und er gab mir eine Bankverbindung mit einem zugehörigen Code. Bevor ich auflegte, wollte ich noch kurz wissen, wie viele Kröten ungefähr auf meinem bescheidenen Sparkonto schlummerten. Ach, sieh an! Kaum hatte ich aufgelegt, saß ich schon wieder vor Ebay, wo Archie immer noch als Powerseller eigeloggt war. Nur noch vier Minuten bis zum Ende der Auktion! Ich rief sämtliche Angebote auf, für die Morgenrot Inc. als Verkäufer zeichnete, und sortierte sie nach den höchsten Geboten. Junior stand ganz oben auf der seitenlangen Liste, ein Spinner aus Nordkorea bot inzwischen sogar hundertsiebzig Millionen Euro für ihn. Ich legte noch eine Kleinigkeit drauf. Mir blieben noch zwei Minuten. Ich markierte alle Felidae-Auktionen und gab per Powerseller-Sammelbefehl auf jede Auktion mein Maximalangebot ab. Noch eine Minute. Auf der ganzen Welt versuchten nun wohl hektische Bieter, die die sprechenden Artgenossen schon sicher in ihrem Besitz geglaubt hatten, mich zu überbieten. Doch Refizul hatte mich äußerst großzügig ausgestattet, an meinen Milliardengeboten zog niemand vorbei. Vor meinen Augen tanzten nur noch Zahlen, Einsen, Zweien, Dreien und unendlich viele Nullen dahinter wie Showgirls in einem verruchten Etablissement. Nur noch zehn Sekunden, fünf, zwei Sekunden …

Gewiß, am Schluß war ich mein schönes Geld bis auf den letzten Taler los. Aber hol's der Teufel!, wie man so sagt. Denn ich hatte nicht nur Junior die Deportation ans Ende der Welt erspart, sondern auch seinen zahlreichen Leidensgenossen, die alle ein ähnliches Schicksal erwartet hätte. Ich würde sehr, sehr bald meinen Sohn in die Pfoten schließen können. Und ja, auf meine Weise hatte ich nun doch die Welt gerettet. Fragte sich nur, wie Gustav reagierte, wenn ihm die Post in den nächsten Tagen lastwagenweise Feliden an unsere Adresse zustellte.

Ich blickte zu Archie, der mit dem Kopf auf der Tischplatte im Schlaf leise irgend etwas Unverständliches brabbelte. Vermutlich sah er die vielen tanzenden Ebay-Zahlen selbst im Traum. Ich überlegte noch, wie ich all die Zahlungen von seinem Powerseller-Konto arrangieren könnte, ohne daß er etwas davon mitbekam, doch sein schlafendes Gesicht hatte etwas Ansteckendes. Schließlich war ich den ganzen Tag auf den Beinen gewesen und im wahrsten Sinne des Wortes durch die Hölle gegangen. Den alten Tunichtgut würde es kaum stören, wenn ich mich ein bißchen an ihn schmiegte, die Augen schloß und eine Mütze Schlaf nahm. Über Gott und die Welt und alles, was geschehen war, konnte man ja noch morgen reflektieren. Doch plötzlich rief da jemand nach mir …

»Paps! Paps! Paps!«

Ich schlug die Augenlider auf und sah Junior geradewegs ins Gesicht. Die schwarzweiße Fellexplosion mit der leuchtenden hellrosa Haut an der Nase und den Ohrenspitzen saß vor mir und blickte mich durch leicht schräge, grüne Diamantenaugen forschend an.

»Junior«, sagte ich erfreut. »Hat der Postbote dich schon geliefert?«

Der forschende Blick verwandelte sich in einen besorgten. »Ähm, was meinst du damit?«

Allmählich spürte ich eine vertraute Wärme an meiner Seite, und als ich mich umdrehte, gewahrte ich niemanden anderen als meine schlummernde, silberblau schimmernde, geliebte Sancta. Blaubart schnarchte ein kleines Stück weit entfernt. Und auf dem Ledersessel wiegte sich unser fluguntauglicher Heißluftballon Gustav unruhig im Schlaf. Ich befand mich im Wohnzimmer, und alle meine Lieben waren bei mir. Das Kaminfeuer war fast erloschen. Die rote Glut färbte jeden Winkel mit einem heimeligen Schein, während vor den Fenstern vereinzelte Schneeflocken vorbeischwebten.

»Ich bin eingeschlafen«, sagte ich.[5]

»Das kann man wohl laut sagen! Und zwar mitten im Satz.« Über Juniors schönes Antlitz huschte der Anflug von Verärgerung.

»So? Na ja, ich bin nun einmal nicht mehr der Jüngste, mein Guter. Aber jetzt bin ich ja wieder wach und stehe zu deinen Diensten. Was hatte ich denn gerade erzählt?«

»Du hattest berichtet, wie diese Rentnertypen deine ganze Familie abgeknallt haben und dich um ein Haar auch erwischt hätten. Aber dann hast du diesen coolen Brunnen in dem verlotterten Garten gesehen, bist darauf zugerannt und wolltest reinspringen.«

»Und dann?«

»Und dann bist du einfach eingepennt, Paps!«

»Oh, tut mir leid, daß ich ausgerechnet an der spannendsten Stelle weggetreten bin, Kleiner. Aber so spannend war die ganze Aktion dann doch nicht, weißt du? Ich habe nämlich in letzter Sekunde schnell einen Bogen um diesen Brunnen gemacht.«

»Aha. Und wie ging es dann weiter? Ich meine, mit deinem ersten Fall, den du nicht vollständig lösen konntest und von dem der Weltfrieden abhing und so weiter?«

»Das ist wirklich eine sehr lange Geschichte, Junior, und ich fürchte, ich kann sie diese Nacht nicht mehr zu Ende bringen. Ob du es glaubst oder nicht, das Schlafbedürfnis des alten Mannes ist noch lange nicht gestillt. Du siehst aber auch nicht mehr taufrisch aus. Am besten legst du dich gleich zu uns hin.«

»Okay«, sagte er und kuschelte sich an mich. »Aber morgen nimmst du den Faden wieder auf und erzählst weiter. Ich bin sehr gespannt. Ist bestimmt alles furchtbar undurchsichtig und kompliziert.«

»Ja, es ist eine komplizierte Geschichte«, erwiderte ich, streckte alle viere gegen das Kaminfeuer und lächelte versonnen. »Denn der Teufel steckt im Detail!«

Anhang

1   Kein Lebewesen, das auch nur einen Funken Verstand besitzt, kann sein ganzes Dasein im Zustand anhaltender Realität zubringen. Alle Geschöpfe, die über ein halbwegs entwickeltes Gehirn verfügen, brechen zuweilen mit Rauschgiften aus dem grauen Alltag aus. Das Bedürfnis, sich zu »bedröhnen«, zieht in der Natur viel weitere Kreise, als die Wissenschaft noch vor wenigen Jahren glauben wollte. Viele kennen heute das Beispiel der afrikanischen Elefanten, die sich mit Leidenschaft vergorene, mit Alkohol durchsetzte Früchte zu Gemüte führen und danach besoffen durch die Gegend trampeln, so laut und rüde wie Hooligans nach einem verlorenen Fußballspiel. Oder das Beispiel der Vögel, die sich an Hanfkörnern delektieren, die Haschisch enthalten, und dann tierisch angetörnt durch die Lüfte flattern.

Und dann wäre da noch die Katze, die sich liebend gerne am Geruch der sogenannten »Katzenminze«, aber auch von Baldrian und einigen anderen einschlägigen Pflanzen berauscht. Die aus Asien stammende Katzenminze ist mit Marihuana verwandt und enthält in ihren Stielen und Blättern eine chemische Substanz namens Nepetalacton. Diesen Stoff, der für die menschliche Nase ein bißchen nach Minze, aber auch ein bißchen nach frischer Wiese duftet, können Katzen bereits in einer Verdünnung von eins zu einer Milliarde wittern.

Auf die ganze Familie der Felidae, vom Löwen bis zum Stubentiger, hat die Essenz die gleiche Wirkung. Katzen fressen die Pflanze selten, schnüffeln und reiben sich jedoch daran oder wälzen sich darauf. Außerdem kauen, nagen und schlecken sie daran. Daraufhin geraten sie entweder in Trance, verfallen in Ekstase oder werden einfach kontemplativ. Manche Katzen sind wie gebannt, andere scheinen verrückt vor Freude, schnurren laut, wälzen sich am Boden und machen sogar Luftsprünge.

Der ganze »Trip«, der etwa eine Viertelstunde dauert, hat auf der einen Seite viel mit den natürlichen sexuellen Reaktionen der Katze gemeinsam, die immer deutlicher werden, wenn die Dosis erhöht wird. Der Speichelfluß steigt dann dramatisch, der Kater bekommt eine Erektion, während die weibliche Katze den geschlechtstypischen Liebesschrei ausstößt. Auf der anderen Seite gibt es auch einige Zeichen, die eher an ein Delirium und an Halluzinationen denken lassen. So starren viele »beschwipste« Katzen mit leerem Blick in die Ferne, während andere nach imaginären Faltern grapschen.

Manche Forscher vermuten, daß die Katzenminze ein natürliches, saisonales »Aphrodisiakum« ist, das die Katze im Frühjahr in Stimmung bringt, um Liebe zu machen. Allerdings besitzen nur etwa 70 Prozent aller Katzen die Anfälligkeit für die berauschende Pflanzendröhnung, die durch ein dominantes Gen übertragen wird. Diese schweigende Mehrheit fährt aber auch voll auf das »Katzenkraut« ab, wie jeder Hobbygärtner weiß, dessen Minzekulturen von gierigen Katzen-Junkies zertrampelt wurden. Ein alter schwäbischer Spruch lautet denn auch: »Du streichst dich wie die Katze um den Baldrian.« Wenn Ratten mit Nepeta-Öl beträufelt werden, erlischt bei der Katze jeglicher Jagdinstinkt, und sie läßt sich in Anwesenheit des Erzfeindes zu demütigenden Aktionen hinreißen – nach dem Motto »make love, not war!«. Schlaue Ratten würden demnach immer ein Blatt Katzenminze bei sich tragen, das so unentbehrlich ist wie ein Kranz Knoblauch in Transsylvanien.

Nepeta-Öl ist mittlerweile auch als Spray im Handel erhältlich und wird angeblich von Dompteuren als Notbremse gegen übermütige Löwen eingesetzt. Leider haben sich auch die Fallensteller schon lange diese besondere Schwäche der Felidae zunutze gemacht. Tierärzte benutzen diese sanfte Pflanzenmedizin auch schon einmal als Beruhigungsmittel. Wer seiner Katze hin und wieder etwas Ekstase gönnen möchte, sollte zurückhaltend dosieren, denn der Effekt geht flöten, wenn man des Guten zuviel tut.

Man weiß bis heute nicht genau, ob Katzenminze eine richtige »psychedelische« Droge wie LSD mit halluzinogener Wirkung ist. Das Problem liegt darin, daß beim Minzerausch überhaupt kein Wirkstoff in den Organismus und in das Gehirn gelangt. Das »High« kommt allein durch den Kontakt der Duftmoleküle mit der Riechschleimhaut zustande. Dies ist einmalig in der Welt des Drogenkonsums, denn selbst die Menschen, die zur Berauschung Lösungsmittel schnüffeln, nehmen dabei fremde Moleküle auf. Der Katzenminzetrip ist jedoch wesentlich abgefahrener als der normale sexuelle Erregungszustand. Wahrscheinlich ist das Nepeta-Öl ein sogenannter »supranormaler« Stimulus, der die gleichen Rezeptoren anspricht wie die arteigenen Pheromone. Wegen ihrer ungewöhnlichen Struktur erzeugt die Droge aber eine übersteigerte Wirkung, die weit über das ursprüngliche Sexprogramm hinausgeht. Es gibt übrigens auch beim Menschen supranormale Stimuli. Dazu gehören etwa die »Superattrappen«. Das sind Darstellungen weiblicher Schönheiten, die viel stärker ausgebildete Schlüsselreize besitzen, als die Natur sie je produzieren könnte. Nur drehen die meisten von uns nicht gleich durch, wenn sie die Brüste von Pamela Anderson sehen.

Es sind auch Berichte über Menschen bekannt geworden, die Katzenminze in der Pfeife geraucht haben. Sie sollen einen sehr fröhlichen, zufriedenen und berauschten Eindruck gemacht haben. Bei einigen Hippies der 60er Jahre galt das in der Pfeife gerauchte Kraut als ein mildes Halluzinogen, das dem Haschisch in nichts nachstand. In manchen Ländern wurde die Pflanze sogar zur Therapie gegen spastische Erkrankungen eingesetzt. Ein britisches Rezeptbuch aus dem Jahr 1629 behauptet, daß die Auszüge aus der Katzenminze den »weiblichen Lauf« beschleunigen. Ein neues Nachschlagewerk macht diese etwas unverständliche Angabe klarer: Katzenminze sei hilfreich bei verzögerter Menstruation. Das bedeutet mit anderen Worten, daß der heiße Katzen-Stoff als Abtreibungsmittel eingesetzt werden kann. Möglicherweise ist die Droge in alten Zeiten für diesen Zweck verwendet worden.

Das mit der Katzenminze verwandte Kraut »Matatabi«, das die Japaner »Lustpflanze« nennen, schlägt noch viel stärker an als Nepeta selbst. Großkatzen, die an dieses schlimme Teufelszeug herankamen, ließen dafür alle natürlichen Vergnügungen sausen – Essen, Trinken und Geschlechtsverkehr. In diesem Fall handelte es sich um eine echte, schwere Sucht, denn die Tiere kamen nicht mehr von der harten Droge weg, selbst als diese begann, die Riechzentren und das Gehirn zu zerstören – wie bei der menschlichen Schnüffelsucht. Der bizarrste und abenteuerlichste Fall kätzischen Drogenkonsums wird allerdings von den Tukano-Indianern im tropischen Regenwald geschildert. Nach ihren Darstellungen kann man dort häufig Jaguare beobachten, die sich an der Rinde des Yaje-Baums vergehen. Auch die Tukanos selbst tun sich vor der Jagd an dieser botanischen Kostbarkeit gütlich, weil sie den Eingeborenen angeblich überlegenes Jagdgeschick und das phantastische Auge des Jaguars verleiht. De facto enthält Yaje eine halluzinogene Droge, die die Pupillen erweitert und ein High erzeugt. Sie steigert aber auch die Sehschärfe und macht die Aufmerksamkeit für sensorische Reize klar und hell. Vielleicht hat also der Jaguar irgendwann gemerkt, daß einem mit Yaje »gedopten« Jäger Flügel wachsen.

2   Entgegen einem weit verbreiteten Irrtum können auch Katzen schwimmen, allerdings sind die meisten von ihnen sehr wasserscheu und schwimmen nur, wenn sie es unbedingt müssen. Werden sie einmal naß, so versuchen sie durch Lecken und wildes Schütteln möglichst schnell jeden Tropfen Wasser von sich zu bekommen. Das kann damit zusammenhängen, daß die Feuchtigkeit die hervorragende Wärmeisolierung des Katzenfelles in Mitleiden-

schaft zieht. In der Türkei gibt es aber eine Katzenrasse, die sogenannte »Van Katze«, die gern ins Wasser geht und dort nach Fischen jagt. Auch die südasiatische Fischkatze wagt sich gerne und häufig ins feuchte Element. Auf ihrer Suche nach Beute kauert sie nicht nur am Ufer und holt sich mit einem gezielten Schlag die Fische aus dem Wasser, sondern watet auch häufig auf der Suche nach Krabben und anderem Wassergetier in seichten Gewässern umher oder erbeutet Fische tauchend und schwimmend, außerdem sucht sie das Wasser nach Fröschen, Krebstieren und Wasserschnecken ab. Die alten Ägypter nutzten die Hauskatze angeblich nicht nur als Mäusefänger, sie sollen sie auch auf das Fangen von Fischen abgerichtet haben. Auch Löwen und Leoparden widerstrebt der Aufenthalt im Wasser; aber der Jaguar und der Tiger gebärden sich gerne als Champions des Schwimmsports.

Obwohl die meisten Katzen schwimmen können, besitzen sie bei weitem nicht die Ausdauer der Hundeartigen. Daher sind sie manchmal auch überfordert, aus einem Swimmingpool oder einem Teich herauszuklettern. Viele kleine Kätzchen verenden elend, wenn sie in eine Badewanne oder einen Eimer gefallen sind.

3 Katzen haben einen deutlich ausgeprägteren Geruchssinn als wir Menschen, der es ihnen erlaubt, direkt nach der Geburt mit traumtänzerischer Sicherheit die Zitze der Mutter anzusteuern, obwohl sie blind und taub zur Welt kommen. Ihre olfaktorischen Leistungen übertreffen die unseren auf so unvorstellbare Weise, daß wir sie getrost als »sechsten Sinn« oder »hellriechen« bezeichnen

können. Obwohl die Katze nur einen kleinen Kopf mit winzigen Nasenlöchern zur Verfügung hat, ist ihre Naseninnenhöhle durch mehrere muschelförmige Einbuchtungen künstlich vergrößert. Die eingeatmete Luft strömt durch einen wahren Irrgarten aus Knochen und Höhlungen, der auf einer Fläche von vierzig Quadratzentimetern mit Riechschleimhaut besiedelt ist. Die menschliche Riechhöhle ist nicht einmal mit der Hälfte dieser Auffangfläche ausgekleidet. Bei der Katze werden die gasförmigen Moleküle im Luftstrom von 60 bis 70 Millionen mikroskopisch kleinen Riechzellen aufgefangen und in Nervenimpulse umgewandelt, während dem Menschen gerade einmal 5 bis höchstens 20 Millionen dieser olfaktorischen Rezeptoren zu Gebote stehen – die Rezeptorendichte ist ein verläßlicher Gradmesser der Empfindlichkeit. So besitzen unsere Fingerspitzen eine hohe Sensibilität, weil sie engmaschig mit Tastrezeptoren bespickt sind, während der eher unempfindliche Oberarm eine viel geringere Sensorendichte aufweist.

Die Riechzellen im Riechfeld lassen winzige Härchen (Glia) herausragen, die die Duftmoleküle einfangen und sich im Luftzug hin- und herbewegen wie Seeanemonen auf einem Korallenriff. Dieses Riechfeld ist gelb und feucht und enthält fetthaltige Substanzen. Die Intensität der Gelbfärbung ist ebenfalls ein Gradmesser für die Sensibilität der Nase: Je stärker der Farbton, um so feiner der Geruchssinn. Albinos haben nur einen sehr schwach ausgeprägten Geruchssinn und daher ein bleiches Riechfeld. Das Riechfeld der Katze ist intensiv senfbraun, während das des Menschen nur eine hellgelbe Tönung aufweist.

327

Man hat auch festgestellt, daß dunkelhäutige Menschen mit einem dunkleren Riechfeld ausgestattet sind – und daher theoretisch besser riechen können müßten.

Der Geruchssinn der Katze ist aber noch nicht einmal der Gipfel in der Natur; ein Superschnüffler, der deutsche Schäferhund, besitzt eine Riechschleimhaut, die ungefähr 170 Quadratzentimeter und 200 Millionen Riechzellen mit Beschlag belegt. Aus unerklärlichen Gründen soll der Tiger, ein ausgekochter Jäger, mit einer ganz schlechten Nase geschlagen sein, was viele Rätsel aufgibt. Aber die meisten Tiere, die eine feine Nase besitzen, gehen auf allen vieren, und ihr Kopf befindet sich in der Nähe des Bodens, wo sich die feuchten und schweren Duftmoleküle konzentrieren. Das gilt für die Katze ebenso wie für den Elefanten, der seinen Rüssel meist nach unten hängen läßt.

Die Geruchswelt der Katze ist so weit von unserer entfernt, daß die Phantasie uns nur eine verschwommene Vorstellung davon vermitteln kann. Die Katze, die sich von einer Ecke des Zimmers in die andere begibt, macht bei dem kurzen Trip womöglich so intensive Erfahrungen wie ein Mensch, der von einem olfaktorischen Extrem ins andere fällt: Erst der (aus Vanille bestehende) Anschlag auf die Geruchsnerven, wie er dänischen Eisdielen entströmt, dann der »Gasangriff« aus einer verkommenen öffentlichen Toilette, und im nächsten Augenblick der ätherische Duft von Veilchenblüten. Besonders empfindlich reagiert die Nase der Katze auf Gerüche, die Stickstoffverbindungen enthalten. Dadurch wird das Tier befähigt, verdorbenes oder ranzig gewordenes Futter abzulehnen, das stickstoffhaltige Chemikalien abgibt. Was Fäulnis angeht, reagieren Katzen im Verhältnis zu Hunden ausgesprochen pingelig; sie haben lieber alles so frisch wie möglich und auf keinen Fall abgestanden und reif. Die Katze, die um den heißen Brei herumschleicht, hat wahrscheinlich eher den verdächtigen Geruch als die Hitze im Sinn. Eine Ausnahme machen allerdings die Löwen, die sogar stinkendes Aas verdrücken, das nur so vor Leichengift trieft. Das andere Extrem ist der Gepard, der sich nur einmal kurz an Blut und Leber der frisch erlegten Beute gütlich tut und jedes »abgehangene« Fleisch verschmäht.

4   Im Umgang mit entthronten Göttern hat die Menschheit seit jeher eine ebenso simple wie rabiate Methode parat: Sie erklärt sie zu Teufeln. Der gleiche religionsgeschichtliche Mechanismus sollte der Katze im christlichen Mittelalter zum Verhängnis werden. Im alten Ägypten noch als Göttin der Fruchtbarkeit angebetet, mußte sie nun als Sündenbock und Sinnbild des Teufels herhalten. Als Verbündete der angeblichen Hexen und Hilfsgeist des Satans wurden Katzen verfolgt, gequält und auf dem Scheiterhaufen verbrannt. Vor allen anderen Haustieren geriet unser zahmer Stubentiger ins Visier klerikalen Mißfallens. Man sagte, daß der Hausgeist einer Hexe mit Vorliebe im Leib einer Katze »wohne« – diese schlüpfe dann in die Ställe, um das Vieh zu verderben.

Warum es ausgerechnet die Katze so hart getroffen hat, kann man nur vermuten. Es lag vielleicht daran, daß sie im Unterschied zu allen anderen domestizierten Mitgeschöpfen dem Menschen keinen unterwürfigen Gehorsam entgegenbringt. Erschwerend kam wahrscheinlich hinzu, daß die eigensinnige Samtpfote uns nicht mit Fleisch oder mit großartigen Dienstleistungen behilflich ist. Vielleicht ging es ihr auch an den Kragen, weil die christlichen Patriarchen die seit Urzeiten bestehende innige Beziehung zwischen Frauen und Katzen fürchteten oder weil die Katze nach den überlieferten Mythologien der Ägypter, Griechen und Römer in engem Kontakt mit dem Mond und der Unterwelt stand. Die Katze macht sich die Nacht zum Tag, sieht im Dunkeln, kommt und geht nach Belieben und erkennt keine Autoritäten an. Kein Wunder, daß sie der Kirche ein Dorn im Auge war.

Zwischen dem zwölften und vierzehnten Jahrhundert wurden alle ketzerischen Vereinigungen beschuldigt, dem Teufel in Gestalt einer großen schwarzen Katze zu huldigen. Sie feierten angeblich Zeremonien, bei denen rituelle Kindstötungen und Sexorgien en vogue waren, und deren Höhepunkt darin bestand, gemeinschaftlich den Anus des vierbeinigen Teufel-Stellvertreters zu küssen. Einem mittelalterlichen Glauben zufolge erschuf der Teufel die Katze sogar persönlich – aus Versehen. Er wollte eigentlich einen Menschen schaffen, aber es gelang ihm nur eine haarlose Katze. Petrus war es, der Mitleid mit dieser armen Kreatur empfand und ihr ein Fell gab. Wenn der Teufel beschworen werden sollte, benötigte man dazu immer eine Katze. Im schottischen Hochland gab es einen Ritus, bei dem mehrere Personen eine lebende Katze rückwärts über ihre Schulter in einen Röstofen mit zwei Türen werfen mußten. Obwohl (schwarze) Katzen mit dem Odium der Hölle und der schwarzen Magie behaftet waren, diente aus-

330

gerechnet ihre Leber häufig als Zutat bei der rituellen Teufelsaustreibung (Exorzismus). Man dachte wohl im Geiste der Homöopathie, daß man böse Dinge am besten mit bösen Dingen austreibt.

Besonders gewütet hat man gegen Katzen im Zusammenhang mit den Hexenverfolgungen. Das hatte zwei Gründe. Erstens glaubte man, daß sich Hexen zeitweise in Katzen verwandelten. 1484 verkündete Papst Innozenz VIII., daß Hexen den Satan anbeten und die Gestalt ihrer tierischen Gehilfen, der sogenannten »Hexentiere«, annehmen würden. Der Glaube, daß eine Hexe nur neun Mal die Gestalt einer Katze annehmen könne (was die Vorstellung von den neun Leben einer Katze widerspiegelt), war damals weit verbreitet. Zweitens verdächtigte man Hexen, über Katzen in Verbindung mit dem Teufel zu stehen. Auf dem Besenstiel saß auch immer eine Katze. Folgerichtig wurden Katzen oft gemeinsam mit den Hexen gefoltert und verbrannt. In vielen Ländern Europas war es außerdem üblich, an bestimmten Tagen »Treibjagden auf Hexen« zu machen, sprich: Katzen zu fangen und zu töten. In Holland gab es sogar einen »Katzenmittwoch«, an dem Katzen massenweise umgebracht wurden.

Im katholischen Europa wurden Menschen gefoltert und umgebracht, weil sie Katzen besaßen oder betreuten. In der Mitte des siebzehnten Jahrhunderts kamen Katzen sogar selbst auf die Anklagebank; ein Schuldspruch beförderte sie stets auf den Scheiterhaufen. Als die Pest in Europa ein Drittel der Bevölkerung dahinraffte, wurde nicht den Ratten, sondern den Katzen die Schuld gegeben. Der Oberbürgermeister von London ordnete die Tötung aller Katzen an und beseitigte damit ohne sein Wissen die größte Barriere gegen die Ausbreitung der Seuche. Zum Schutz gegen Unheil wurde beim Bau von Häusern, Burgen und Kirchen oft eine lebendige Katze als »Bauopfer« eingemauert.

5 Jeder, der sein Haustier im Schlaf beobachtet hat, wird bemerkt haben, daß Katzen oder Hunde im Schlaf fauchen, knurren, ja sogar mit den Pfoten zucken und strampeln. Diese Beobachtungen decken sich mit den Berichten von Zoologen, die den Schluß nahelegen, daß auch Tiere träumen und Erlebtes so »bearbeiten«. Der französische Neurologe Michel Jouvet ist der Meinung, daß bei Katzen bestimmte Verhaltensabläufe, welche für das Jagen von Beutetieren notwendig sind, nochmals im REM-Schlaf, gleichsam im »Trockentraining«, ablaufen, bevor sie fest ins Gehirn einprogrammiert werden. »Die Träume der Katzen spielen nur unter Mäusen«, brachten es schon die alten Chinesen auf den Punkt.

Wir wissen heute, daß Träume vorwiegend in bestimmten, zyklisch wiederkehrenden Schlafphasen »ausgebrütet« werden, in denen wir hektisch die Augen bewegen. Wer aus solch einer REM-Phase geweckt wird, kann so gut wie immer einen Traum zum besten geben. Das Gehirn, das während des traumlosen Schlummers fast völlig abschaltet, wird in dieser Periode von einem wahren Feuerwerk von elektrischen Entladungen durchzuckt. Trotz dieser Erregung wird die Muskulatur von einer unüberwindlichen Lähmung, der Traumstarre (Atonie) übermannt. Vermutlich hat die Evolution den Träumer absichtlich bewegungsunfähig gemacht, damit er keinen unsinnigen Traumgedanken in die Tat umsetzt und sich mit imaginären Flügeln von der Fensterkante schwingt.

Katzen verbringen jeden Tag etwa 16 Stunden in Morpheus' Armen, was ungefähr 70 Prozent ihres Zeitbudgets ausmacht. Ungefähr 30 Prozent des kätzischen Schlummers – genau doppelt so viel wie beim erwachsenen Menschen – fallen auf den REM-Schlaf. Um dieses Gefilde zu erreichen, muß die Katze völlig gelöst sein. Dazu streckt sie alle viere von sich und scheint weggetreten. Ihren Traumschlaf hat sie erreicht, wenn sie dann noch den Kopf auf die Seite dreht und sich ihre Augen wild hin und her bewegen. Während des REM-Schlafs gibt es noch andere Anhaltspunkte dafür, daß Katzen träumen oder zumindest halbbewußte, mit dem menschlichen Träumen vergleichbare Erfahrungen machen: Positionswechsel, Bewegungen der Pfoten, der Krallen und des Schwanzes, Zuckungen der Schnurrhaare und Ohren und in einigen Fällen auch Lautbildungen. Wenn eine Katze aus dieser Phase geweckt wird, dauert das Aufwachen etwas länger. Sie scheint aus einer anderen Welt zurückzukommen, denn sie braucht einige Momente, um ihre Umgebung zu realisieren. Offensichtlich erfüllt der REM-Schlaf einen wichtigen biologischen Zweck, denn Katzen, die ihn entbehren mußten, holen ihn bei der nächsten sich bietenden Gelegenheit nach.

Einen etwas genaueren Blick in das Traumuniversum der Katze hat Michael Jouvet gewonnen, indem er jene Stellen im Hirn ausschaltete, die im REM-Schlaf die Muskeln stilllegen. Flugs begannen die Tiere, im Schlaf nichtexistierende Mäuse zu jagen; sie legten sich auf die Lauer, kämpften gegen einen imaginären Widersacher, fauchten, bissen und betrieben im »Leerlauf« ziellose Körperpflege. Es sah ganz danach aus, als ob sie die animalischen Impulse ihrer Träume auslebten. Allerdings bleibt bis heute völlig offen, warum Katzen doppelt so viel Zeit im Traumschlaf zubringen wie ihre geneigten Dosenöffner.

Daß auch Tiere im Schlaf Episoden und Vorkommnisse des vorangegangenen Tages »wiederkäuen«, hat man übrigens ausgerechnet bei der Ratte entdeckt, dem verkommenen Antipoden unseres dekorativen Stubentigers. Deren Hirnaktivität wurde untersucht – während des Experimentes liefen die Laborratten durch ein Labyrinth, in dem sie an manchen Stellen Futter vorfanden. Die dazugehörigen »Gehirndaten« wurden vom Computer aufgezeichnet. Daraus erstellten die Forscher eine Grafik. Nach der Futtersuche im Labyrinth fielen die total erschöpften Nagetiere schnell in eine REM-Schlafphase. Die Computer zeichneten weiterhin die Gehirndaten auf. Bemerkenswertes Ergebnis: Die im Schlaf der Ratten entstandene Grafik sah fast genauso aus wie diejenige von der Futtersuche. Das bedeutet, daß Ratten im Schlaf fast das gleiche wie am Tag noch einmal erleben und im Traum »üben« bzw. »lernen«, so wie das auch für Menschen gilt – man glaubt ja auch, daß Träume notwendig sind, um Gedächtnisinhalte zu festigen.